IT全史

―情報技術の250年を読む―

中野 明

はじめに

AIが劇的に進展し、人から多くの仕事を奪うという話がある。

コンピュータの性能が指数関数的に進歩し、1年間で作り出されるコンピュータの知能は現在の人類全体の知能より10億倍強力になるという主張もある。

遺伝子工学やナノボットなどの最新テクノロジーにより、やがて人間は不死になると予言する人もいる。

これらが現実になるかどうかはまだ判然としない。しかしテクノロジーが劇的に進展しているのは事実だろうし、その影響を人や社会がこうむるのは不可避のようだ。

そのため、これから先世の中はどうなるのだろうか、私たちの暮らしはどう変化するのだろうか、トレンドに乗らなければ取り残されるのではないだろうか、と漠然とした不安を感じている人がきっと多いに違いない。

とはいえ、世の中を近視眼的に見るだけでは、次から次へと生まれる新しい出来事に翻弄(ほんろう)されるばかりではないだろうか。これでは「木を見て森を見ず」と言われてもしようがないように思う。

一方で、自身の現在の立ち位置を客観的に把握できれば、身の回りの変化について、もっと冷静に判断できるに違いない。これは、いま生じている「木」という現象を、「森」すなわち大局から見る態度と言えるだろう。

そこで重要になるのが、過去の経緯を尋ねて、現在のありようを問う態度ではないか。つまり歴史を問う立場である。

本書のテーマである情報技術にも歴史がある。進展著しいその歴史を問うことで、私たちがなぜ現在の立ち位置にあるのかを確かめられるに違いない。また、足場を固めたその視座から、来る社会について熟考することもできるだろう。

そうすれば、未来に対してただただ不安を募らせるよりも、より客観的で精度の高い洞察、あるいは「気づき」を手にできるのではないか。

本書では、18世紀末から21世紀半ばまでの２５０年間を対象に、情報技術の歴史を記した。いわば「ＩＴの２５０年」である。

この２５０年における情報技術の興亡から、読者の方々が情報技術に対する確固たる視座を手にしてもらえることを期したい。

神戸元町にて筆者記す

目次

第2章 電気を使ったコミュニケーション

第3章

音声がケーブルを伝わる

第4章
電波に声をのせる

第5章 テレビ放送時代の到来

第6章 コンピュータの誕生

第7章

地球を覆う神経網(インターネット)

第8章 IoE、ビッグデータ、そしてAI

エピローグ

「超」相克の時代を迎えて

ブックデザイン　井上篤（100mm design）
年表作成　J-ART

社会や産業をある時点で凍結しようとする試みは、
時を止めるのと同様無駄なことである[1]。

デービッド・サーノフ

プロローグ

生態史観から見る情報技術

梅棹忠夫の情報論

「ＩＴ」とは「Information Technology」の略であり「情報技術」あるいは「情報通信技術」を指す。この語がにわかに話題になり始めたのは１９９０年代末のことだった。

総務省（旧郵政省）が毎年発行する『情報通信白書』（旧版のタイトルは『通信白書』）が、ＩＴを特集として取り上げたのは平成12年版（２０００年6月出版）のことだった。同書のサブタイトルには「ＩＴがひらく21世紀」とある。さらに、同年11月には「高度情報通信ネットワーク社会形成基本法」、通称「ＩＴ基本法」が成立している。当時の総理大臣が「ＩＴ」を「イット」と読んだという話がまことしやかにささやかれたのもこの頃のことだった。

もちろんＩＴの本質たる「情報」が１９９０年代末になって初めて注目を集めたわけではない。そもそも情報という語の初出は明治9年のことで、元陸軍武官の酒井忠恕がフランスの軍事書を翻訳する際に用いた。「敵の陣地の情報」や「偵察によって得た情報」のように、用途は現在とほぼ同様だった。ちなみに、この情報という語は、森鷗外が明治20年前後にクラウゼヴィッツの『戦争論』を訳した際に造語したという説が従来は有力だった。しかしこの説が間違っていたことが明らかになっている[1]。

一方、情報が社会や経済にとって重要な役割を果たすと考えられるようになるのは、1960年代に入ってからのことになる。民族学者で国立民族学博物館初代館長・梅棹忠夫は、この点をいち早く指摘した人物として著名だ。

梅棹は、広報誌「放送朝日」の1961年10月号に掲載した論文「放送人、偉大なるアマチュア（のちに「放送人の誕生と成長」に改題）」で、自身が造語した「情報産業」という語を初めて用いた[2]。情報産業とは、放送事業のような情報を扱う産業であり、この語が印刷物に載ったのはこれが本邦初だった、と梅棹本人が語っている。

さらに同じ「放送朝日」の1963年1月号には論文「情報産業論」が掲載され、その中で梅棹は現代を「情報産業の時代」と定義したうえで、産業の進展を人間の機能の段階的発展というアナロジーで説明した[3]。人間の細胞は内臓に相当する内胚葉（ないはいよう）、筋肉などに相当する中（ちゅう）胚葉、そして神経系や脳に相当する外（がい）胚葉をもつ。

梅棹はこれらの機能を産業に対応させ、内胚葉に農業、中胚葉に工業、そして外胚葉に情報産業をあてた。そのうえで梅棹は、現代の情報産業の展開は、「きたる外胚葉産業時代の夜明け現象」と指摘した。要するに梅棹は「情報社会」の到来を早くも1960年代の初めに予想していたことになる。

ちなみに、梅棹からしばらく遅れて情報の重要性を指摘した人物に社会学者ダニエル・ベルがいる。ベルは1967年に雑誌「ナショナル・アフェアーズ」へ「脱工業社会のノート

（Ⅰ）（Ⅱ）」を寄稿し、財の生産がもはや経済の中心活動ではなくなったとしたうえで、貿易や金融、保険、不動産などサービス経済の台頭が著しいと述べた[4]。ちなみにベルによると、「脱工業社会（Post-Industrial Society）」という言葉は、梅棹が「情報産業」を用いた時期とほぼ同じの1962年に提唱し始めたという[5]。その後ベルは著作『脱工業社会の到来』（1973年）を出版し、経済における高度情報サービスの重要性を説くなど、情報重視への傾斜を深めていく。

また、マーシャル・マクルーハンが著作『メディア論』において、「メディアはメッセージである[6]」というあまりにも有名な言葉を記したのは1964年のことだった。さらに、アルビン・トフラーが著作『第三の波』において、情報社会の到来を主張したのはようやく1980年になってのことだ。このように見てくると、梅棹が情報の重要性について言及したのは世界的に見ても非常に早い時期だったことがわかる。

文明の発展を「遷移」でとらえる

梅棹は情報の重要性を世界に先駆けて指摘するだけでなく、独特の視点と斬り口で情報をとらえるべきだと主張した。そのような態度を「情報生態学」や「文明の情報史観」と梅棹は呼んだ[7]。いずれの態度も、梅棹がもともと専門にしていた生態学に加え、文明学の立場から情報をとらえ直すアプローチを指す。この点については少々説明が必要だろう。

そもそも梅棹の名が一般に知られるようになったのは、1957（昭和32）年に雑誌「中央公論」に寄稿した論文「文明の生態史観序説」、その続編にあたる「東南アジアの旅から」、さらにこの二つの論文を中心にして関連論文をまとめて1967（昭和42）年に出版した著作『文明の生態史観』によってだろう。

梅棹が言う「文明」とは巨大な工業力や交通通信網、完備した行政組織や教育制度など、人間が人工的に作り出した装置群および制度群とで作っているシステムを指す[8]。この文明の発展について生態学の「遷移（サクセション）」をアナロジーに利用して論じたのが『文明の生態史観』にほかならない。

遷移とは、一定の土地で生育する植物群のありようが、時間の経過とともに不可逆的に変化する様子を指す。裸地にコケ・地衣類が生じ、やがて草、低木、陽樹性の高木（アカマツやシラカバなど）、陰樹性の高木（カシやブナなど）へ発展する植物群の変化は遷移の典型と言える。この遷移は、主体としての植物群と、植物群を取り巻く環境とが相互に作用し、その結果が積もり積もって、もはや現状の様式では対応しきれなくなるために生じる。

したがって遷移は、時間の経過を伴うプロセスであり、このプロセスをたどることは、生態が変化する歴史をたどることだと言い換えられる。よって遷移の研究は生態「史」の研究となり、このような立場からものごとを見るのが梅棹の言う生態史観の基本的な態度にほかならない。

梅棹はこの生態史観を人間が作り出した文明にも適用できるのではないかと考えた。先に述べたように、文明は人間と人間が作り出した人工物としての環境との相互作用として発展していく。このように考えると、人と人工物の相互作用の歴史を生態史観の立場でたどることも可能になるだろう。『文明の生態史観』ではこのような立場から文明の発展プロセスを論じるという、誠にスケールの大きな梅棹文明論だった。

以上の梅棹がとったアプローチを念頭に置くと、梅棹が情報を考えるうえで必要だと説く「情報生態学」や「文明の情報史観」の立場もなんとなくイメージできるのではないか。いわば情報を生態学の観点からとらえなおすのが情報生態学の立場であり、情報が人間の作り出した人工的な装置や制度、組織に根本的な変革をもたらすという立場から人類の文明史について見るのが文明の情報史観の態度になる。

しかし残念ながら梅棹は、ダイレクトに「情報生態学」や「文明の情報史観」をタイトルにもつ論文や著作を残していない。むしろ情報関連での梅棹の問題意識は、情報をめぐる文明論や情報の具体的な取り扱い手法に発展したように思う。前者については『梅棹忠夫著作集 第14巻 情報と文明』（1991年）にまとめられ、後者は名著『知的生産の技術』（1969年）となり、さらに情報を整理して提示する博物館、その具体的な形としての国立民族学博物館になったのではなかったか。

では、仮に梅棹がドッグイヤーで変化する現代の情報技術について言及したら、いかなる本が完成したのか。

このような興味を契機として書き始めたのが本書にほかならない。

とはいえ、もとより浅学(せんがく)の私が梅棹忠夫の後を継いで情報文明論を語るなど恐れ多いことだろう。また、ご同僚だった研究者諸氏やお弟子さん筋からは不謹慎もはなはだしい、との批判は免(まぬか)れないに違いない。しかしながらそのような私でも、

「梅棹さんならどう考えるだろうか」

を念頭に、情報技術の過去を振り返り、現在を検証し、将来を構想することは許されるのではないか。

情報技術に特化した250年の歴史を見る

過去にも情報社会や情報技術と社会の関係に関する重要な著作が多数世に出ている。すでにふれたベルの『脱工業社会の到来』、マクルーハンの『メディア論』、トフラーの『第三の波』はその一例と言えよう。また、水越伸(みずこししん)著『メディアの生成』（1993年）、吉見俊哉(よしみしゅんや)著『「声」の資本主義』（1995年）は、いずれもテクノロジーと人の相互作用がメディアを形成するという立場からラジオや電話が一大メディアになるプロセスを描いた。さらに、

森谷正規(もりたにまさのり)著『文明の技術史観』(1998年)は、産業革命以来の技術の進展を文明論の視点でたどるとともに、アジアの工業発展について考察している。著作のタイトルからわかるように、こちらは梅棹の『文明の生態史観』に触発されているのは明らかだ。

以上の著作はいずれも20世紀のものだが、近年特に情報技術の進展について述べた注目すべき作品が続けて出版されている。W・ブライアン・アーサー著『テクノロジーとイノベーション』(原書出版2009年、以下同様)、ジェイムズ・グリック著『インフォメーション 情報技術の人類史』(2011年)、ケヴィン・ケリー著『テクニウム テクノロジーはどこへ向かうのか?』(2010年)、同じくケリーの『〈インターネット〉の次に来るもの』(2016年)、さらにいま話題となっているレイ・カーツワイル著『ポスト・ヒューマン誕生』(2005年)、その縮刷版『シンギュラリティは近い』(日本版2016年)ももちろんその一つに挙げてよい。いずれも、いまや爆発的に進展するテクノロジーを人類の進化や文明の進展という巨視的な文脈の中に位置づけ、そのうえで今後のテクノロジーの行く末を描こうとする。

本書ではこうした数々の業績や、そのほか教科書的な技術史なども参照しながら、情報技術がたどった歴史について述べるものだ。その際に以下の点に配慮した。

まず、対象を情報技術に特化しているという点だ。「情報技術＝ＩＴ」とは、情報を発信し、情報を流通させ、情報を受信する、これらの活動に関連する技術の総称を指す。中でも本書では、情報の流通（すなわち通信）をともなう情報技術に焦点を当てている。

なお、情報技術をあえて「情報通信技術（ＩＣＴ）」と呼ぶ人もいる（総務省はこの呼称を好むようだ）。本書では情報の流通にかかわる部分（通信部分）も情報技術に含む立場を取るため、わざわざ情報通信技術とは表現しない。

また本書では、「テクノロジー」という表現もたびたび用いるが、原則としてこちらは人類がもつあらゆる技術の総称として利用した。単に「技術」とした場合、農業技術や工作技術などより狭い意味として用いる。ただし文章の流れから狭義の意味での「技術」を「テクノロジー」と表現する場合もある。いずれの意味かは文脈から容易に判断できると思う。

次に本書が対象とする時代範囲だが、その始まりは産業革命のあとにフランスで誕生した腕木通信の時代に置いた。この情報技術が公式に始まったのは１７９４年のことだった。その年から２５０年を本書が扱う時代範囲とする。したがって２５０年間の情報技術を俯瞰するとその終点は２０４４年になる。この年号に何かひらめく読者も多いに違いない。

カーツワイルは先に挙げた著作『ポスト・ヒューマン誕生』で、テクノロジーが指数関数的な速度で進展し、人類の生活が激変する、来るべき未来がやって来ると主張する。これを特異点（シンギュラリティ、技術的特異点とも言う）と呼ぶ[9]。

特異点に至ると、人間の脳をスキャンしてコンピュータにアップロードでき、また遺伝子工学やナノボットの進展により人間は不死になるとまでカーツワイルは予言する。カーツワイルは、人類がこの特異点に至る時期を2045年に設定している。本書がターゲットにする2044年はこのシンギュラリティとほぼ一致する年数と言ってよい。

もっとも、本書は未来の予言書ではなく、あくまでも情報技術の歴史を扱っている。仮に過去を振り返る中で、原理原則やモデルのようなものが見つかれば、現在や将来について考えるヒントにきっとなるはずだ。そのような期待を込めて21世紀半ばまでを視野に入れている。特にシンギュラリティについて言及するわけではないので、その点はあらかじめ了解されたい。

また、「梅棹さんならどう考えるだろうか」という問題意識は、すなわち情報技術の変遷をできるだけ生態史観の立場を意識しながら記述することにほかならない。

情報技術の進歩あるいはテクノロジーの進歩を、種の進化のアナロジーで説明する態度は昔からあった。しかし種の進化で情報技術を説明しようとすると無理が生じる。それは、そもそも生物の種は継続した自己同一性を保っており、進化とはその自己同一性において共通の経緯をたどった集団の進展過程となるからだ。

一方、電信とテレビをイメージした時、いずれも情報技術の枠組みに入るものであり、情報技術の歴史の一端に時系列的に配置できるけれど、これらが自己同一性をもって発展したとは考えられない。明らかにそれぞれがそれぞれ特有の自己同一性を有している。

「情報技術の生態史観」を目指して

それならば、梅棹が文明の歴史に適用した遷移を用いて情報技術の歴史を見ればどうか。先にふれたように、遷移は裸地にコケ・地衣類が生じ、やがて草、低木、陽樹性の高木、陰樹性の高木というように環境に応じて植生が推移することを指す。注目したいのは、それぞれの遷移の段階が前段階と断絶している点だ。コケが進化して草になるのではない。草が進化して低木になるわけでもない。陽樹が進化して陰樹になるわけでもない。環境と植生が相互作用する中で、より環境に応じた植生が姿を現す。このように遷移とは、一つのシステムから別のシステムへの推移を示している。

また、その推移も漸進的であることに注目したい。コケからいきなり陰樹性の高木が発生するわけではない。前段階と後段階には大きな断絶があるのだけれど、あたかも前段階の資産を継承するかのように、後段階が姿を現すようだ。

それからもう一つ、遷移の後段階が前段階を必ずしも完全に駆逐するわけではない、という点にも着目したい。コケだった地に草が生え、低木が優勢になったとしても、条件さえそろえばコケが生きる余地はある。つまり前段階と後段階は環境に応じて共生が可能だということだ。

では、こうした遷移の考え方を情報技術に適用してみるとどうか。先に本書の出発点を腕木通信と定めた。その後の情報技術の進展はおおざっぱに見ると「腕木通信→電信→電話→無線→ラジオ→テレビ→コンピュータ→インターネット」という流れが見えてくる。腕木通信と電信、電信と電話というように、情報技術の進展における前段階と後段階を見ると、そこには明らかに技術的な断絶が存在する。

とはいえ、断絶はしながらも後段階は前段階の蓄積した資源を継承して漸進的に進展する。そのため、腕木通信からいきなりインターネットへと情報技術が進展するわけではなかった。

そもそも電信は腕木通信の符号による通信を電気という媒体に応用したものだ。この電気に関する技術が向上することで音声を電気にのせる電話が登場する。そして電磁波の発見はやがてラジオ放送やテレビ放送に結実する。さらに電気を使ったデジタル技術（厳密にはビットを扱う技術）の向上がコンピュータやインターネットを生み出した。

このように、やはり漸進的（ぜんしんてき）に推移を遂げてきたのが情報技術の２５０年だった。そしてインターネットが優勢の現在だが、ラジオ放送やテレビ放送がなくなったわけではない。共生はここでも起こっている。

梅棹は著作『情報の文明学』の中でこのように書いている。

動物の進化とは、動物のもつ可能性の展開ではなかったか。それは目的論的には説明はむつかしい。なんらかの理由によって、可能性が確立されたとき、生命のあたらしい展開がはじまるのだ。

おなじように、文明の進歩とはなんであったか。それは文明のなかの可能性の展開ではなかったか[10]。

本書では梅棹の言葉を引き取りながらこう言いたい。テクノロジーは可能性の展開ではなかったか、と。一つのテクノロジーは多数の可能性をもつ。社会に導入されると、それぞれの可能性が生存競争を行う。有利な可能性と不利な可能性が峻別（しゅんべつ）されて、テクノロジーは有利な可能性を発展させていく。これが文明のもつ可能性の展開へとつながっていく。

しかしながらテクノロジーの可能性には正と負の両面がある。これはポジティブな可能性の実現もあれば、ネガティブな可能性の実現もあることを意味する。こうして可能性の展開とその結果は、整合性があるものとは限らず、むしろ逆説や矛盾をはらみながら推移することになる。

情報技術はテクノロジーの一種にほかならない。そのため右の文で記した「テクノロジー」を「情報技術」と読み換えてもよい。そうすると情報技術の社会への導入は可能性の展開であり、そこには正負の両面があったに違いない。

以上を念頭に、情報技術の250年をたどり、その可能性がいかに展開されたのかを見ていくことにしたい。そしてそのプロセスを描くことが、とりも直さず「情報技術の生態史観」になることを期したい。

第1章

腕木通信が空を駆ける

——近代的情報技術の幕開け

産業革命による社会の変化

産業革命以前の社会では、人々は驚くほど狭い範囲で生きていたという。アルビン・トフラーは歴史家J・R・ヘイルの言葉を引いて「大多数の人が経験した旅は、一生のうちでもっとも長いものでも、平均すれば一五マイルどまりと見てさしつかえないであろう[1]」と著作『第三の波』で記している。15マイルとは24kmのことだから、これは旅というよりも隣街を訪問するレベルと言えよう。日々の生活が徒歩圏で営まれるとしたら情報の伝達は口頭で十分だったはずだ。これでは情報技術が発達する余地は少ない。

もっともその当時、徒歩圏外の地域を結ぶ通信手段がなかったわけではない。ヨーロッパの場合、その一つとして長らく重宝された通信手段にタクシス郵便があった。

タクシス郵便の起源は、1305年にヴェネチア共和国に成立したヴェネチア使者商会にさかのぼるという[2]。この商会は飛脚業を営んでいたタッソ（タクシス）一族が、共和国の支援のもとに設立した私企業で、ローマ教皇庁が支配する地域における飛脚業の権利を獲得することに成功する。さらにハプスブルク家では広大な領地を経営するための通信手段を必要とし、そのネットワークの構築をタッソ一族に命じることになる。

15世紀当時、最も高速な通信手段は、このタクシス郵便が用いていた騎馬郵便で、騎乗の郵便配達夫が駅舎（通常は旅籠が兼営していた）から次の駅舎へと駆け、待機していた配達夫にリレーする。この繰り返しで目的地に手紙を送り届けた。タクシス一族はこのシステムの管理と引き換えに、運営経費をハプスブルク家から得ていた。最盛期にはヨーロッパの主要都市に路線をもち、騎手をはじめとした雇用者は2万人にも及んだという。基本的には国家に関する手紙を運んだが、商人や金貸しなど民間の手紙も請け負った。このタクシス郵便はヨーロッパに国立の近代郵便制度が成立する19世紀半ば過ぎまで、長きにわたって続くことになる。しかし産業革命の進展によりタクシス郵便にも微妙な変化が訪れる。

産業革命は18世紀のイギリスで始まり、19世紀の中頃までに西ヨーロッパ全域へと波及した。産業革命以前、人は家庭単位の小さな仕事場で、身につけた技術を用いて、モノを少量生産していた。これに対して産業革命以降、人は大きな組織単位の巨大な仕事場で、強力な機械を用いて、モノを大量生産するようになる。このようなまったく新しい生産様式の誕生は社会構造に大きな変革をもたらした。

情報に特化して見ると、機械を用いた大量生産という従来にない複雑な生産過程には専門の知識が必要となる。また、大量生産を実現するには、同じ場所で働く人々にその専門知識を一般化する必要がある。専門知識の一般化とは、特定の人物が知識を独占するのではなく、働く人々が平準化された知識すなわち情報を共有することを意味する。

また大量に生産したモノを限られた狭い範囲だけで消費するのは困難だ。大量になるほど、より広域にモノを流通させる必要がどうしても出てくる。イギリスはそのために河川を改修して、水路によるモノの輸送を発達させた。しかし、輸送力の強化は大量生産物をさばく必要条件とはいえ、これで十分だというわけではない。どの地域で需要があるのか、その需要はどのようなものなのか、その需要に対してどの程度のモノが必要になるのか。いわば、生産物を円滑に流通させる技術、言い換えると遠距離にある需要地との情報のやりとりがどうしても必要になる。

こうして情報に対するニーズが高まるにしたがって、流通する情報量は漸次増加する。そうすると増加する情報をタクシス郵便以上に効率的に扱う技術がどうしても必要になってくる。つまり、産業革命は新たな情報技術を生み出す、ある意味で必然な流れを作り出すことになる。

腕木通信とは何か？

産業革命により新たな情報技術が生み出されるとしたら、その可能性が最も高かったのは革命の先頭を走っていたイギリスになったはずだ。ところが最初に近代的な情報技術が誕生するのは意外にもフランスでのことだった。これには別の歴史的な事情が関係していた。

1789年、パリの民衆はバスティーユ牢獄を襲撃する。ここに市民の力によるフランス革命が始まった。以後革命は、ナポレオン・ボナパルトが政権に就く１７９９年までの10年間続く。専制国家を維持したい周辺諸国にとって、フランスと同じような市民による革命の波が自国にも押し寄せてきては堪らない。このような周辺諸国の警戒心は、フランスとの敵対関係を強化する方向に作用するだろう。その一方で周辺諸国には、フランス国内の騒擾に乗じて領土をかすめ取ろうという思惑が生じることにもなる。

その結果、フランスは四方を敵国に囲まれ、国境付近では周辺諸国との小競り合いが常態化する。こうしてフランス革命政府が、国境を守る軍隊から現地の情報を素早く入手するとともに、中央から辺地へ的確な指示を迅速に送り届けたい、と考えるようになったのもごく自然な流れと言えよう。

このような時代背景の中、クロード・シャップという人物が、新たな通信手法の研究に没頭していた。シャップは１７６３年にフランスのブリュロンという小村で生まれ、長じて大学卒業後に神学校に入り聖職者の道を歩む。その一方で物理学に興味を示し、中でも当時の最先端の研究分野だった電気についての実験を繰り返していた。シャップは電位や電圧を測定する装置を開発するとともに、学会誌にも積極的に論文を投稿する。

しかし、フランス革命が勃発すると、身分階級だった聖職者への弾圧が厳しくなったため、シャップは職を捨てて故郷へ戻る。そして所有している科学知識を収入に結びつけるべく、電気による通信実験を始めた。しかし実験はなかなかうまくいかず、紆余曲折を経て

1793年、シャップは人間の視覚に頼る新たな通信手法を完成させる。これがのちに言う「腕木通信」にほかならない（図1）[3]。

この通信手法では、腕木通信機と呼ぶ3本の腕木から成る装置を建物の屋上に設置して利用する。図のように建物の屋上には4〜5m程度の1本の柱が立っている。その柱の先端に4m程度の腕木が中央で固定されている。「調節器」という名称のこの腕木は可動式で、縦横斜めを指せる。

一方、調節器の両端には、長さ2m程度の腕木の片端がそれぞれ固定されている。「指示器」と呼ぶこの腕木も可動式で、合計7カ所の位置を指せるようになっている。腕木通信では、調節器が水平と垂直の2カ所、二つの指示器が7カ所、これらの指す位置によって特定の信号を作り、これを遠隔に届けることで情報のやりとりを実現する。

もっとも、この腕木通信機を備えた基地を1カ所作っただけでは、信号を何百kmも先に届けることなど不可能だ。そこで腕木通信ではこの通信基地を約10km間隔で設置する。それぞれの基地には通信手が常駐し、望遠鏡を用いて両隣（始点と終点は片隣）の信号を常時確認する。そしてひとたび隣の腕木通信機の信号が変化したら、自分の

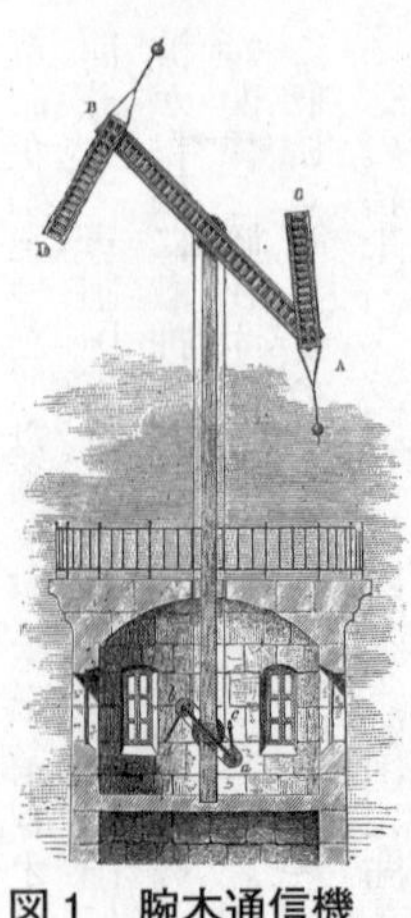

図1　腕木通信機

持ち分の腕木通信機の腕木も同じ形状の信号に変える。この信号がバケツリレー式に次々と隣の基地に伝達されてやがて目的地に到着する。腕木通信ではこのような方式で情報を遠く離れた場所へ送り届けるのに成功した。

しかし現在から見ると、その通信手法は何ともプリミティブだった。まず、まったく電力を使っていない点が挙げられよう。腕木の信号は完全に人力で形成した。建物の内部に信号を形成するための操作装置が設置されていて、通信手が装置のハンドルを操作することで腕木の信号を作り出していた。この操作装置は、縮小版の調節器と指示器から成っていて、操作装置で作った信号の形状を、屋上の腕木がそっくりそのまま真似る構造になっていた（同図1）。そのため通信手は、屋上にある腕木の様子を確認することなく信号を作り出せた。要するに、人力でハンドルを操作して信号を形作り、隣の基地では望遠鏡を通じて信号を把握して複製する。このように電気にまったく頼らない通信手法が腕木通信だった。

もっとも電気を使わなかったのも道理で、シャップが腕木通信機を完成させた当時、ヴォルタ電池はまだ発明されていない（発明は1800年）。利用できる電力はライデン瓶などに蓄積した静電気で、電気の持続的利用が欠かせない通信には、何とも使い勝手が悪かった。シャップが当初は新しい通信手法に電気の利用を想定しながらも、結局断念したのはこのような事情による。

そもそも新たな技術の出現には、それ以前の技術的蓄積が欠かせない。シャップが腕木通信を開発した当時、こと電気については新たな情報技術を生み出すのに必要な技術的蓄積がまだ不十分だった。そのため、シャップによる新技術は「電気以外の手法」という制約を受けることになる。こうしてシャップは、音響による同期通信やシャッターによる通信など、電気を使わない通信手法を試行錯誤して、腕木通信の開発に至っている。

1793年、シャップは政府高官の前で腕木通信の公開実験を行った。その効果を認めたフランス革命政府は腕木通信の採用を正式に決め、翌1794年にはパリとフランス北部のリールに最初の腕木通信線が開通する。

リールはカレーに近いフランス北部の都市で、カレーからドーバー海峡を隔てた向こう岸には宿敵のイギリスがいる。またリールから東を見ると、イギリスと対仏大同盟を結ぶオーストリアやプロイセンが控えている。まさにリールは二方を敵国と接するフランスの要衝と言える。この要衝とパリとの間で、意思の疎通を速やかに行いたいという強いニーズが原動力になって、イギリスに比して産業革命では後進国だったフランスに、最新の情報技術が誕生する結果となった。

拡大する腕木通信ネットワーク

1794年7月、パリ~リール間の約200kmに開通した最初の腕木通信線の公式運用が始まった。当初、腕木通信の効果についてフランス政府内にも否定的な意見があった。しかしパリ〜リール間で公式運用が始まって１カ月後、リールからパリに腕木通信経由によるメッセージが届く。そのメッセージは「コンデが共和国により奪回された。敵の降伏は今朝６時[4]」というものだった。

コンデはオーストリア・プロイセン連合軍によって占領されていた戦略地だった。フランス軍はこの地を奪回するとともに、その戦勝をパリの中央政府に知らせたのだった。腕木通信のメッセージは議会で高らかに読み上げられ、議会は割れんばかりの拍手のあと「国民公会万歳！」の声で埋め尽くされた。

その後、政府はコンデを「自由なる北方」、北方の軍隊を「母国の恩人」と称することを決定すると、この知らせはパリからリールへと即座に伝えられた。ここにおいて政府の要人たちは、腕木通信が遠隔地の情報を素早く手に入れられること、しかもその通信は双方向であることを理解する。以後、政府の理解を得た腕木通信網は破竹の勢いで拡大した。

その経緯を簡単にたどると、フランス革命が終結してナポレオンが政権の座に就いた１７９９年、腕木通信線はパリを中心に、北はリールからダンケルク、西はブレスト、東はストラスブールからユナングに至り、総距離は１４２６ｋｍに達した。また、ナポレオンの権力がピークになる１８１３年には、ブリュッセルからアムステルダム、リヨンからアルプスを越えてヴェネチアまで至っている。

これは、ナポレオンが併合した国々や傀儡政権国を経営するため、腕木通信網の整備を強力に推し進めた結果だった。その総距離は一気に３０００ｋｍを超えることになる。ちなみに、腕木通信を発明したシャップはナポレオン政権時代の１８０５年に謎の自殺を遂げる。鬱病が原因とも癌が原因とも言われるが理由ははっきりとしない。

ナポレオンが失脚して王制が復活し、ルイ18世が権力を握っていた１８２３年、腕木通信網は総距離こそ３０００ｋｍ余りと、ナポレオン政権時代と変わらないが、パリを中心に北はカレー、西はブレスト、東はストラスブール、西南はバイヨンヌ、東南はマルセイユからトゥーロンと、あたかも五芒星のような形状をとる。ネットワークのトポロジー（形状）の一つにスター型があるが、まさにその形状が腕木通信で現実のものになっていた。

その後も腕木通信の総距離は延び、１８４６年にはピークの４０８１ｋｍに達している。しかしながら、次章で述べる電信の普及が始まると腕木通信は急速に廃れていく。そしてピークからたった９年後の１８５５年、腕木通信は全廃となる。

サービス開始から約60年間、フランス政府が整備した腕木通信網は累計で５７６９ｋｍに及んだ。青森から下関まで日本海沿岸を通って本州を縦断すると、その距離はおよそ１５００ｋｍであることを考えると、腕木通信網の規模がいかに大きかったかがわかるだろう。

フランスにおける腕木通信の成功は諸外国にも伝わった。意外にもシャップの腕木通信に最初に反応したのがスウェーデンの詩人アブラハム・ニクラス・エーデルクランツだった。

エーデルクランツは雑誌を通じてシャップの腕木通信の存在を知り、腕木通信と同じく視覚に頼るシャッター式通信を1794年に開発している。

また、フランスの長年のライバルであるイギリスも、「敵国に学ぶ」という精神でフランスにみならい、1795年にエーデルクランツとは仕様が異なるシャッター式通信を開発している。翌年にはロンドンから港町ドーバーの北に位置するディールまで100kmの通信線が稼動する。ドーバー方面に通信線を延ばしたのは、海峡をはさんで対峙するフランスの侵入を警戒してのことだろう。これはフランスが最初にパリ～リール間に腕木通信を設置した事情とよく似ている。

スウェーデンやイギリス以外でも同様の通信手法が次々と導入された。ノルウェーやデンマーク、フィンランドの北欧諸国、プロイセン、ロシア、それにヨーロッパ西部のスペインやポルトガルにも視覚に頼る通信網は広がっていった。またフランスが植民地化したアルジェリアやイギリスの植民地だったインドでも同様の通信線が敷設（ふせつ）されていく。こうして19世紀半ばまでに、世界で運用された、シャップの腕木通信と同様、電気を使わない視覚による通信網の累計距離は、1万4000kmをはるかに超える規模となる。

近代的な情報技術の始まり

ところで本書では、腕木通信を最初に誕生した近代的な情報技術として位置づけた。しかし、腕木通信および同等の視覚通信方式が巨大な規模を誇ったことを根拠に、その嚆矢である腕木通信を近代的な情報技術の始まりに位置づけたわけではない。実は腕木通信が近代的であるか否かを分けるポイントは、腕木通信がもつ通信手法の本質にある。

ここで数学者クロード・シャノン（シャップではないので注意されたい）が示した通信システムの基本モデルを用いて、腕木通信以前と腕木通信以後の通信手法の特徴について考えてみよう（クロード・シャノンについては第6章で詳しくふれる）。

シャノンの通信の基本モデルは、情報源、送信機、通信路、雑音源、受信機、受信者の要素からなる[5]。情報源は受信者に伝えたいメッセージのことで、話された言葉でも、画像でも音楽でも何でもよい。このメッセージが送信機によって信号に変わって通信路に送り出される。通信路には雑音源があって信号に悪影響を及ぼすこともある。この信号が受信機に届いて、ここで信号は元のメッセージに復元される。そうして受信者はメッセージの内容を理解する（図2）。

腕木通信以前に最も高速な通信だったのは、すでに見たタクシス郵便のような騎馬郵便だ

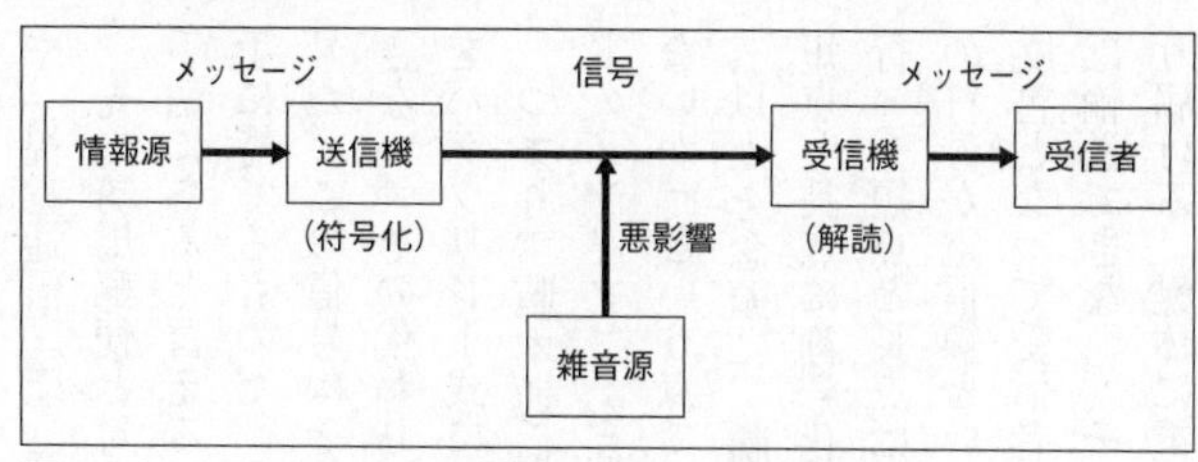

図2　シャノンによる通信システムの基本モデル

った。騎馬郵便に通信の基本モデルを適用すると、メッセージは文字に符号化されて紙に記述されて手紙となる。この手紙を持った騎手が道路という通信路を駆けて受信者に届ける（途中、盗賊に出会えばこれが雑音源になろう）。受信者は符号化された情報、すなわち文字を解読して相手のメッセージを理解する。

この通信手法の特徴は情報を紙に記録して輸送している点だと言ってよい。もう少し一般化して表現するならば、騎馬郵便に代表されるような腕木通信以前の通信手法の本質は、「手に持てる媒体（ハンドヘルド・メディア）」に情報を記録して「輸送」する点にあった。

これに対して腕木通信はどうだったか。こちらの通信手法では、メッセージはまず3本の腕木が形作る信号に符号化される。この信号は空中という通信路をたどり受信側の腕木通信機に届く（霧や暗闇はこの通信手法にとって明らかに雑音源だった）。受信者は信号を復号化してメッセージの内容を理解する。シャップの腕木通信が「空中通信（Le Télégraphe Aérien）」

や「視覚通信（Le Télégraphe Optique）」とも呼ばれたのはこのためだ。

先の騎馬郵便と対比して考えると、腕木通信の手法で特徴的なのは、メッセージの符号化手法にあると言える。騎馬郵便の場合、メッセージは文字として紙に記した。この紙は人が手に持てるものだ。だから輸送もできる。一方、腕木通信の符号化は腕木の形状すなわち信号だ。この信号はそのままでは手に持つことができない。手に持てないものを騎手は輸送できない。その代わりに腕木通信では、腕木通信機が信号を次々と複製していくことで、信号をバケツリレー式に送信した。

つまり、腕木通信ではメッセージの送信手段に「手に持てない媒体（ノン・ハンドヘルド・メディア）」を使用しており、騎馬郵便と腕木通信では「手に持てる媒体を使うか使わないか」という点で大きな違いがある。

以上を念頭に、腕木通信以降の情報技術について考えるとどうか。電信はメッセージを短点（ドット）と長点（ダッシュ）に符号化して表現する（厳密には空白（スペース）も必要になる）。符号化は通信士が電鍵（でんけん）で行い、短点と長点は電流の断続および長さによって表現する。つまり媒体は電気になる。この符号が電信線という通信路を通って宛先の電信局で受信され通信士が復号化する。これが文書となって受信者に届く。符号化された電気的な短点と長点は手に持てない。だから騎手は輸送できない。その代わり電信では電信線に流れる電気を用いて短点と長点を相手先に送り届ける。媒体に電気は利用するものの、その媒体が手に持てないという点で、電信は明らかに腕木通信と共通する。

電信以降の主たる情報技術の主役である電話や無線電信、ラジオ、テレビ、さらには現在のインターネットに至るまで、いずれも手で持つことができない媒体を利用する。電話は音声を電流の波形に符号化する。ラジオやテレビは電磁波を用いて音声や映像を符号化して空間に送り出す。光通信を用いた現在のインターネットではメッセージは光によるビットに符号化される。電流の波形や電磁波、光はいずれもノン・ハンドヘルド・メディアだ。

このように現代に至る通信の特徴は、符号化したメッセージの送信手段に手に持てない媒体を使用する点であり、腕木通信もその枠内に収まる手法であることがわかるだろう。電気を使わない腕木通信を現代的と表現するのは困難だろう。しかし、手に持てる媒体を利用した従来の通信手法と一線を画し、現代と共通する手段を用いる腕木通信は、「産業革命を経て初めて姿を現した近代的通信手法」と言って差し支えない。だから情報技術の近代化はこの腕木通信の誕生をもって始まったと言える。

手に持てる媒体に依存しない通信

もっとも歴史上、腕木通信が世界初の、手に持てない媒体を用いる通信だったわけではない。今から２５００年前のギリシア時代、すでにノン・ハンドヘルド・メディアによる通信の記録がある。一つは「のろし通信」で紀元前４５８年に書かれた戯曲『アガメムノン』に、トロイが陥落した情報をミュケナイまでのろし通信で知らせたという記述がある。のろしは複数の山々を経由してバケツリレー式に伝わり、その距離は５２０ｋｍに及んだという。ただし送信できるメッセージは「のろしが上がる＝戦に勝利」程度の単純なものでしかなかった。

また、同じくギリシア時代には水や松明を使用した通信手法も考案されていた。前者の「水通信」は陶器に入れた水が指す目盛から意思を伝達する手法だった。

まず、二つの陶器を用意して同じ位置に目盛を付ける。それぞれの目盛には戦争に関する用語、たとえば「騎兵来襲」や「重甲兵来襲」などが割り当てられている。この陶器を水で満たしたら準備は完了だ。送信者は松明を上げると受信者も松明を上げる。次に送信者が松明を下げると、送受信者とも陶器の栓を抜く。すると陶器から水が出ていくわけだが、しばらくすると送信者の松明が上がる。そうしたら栓を閉め、水面の目盛を確認する。目盛に対応する意味が、送信者の伝えたいメッセージになる。目盛は24あったから、この水通信では24種類のメッセージを伝えられることになる。

さらに「松明通信」では10本の松明を用意し、松明の組み合わせでアルファベットを表現した。まず、縦横5行からなる符号表を作成して25の升にアルファベットを割り当てる。一方、高台に左右5本ずつの松明を用意し、左側の松明は符号表の行、右側の松明は符号表の列に対応するものとする。そして、左右の松明が灯った位置を符号表で照合して特定のアルファベットを得る。

このように、ずいぶん古くから手に持てない媒体による通信は存在した。ところが驚くことに、同様の通信手法はシャップが生まれた18世紀までほとんど発展することはなかった。たとえば17世紀にはイギリスのロバート・フックが高台に大型の符号を表示して、これを遠くから望遠鏡で確認する通信手法を王立協会で提案している。フックの手法は腕木通信に先立って、望遠鏡で符号（信号）を確認して遠距離に意思を伝達する最初の手法だといわれている。しかしフックの通信手法は理論レベルで実際に運用されることはなかった。

18世紀に至るまで手に持てない媒体による通信が普及しなかった原因を特定するのは難しい。おそらく一番の要因は、遠隔へ迅速に意思伝達するというニーズが、いまだ十分には高まっていなかったのだろう。

もちろんタクシス郵便が存在したように、遠距離間で迅速に情報をやりとりしたいというニーズは存在した。しかし、タクシス郵便を代替するような、手に持てない媒体による通信に関する仕組みの発明やその構築、運営管理体制の整備などを考えると、膨大な知恵や人材、費用が必要になる。それならば手紙という紙媒体に依存した既存の通信で十分間に合う、と考えられたのだろう。

しかし、産業革命以後は状況が変わってきた。先に見たように情報に対するニーズがより高まってきた。たとえ送れる情報量は少なくても、騎馬郵便よりも速い通信手法が求められた。中でもフランス革命後、四面楚歌(しめんそか)となっていたフランスではそのニーズが非常に高かった。こうして歴史的必然の後押しもあって、当時の技術的蓄積の粋(すい)を集めた腕木通信が誕生することになる。

驚くべき腕木通信のパフォーマンス

腕木通信では3本の腕木で信号を作り、それを望遠鏡で確認してバケツリレー式に遠方へ伝える通信手法だったことについてはすでに説明した。ここでは腕木通信が採用した意思伝達の手法をもう少し詳しく述べておきたい。

先にふれた松明通信では、符号表を作成して意思を伝達した。また、ロバート・フックの考案した符号も特定の意味と対応していた。符号の意味を知っている人だけに意思を伝達できたから、これは一種の暗号として機能する。同様に、シャップが開発した腕木通信も、関係者だけが知っている符号表を用いていた点で、松明通信やフックの通信手法と共通する。時代によって違いがあるものの、以下に示すのは、腕木通信が採用していた意思伝達の代表的な手法だ。

すでに述べたように、腕木通信では1本の調節器、2本の指示器という3本の腕木からなる。

　調節器は水平と垂直の2カ所を指し、その両端にある2本の指示器は7カ所の位置を指す。これにより「2×7×7」で98種類の信号を作れる。このうち類似した紛らわしい信号を除いた92種類を腕木通信で使用する信号とする。そしてそれぞれの信号に1~92の数字を割り当てる。

次に符号表を作成する。この符号表は92ページ、各ページは92行からなるもので、各行には主に戦争や治安に用いる用語が列挙されていた。92×92で8464種類のボキャブラリーになる。また、割り当てる用語は単語に限る必要はない。「至急援軍をよこせ」「食糧を手配せよ」などの文章でも構わない。ちなみに一般的な高校生の英語の語彙数は単語と慣用句をあわせて3500語程度というから、8000を超えるボキャブラリーが相当充実していることがわかるだろう。

この符号表をたとえばパリとリールにいる送受信者の手元に置いておく。以上で準備が完了する。それではリールからパリに向けてメッセージを送ると想定しよう。符号表から送信したい単語や文を何ページの何行目というように特定する。

たとえば30ページの54行目に「à la pointe du jour（夜明けに）」という言葉があるとしよう。これを送りたい場合、まずリールから「30」に相当する信号（調節器は垂直、上の指示器は左上45度、下の指示器は左下45度）を送る。この信号は途中19の基地を経由してパリに届く。続いてリールからは「54」の数字に相当する信号（調節器は水平、左の指示器は水平、右の指示器は下向き垂直）を送る。これも19の基地を経由してやがてパリに届く。パリでは受け取った信号に基づいて、符号表30ページの54行目にある言葉を確認する。もちろん同じ符号表を用いているからそこには「à la pointe du jour」とある。こうしてはるか200km離れたリールからメッセージが届くわけだ。

腕木通信の信号は完全に露出しているから誰でも見ることはできる。しかし92ページ92行のコードブックを所有しているのは限られた人物だけだった。腕木通信基地に詰めている通信手でさえコードブックは持っておらず、ために信号の意味を知らなかった。通信手は望遠鏡で認めた腕木の信号をそのままそっくり複製する作業を繰り返す。もちろん、どのようなメッセージを送信しているのかは、彼ら自身も皆目見当がつかなかった。通信手さえこのような状況だったから、一般の人が「かぶと虫の足」のように動く腕木通信の信号の意味など知るよしもなかった。そういう意味でやはり腕木通信も一種の暗号通信だった。

信号が伝わる速度も想像以上に速かった。前述のパリ～リール間の204kmでいうと、基地数は合計21カ所（パリとリールを含む。時代により前後あり）で、一つの信号をパリからリールに送るのにわずか120秒しかかからなかった。秒速に直すと1700m／秒となる。ただし路線に山岳地帯がある場合や距離に比べて基地が多い場合、もちろん速度はこれよりも下回る。たとえばパリ～ブレスト間551kmには80基地あり、一つの信号を送るのに480秒かかった。秒速に直すと1148m／秒になる。しかしこれでも音速の330

m／秒よりもはるかに速いスピードを達成していることに注目したい。

ちなみに、新幹線の東京〜新大阪間の距離（営業キロ）は５５２・６kmあり、パリ〜ブレスト間とほぼ同じになる。つまり、東京駅から送った腕木通信の信号は、わずか４８０秒（８分）後には新大阪駅に届くわけだ。

このようにフランスで発達した腕木通信は、ネットワークの規模、送信可能な語彙数、送信スピードにおいて、高い完成度を誇っていた。しかもこれほどの通信手段が電信以前に存在した。まさに近代的な情報技術の始まりにふさわしい貫禄（かんろく）と言えるのではないか。

情報技術の近代化はデジタルから始まった

さらに近代的な情報技術の始まりである腕木通信が、実はデジタル方式だったという点にも注目したい。腕木通信は電気をまったく使わない人力を基礎にした通信方法のため、アナログな通信手法と考える人がいるかもしれない。この場合のアナログには「時代遅れ」という意味が込められているのかもしれないが、少なくとも通信方式を前提にした場合、腕木通信をアナログ通信とするのは明らかに間違っている。

そもそもデジタルという言葉はラテン語の「指（digitus＝ディギトゥス）」を語源とする[6]。「指折り数える」という言葉があるように、指は数に対応している。たとえば人差し指を1本立てれば、誰もがこれは「1」を示していると考えるし、人差し指と中指を立てれば「2」を表している。指1本と指2本は完全に独立した符号あるいは信号であり、その中間は存在しない。このように連続的ではなく飛び飛びに値をとる様子をデジタルと呼ぶ。「飛び飛び」をもっと難しい言葉で表現すると「離散的」となる。これに対してアナログはデジタルの逆で、飛び飛びではなく連続的な値をとる様子を指す。

以上から指1本や指2本で数字を表した場合、この信号はデジタル信号になる。一方、腕木通信機による信号も指で示す符号と基本的に変わりはない。指で表す数字同様、腕木通信機で作るいずれの信号も、他の信号から完全に独立した離散的なものだ。つまり腕木通信でやりとりされる符号はデジタル信号であり、その通信方式はデジタル方式となる。意外に思えるかもしれないが、情報技術の近代化は実はデジタル方式から始まったのだ。

さらにもう一つ、腕木通信にまつわる興味深い事実として、腕木通信の名称についても指摘しておきたい。クロード・シャップが腕木通信を開発した当初、この新たな通信手法を「タシグラフ（tachygraphe）」と命名しようと考えた。これはギリシア語からの造語で「タシ＝速く」「グラーフェン＝書くこと」の意味が込められていた。これに対して政府の要人が、「速く」よりもむしろ「テレ＝遠くに」を強調するほうがいいのではないかと提案した。その結果、「タシグラフ」ではなく「テレグラフ（télégraphe）」という名前に決まったという経緯がある。つまり「テレグラフ」とは、もともとシャップが開発した腕木通信の固有名詞だった。

その後、テレグラフという言葉は、手に持てない媒体による通信を意味する一般名詞に変化する。これはちょうどエレクトーン（電子オルガン）やエスカレーター（自動式階段）、ホッチキス（ステープラ）が一般名詞化した経緯と同じと考えればよい。

実際、電信が生まれた当初、これを「電気式テレグラフ（electric telegraph）」と表現した。しかし電信が普及するにつれ「電気式＝electric」の部分が落ち、「テレグラフ」と言えば電信を指すようになる。このようにテレグラフの意味は二転三転し、現在でも多くの人は「テレグラフ＝電信」と考えているのではないか。しかしその語源をたどるとシャップが開発した腕木通信、すなわち近代的な情報技術の始まりにたどり着く。

腕木通信は、現代通信の代表たるインターネットと注目すべき技術的な共通点をもつ。200年以上も前の通信手法が現代の技術に通じるのは驚くべきことかもしれないし、逆に腕木通信が近代的な情報技術の始まりであると考えると、技術的な共通点があったとしても実は驚くべきことではないのかもしれない。

現在、インターネットで用いているパケット交換方式（第7章参照）では、データに「ヘッダ」と呼ばれる領域を設けて、ここにメッセージの本文以外の情報、たとえば目的地の宛先などを記述している。ヘッダという呼称こそなかったものの、実は腕木通信でもメッセージの先頭に、メッセージ以外の情報を付加して、送信メッセージをコントロールした。つまり事実上、いまから200年以上も前の腕木通信時代に、すでにヘッダの概念が存在していたわけだ。

たとえばパリとリールから同時に信号を発信したケースを考えてみたい。信号はどこかの基地で衝突するだろう。現代の通信ではこのような状態をコリジョン（衝突）と呼び対応策がいろいろと考案されている。もちろん腕木通信でも対策を講じていて、基本となるルールはパリからのメッセージを優先するというものだった。

ただしメッセージには緊急度の違いがあるだろう。仮にパリのメッセージが一般的なものだったのに対して、リールからのメッセージが超特急レベルの緊急度だとしよう。パリからのメッセージを送り終えるまで待っていたら一大事になるかもしれない。そこで腕木通信ではメッセージの先頭に緊急度を示すコントロール信号を付け加えた。

緊急度を示すコントロール信号は、「普通」「特別」「緊急」「超緊急」の4段階で表現した。仮にパリとリール双方のメッセージが「普通」ならば、先のルールどおりパリからのメッセージを優先する。しかしリールからのメッセージが「特別」だとしたら、パリではなくリールからのメッセージを優先する。このようにヘッダに付加した情報により送信メッセージをコントロールする同様の考え方は現在の通信手法にも採用されている。

また、腕木通信の符号化手法にはHTMLで言う「タグ」の概念があった。HTMLとは「ハイパー・テキスト・マークアップ・ランゲージ」の略で、ウェブ・ページを記述する際に用いる言語を指す。

　このHTMLでは、「タグ」を利用してウェブ・ページの構造を指定する仕様になっている。タグは「＜」と「＞」で囲むようになっていて、たとえば「<head>」というタグだと、「ここからヘッダが始まります」という意味になる。そしてヘッダの情報が終わったら「</head>」と記述する。このタグは「これでヘッダは終わりです」という意味になる。一方で腕木通信について見ると、腕木通信のボキャブラリーにはない単語を送信したいこともあるだろう。この場合、単語をアルファベットで送信する必要がある。アルファベットは個々に独自の番号を振るのではなく、他の単語や文と番号を共有していた（方式は時代によって若干異なる）。

　そこで、これからアルファベットを送りたい場合、「ここからアルファベットが始まります」を示す信号（調節器が水平で左が右下、右が垂直上）を送信する。すると以後に送る数字はアルファベットを示す。そうして全アルファベットを送り終えたら、再び「調節器が水平で左が右下、右が垂直上」の信号を送信する。今度はこれが「これでアルファベットを終わります」という意味になった。

　この信号はまぎれもなくタグである。もちろん腕木通信を運用していた当時、「タグ」という言葉が用いられたわけではない。しかし、まさにタグそのものの考え方を腕木通信で採用していたのはまぎれもない事実だ。

「情報技術の大衆化」への第一歩

腕木通信の成功は人がもつ情報通信の認識に変化を迫るものでもあった。そもそも腕木通信以前、遠方と情報をやりとりするには手紙を利用するのが常識だった。この常識からすると、紙という手に持てる媒体を使用しない腕木通信で本当に正確にメッセージを送れるのかどうか、疑わしく思えるに違いない。しかし腕木通信がスタートし、実際にメッセージが正常に送受信されると、人々の意識は確実に変化した。手に持つことのできない媒体によるメッセージでも意思を伝えられるのだ――と。

同様の認識の変化は政府の一部だけでなく一般的な人々にも広く共有されていく。こうして民間でもこの便利な通信手法を利用したいと考える人々が出てくるのは、ごく自然の流れと言えるだろう。そもそもフランスの腕木通信は国有だったから民間人のメッセージを送信することはできない。そうすると、民間のニーズに応えるには、既存の腕木通信を一般に開放するか、あるいは民間で同様のシステムを構築するか、いずれかになるだろう。

実際、一頃(ひところ)フランスの腕木通信では、一般メッセージの取り扱いを検討したことがある。ただしそれは民間のニーズをくみとったものではなく、腕木通信を運営する側の都合が発端となっていた。

腕木通信の運営管理には莫大な費用がかかる。新しい通信線を開くには土地を測量して基地の候補地を選ばなければならない。当然、設計には優秀なエンジニアが必要だ。また、基地の建設には資材のほかに労働力も必要となる。さらにできあがった通信基地には通信手が必要となる。小さな通信基地でも交代で業務にあたるから最低2名の通信手が必要だった。しかも腕木通信を運用したからといって、金銭的な収益を得られるわけではない。すべてがコストである。フランス政府はこれを維持しなければならなかった。

当然、運営費用は切り詰められることになる。これには管理者の立場にあるシャップも相当頭を痛めた。そこでシャップは、腕木通信から収入を得るために三つの方策をナポレオンに提案している。まず腕木通信を民間に開放して商用に利用することだ。特にシャップは諸国の金融情報を腕木通信でパリに集めれば、パリをヨーロッパ一の金融都市にできると考えていた。次にニュースの配信だ。当時はパリで印刷した新聞を地方へ郵便馬車で送り届けていた。シャップはこの新聞に載るニュースを腕木通信で地方に届けるよう提案した。

最後にシャップが提案したのは公営宝くじの当選番号を伝えるというものだった。当時、公営の宝くじは国庫を潤す手っ取り早い方法として活用されていた。しかしこれはパリだけの話で、地方では闇の宝くじが横行していた。そこに目をつけたシャップは、腕木通信で宝くじの当選番号を配信することで、地方でも公営宝くじの販売を行えると考えたのだ。

現代の私たちがこの三つの提案を検討した時、シャップの慧眼（けいがん）に驚かされる。3番目の公営宝くじの当選番号はともかく、金融情報やニュースの配信は、腕木通信の後継となる電信の普及に決定的な影響を及ぼしたからだ。シャップは見事に将来を見通していた。しかしシャップの的を射た提案にもかかわらず、採用されたのは公営宝くじの当選番号の配信のみで、腕木通信の民間開放やニュースの配信は叶わなかった。

もっともこれにより民間が利用できる腕木通信が頓挫したわけではない。1833年、「大衆テレグラフ社」という会社を立ち上げたアレクサンドル・フェリエという人物が、パリ〜ルーアン間に私設の腕木通信線を開設して、一般に向けた通信サービスを初めて開始している。料金は1単語につき0・25フランだった。また、株式情報は随時配信していて、1カ月の定期配信は3・75フランだった。しかし残念ながら、フェリエの大衆テレグラフ社は予想に反して利用者が少なく、サービスを中止せざるを得なくなる。

フランスから撤退したフェリエはベルギーに渡り、今度はブリュッセル〜アントワープ間に腕木通信線を整備する。こちらの腕木通信線はそこそこの成功を収めたようだ。したがって場所によっては、民間でも腕木通信サービスを利用したいという強いニーズは確実に存在した(ブリュッセルがベルギーの首都、アントワープが金融の中心地だったことに注目したい)。なお、フランスでは1837年に国家が通信を独占する法案が成立した。そのためやがてベルギーからフランスに戻ったフェリエは、もはや国内で腕木通信サービスを提供することはできなかった。

なお、腕木通信の民間開放とは、言い換えると情報技術の大衆化を意味する。フェリエの会社の社名「大衆テレグラフ社（Entreprise des télégraphes publics[7]）」はそのことを的確に表現している。この「通信の大衆化」という可能性の展開は、腕木通信以降の情報技術に連綿とつながる重要なキーワードになる。その点については今後も本書でことあるごとにふれることになるだろう。とにかく、やがて大きなうねりとなる通信の大衆化、その小さな一歩が腕木通信時代に早くも踏み出されていた。

腕木通信がもたらしたネガティブな可能性

プロローグにおいて、情報技術を含むテクノロジーは可能性の展開だと述べた。また、その可能性には正負両面あると記した。もちろん腕木通信もその例外ではない。

すでに見たように、フランスは腕木通信を導入することで国境の情報を迅速に手に入れられた。これは腕木通信がもっていた正の可能性が現実になったものであり、そもそもシャップが目指したのは同様の可能性の追求だった。また、フランスにおける腕木通信の成功がヨーロッパ各国に飛び火したのも、この正の可能性を我がものにしたいという各国の欲望から生まれたと言える。

一方で、腕木通信がもつ負の可能性の一つに、すでにふれた高くつく腕木通信の維持管理費があった。重要な情報は即座に送受信したい。しかしそのためには高額な維持管理費が必要になる。前者が正の側面だとしたら、後者は負の側面に相当しよう。注目すべきは、こうした正負両面の対立を乗り越える、新たな対応策を人は常に模索するということだ。そしてその模索から新たな可能性が現実のものとなっていく。このような対立と超越が自律的に繰り返されることで社会は発展し複雑になっていくのだろう。

腕木通信の場合で言うならば、情報の送受信と高額な維持管理費の対立を解消するために、腕木通信のサービスを取り止めるという選択肢もあった。そうすれば維持管理費を捻出する必要がなくなる。またその逆で、赤字には目をつぶりサービスを継続する選択肢もあるだろう。赤字は債権の連発でまかなって負担は将来誰かに背負ってもらえばよい。

ここで挙げたいずれの対応策も、どちらかといえば正負両面の一方を支持して他方を切る態度だと言える。しかしそれでは社会のよりよい発展は見込めない。できることならば、腕木通信というテクノロジーのポジティブ面を伸ばしつつ、ネガティブ面を解消するような対応策が求められる。これはヘーゲル弁証法が言う「正（テーゼ）」と「反（アンチテーゼ）」から「合（ジュンテーゼ）」に至る過程をたどることにほかならない。

世界は常に自己矛盾をはらむものだと考えたヘーゲルは、何かの主張を「正」とした時に必ず矛盾した主張である「反」が生じると考えた。正と反が並存する状態は矛盾を帯びた世界だ。しかし「正」を否定したり、「反」を無視したりするのではなく、正反双方が納得できるより次元の高い解決法を見つけることで世界はより良くなるだろう。ヘーゲルはこの活動を「止揚（アウフヘーベン）」と呼び、止揚から得られる結果を「合（ジュンテーゼ）」と呼んだ。ちなみにドイツ生まれの哲学者ヘーゲルは1770年生まれでシャップとはほぼ同世代の人だった。

それはともかく、情報技術も弁証法的に発展していくのではないだろうか。シャップの場合で見るならば、腕木通信の運用（正）と資金難（反）を止揚して、解決策（合）を見つけ出そうとした。それがナポレオンに対して提案した三つの対策にほかならない。結局、シャップが提案した民間へのサービスの開放や金融情報の配信、ニュースの配信は実現に至らなかった。しかし、シャップの提案が実に的を射た「合」であったことは、すでに述べたように電信の時代になって証明されることになる。

世界史上初のネットワーク犯罪

腕木通信がもたらしたネガティブな側面はほかにもある。ネットワーク犯罪が起こるべくして起こったのもその一つだった。腕木通信を舞台にした犯罪（もちろん当時にネットワーク犯罪という言葉はなかった）は、当時のフランスで大きな話題となった。事件のあらましは次のようなものだった。

アレクサンドル・フェリエがパリ～ルーアン間に私設の腕木通信線を設けた翌年の１８３４年、銀行家だったフランソワとジョゼフのブラン兄弟は、腕木通信を悪用して大金をせしめることを画策する。当時、パリの株式市場の情報は、郵便馬車で５日かけて約５５０ｋｍ離れたボルドーに送られていた。ボルドーではこの５日遅れの情報をもとにして株式の取引を行っていた。ブラン兄弟はこの時間差に着目した。

仮に腕木通信を使ってパリの情報をいち早くボルドーに送信できれば、ボルドーの株式市場で大儲けできるだろう。このように考えたブラン兄弟は、当初、私設の腕木通信線の設置を考える。これは合法的で悪事でもない。しかし新設となると費用もかさむから実現は容易ではない。そこで兄弟は既存の腕木通信を利用することを考え、リヨンの腕木通信基地に勤務していたピエール・ルノーという第1階級の監督官を仲間に入れた。

ちなみにフランスにおける腕木通信の職制は、監督官、監視官、通信手の3階級に分かれており、最上位の監督官はさらに3階級に分かれていた。基幹となる腕木通信基地に勤務する監督官ほど職位は高く、ルノーの第1階級は最高の階級だった。

ルノーはパリからの株式情報を腕木通信のメッセージに紛れ込ませる方法として、通信途中でのエラーの修正に注目した。腕木通信ではメッセージの内容が正確に伝わるよう、二重三重の仕組みをもっていたが、その一つが通信途中でのエラーの修正だった。腕木通信では通信基地を10から15程度の集合にまとめてこれを1管区とする。管区ごとに基幹となる基地を設けて、ここで監督官がメッセージを一旦復号化して明らかにミスと思われる個所を訂正する。そのあと再び符号化して宛先へとメッセージを送信する。

パリ〜ボルドー線上ではこの基幹となる通信基地がパリから約220km離れた都市トゥールにあった。またトゥールとボルドーの間には基幹基地がない。したがって、トゥールから送信したメッセージはそのままボルドーに到着する。ルノーは、トゥールからのメッセージにパリからの株式情報を紛れ込ませればボルドーに送れるに違いない、と考えた。そこでルノーは、トゥールの通信基地に勤務する2名の通信手をリクルートする。さらにパリにはブラン兄弟が雇った退役軍人がいた。以上で役者はそろった。彼らがとったのは次のような方法だった。

まず、パリにいる退役軍人が株式市況を確認する。彼は、その値の上下をトゥールにいる通信手に伝えるため、郵便馬車を使って小包を送る。小包の中身は手袋か靴下で、それぞれ白色と色付きの場合があった。実はこれが暗号になっていて「白手袋＝50サンチーム値上がり」「色手袋＝25サンチーム値上がり」「白靴下＝50サンチーム値下がり」「色靴下＝25サンチーム値下がり」の意味になっていた。手袋と靴下は通信手の必需品だったので、頻繁に送り届けられても周囲から疑われにくい。

受け取った小包にしたがって、通信手はそれぞれに対応する符号をメッセージの中に紛れ込ませて送信する。一方ボルドーでは、腕木通信基地のあるセント・ミッシェル教会の塔が目の前にある部屋でルノーが待ち構えている。間借りした部屋の窓の向こうには腕木が丸見えだ。ルノーはこの腕木を確認し、市況を示す「暗号」を確認したら、即座にブラン兄弟に伝えに走る。この情報をもとにブラン兄弟はボルドーの株式市場で大儲けした。

しかし悪事は長続きしない。1836年6月、トゥールの通信手の一方が重い病にかかり、死ぬ間際、病床で看護してくれていた友人に、悪事の一切合切を話してしまう。その後、この友人はもう一方の通信手を捜し出して金を要求するとともに、自分も仲間に加えてほしいと頼み込む。通信手が知らぬ存ぜぬを押し通すと、その男はことの次第をあらいざらい警察に話してしまった。結果、通信手が逮捕され、そこから芋づる式にルノーやブラン兄弟の存在が浮かび上がり一味は一網打尽となる。

可能性の実現が新たな可能性を生み出す

こうして史上初のネットワーク犯罪が明るみに出て主犯たちも逮捕された。腕木通信の時代にネットワーク犯罪がすでに発生していたとは驚くべきことのように思えるかもしれない。しかしその一方で、新たなテクノロジーが正負両面の可能性をもつとすれば、腕木通信も早晩、悪事に利用されることは予想がつく。してみると腕木通信のネットワーク犯罪は起こるべくして起こったと言えるのかもしれない。

なお、この話にはまだ続きがある。ブラン兄弟らの悪事はさらに別の可能性を現実のものとしたからだ。ネットワーク犯罪を題材にした小説が世に現れたのである。小説のタイトルは『モンテ・クリスト伯』という。書いたのは文豪アレクサンドル・デュマで１８４４年から46年のことだった。

この小説は無実の罪に陥れられた主人公ダンテスが、やがて巨万の富を手にし、モンテ・クリスト伯を名乗って、かつて自分を欺いた悪人に復讐するストーリーだ。この小説の中盤あたりに「信号所」および「桃をかじる山鼠から園芸家を守る方法」という章がある。実はこの二つの章で腕木通信機および腕木通信基地で働く通信手が登場する。舞台になるのはパリ〜ボルドー線上のモンレリーという実在した腕木通信基地で、パリから数えて４番目の基地にあたる。

モンテ・クリスト伯はこのモンレリーの腕木通信基地に詰めている通信手を訪問し、２万５０００フランの大金（現在価値に直すと約２５００万円）を積んで偽の情報をパリ宛てに送らせる。偽の情報とはスペイン国内で内紛が勃発したというものだった。この情報を素早く入手したモンテ・クリスト伯の仇敵ダングラールは、ガセネタとも知らずに手持ちのスペイン国債を売り抜ける。ダングラールは損失を50万フランに抑えることに成功した。ところが翌日の新聞で、昨日の情報は腕木通信による誤報でスペイン国内は平穏の知らせが流れると、スペイン国債は一挙に２倍の値がついた。つまりモンテ・クリスト伯は、ダングラールを陥れるために、通信手を抱き込んでモンレリーから偽の情報を流したのだった。

ストーリーの詳細については実際に小説『モンテ・クリスト伯』にあたってもらうとして、ここで注目したいのはデュマが小説を執筆した時期だ。小説の中盤にあたるからデュマがこの個所を書いたのはおそらく1845年のことだろう。つまりブラン兄弟らの事件は発生済みだ。また、舞台になったパリ〜ボルドーの腕木通信線（小説ではパリ〜バイヨンヌとなっているが、ボルドーから先はバイヨンヌに通じていた）は、ブラン兄弟がネットワーク犯罪に利用したまさにその通信線だった。さらにパリから4番目にあるモンレリーの通信基地も実在した。以上からデュマは、小説のこのくだりを、ブラン兄弟らによるネットワーク犯罪に基づいて執筆したと考えてよい。

しかし、腕木通信の誕生がネットワーク犯罪を生み出し、その犯罪を下敷きにして文豪が小説を発表するとは、いったい誰が想像し得ただろう。ちなみにネットワーク犯罪は負の可能性が現実のものになったものだが、ネットワーク犯罪をネタにした小説は正の可能性が花開いた結果と言えよう。実際、「ジュルナル・デ・デバ」紙に掲載された『モンテ・クリスト伯』は読者から熱烈な支持を得たのであった。

同紙で『モンテ・クリスト伯』の連載が終了した1846年には腕木通信の総距離が最大になる。しかし、この年をピークに、腕木通信は衰退に向かい、1855年に完全廃止になることはすでに述べた。腕木通信に代わって通信の主役の座を占めるのは「電気式テレグラフ」すなわち電信だった。次章ではこの過渡期の経緯と電信が社会に与えたインパクトについてふれなければならないのだが、その前にもう一つだけ書き添えておきたいことがある。

「必然」「蓄積」「意思決定」

腕木通信が誕生した背景には、産業革命以降の情報に対するニーズの高まりがあった。またそれとは別に、フランスが国の四方を敵に囲まれることで、辺境の守備隊と国防情報をやりとりしたいというニーズが存在した。これらの背景が結果としてフランスに腕木通信をもたらした。以上のような観点から考えると、腕木通信の誕生はその背景に歴史的な必然性があった。仮にシャップがいなかったら、別の誰かが腕木通信に相当する情報技術を開発していたに違いない。

また、シャップが腕木通信を開発するまでに紆余曲折があったと先にふれたが、この点にも注目しておきたい。当初シャップは、先端科学だった電気を用いた新たな通信手法を考えようとしていた。しかし、当時の電気に関する人類の知識はあまりにも乏しく、技術的な蓄積も十分ではなかった。そのためシャップは電気の使用を諦めざるを得なかった。その代わりにシャップはもっと身近な技術を使った通信手法を考案している。このあたりは省略して書いたので若干補っておきたい。

電気を諦めたシャップが最初に考えたのは音響を用いた錘（おもり）式同期通信とでも言えるものだった。まず、符号を記した文字盤を用意する。この文字盤に針がついていて錘で動く仕掛けになっている。この装置を数百m離れた場所にそれぞれ設置して、シチュー鍋をたたいた音（！）を合図に錘を離す。そして送信者側が鳴らすシチュー鍋の合図の時に、受信者側の針の指している文字を読み取って相手のメッセージを理解する。これはギリシア時代の水通信ととてもよく似た手法だったと言える。シャップは通信距離を延ばすため、鳴り物をシチュー鍋からトランペットに変更したものの、近隣から騒音への苦情もあって音響の使用は取り止めになった。

次にシャップが考案したのは視覚を用いた錘式同期通信だった。この方式では先と同じ錘つき文字盤を使用するとともに、回転する白黒のパネルを用意した。このパネルを望遠鏡で確認し、パネルの色が変わった時に針が指している文字を読み取る。シャップはこの視覚を用いた錘式同期通信の公開実験も実施している。1791年のことだった。さらにシャップはシャッター式通信も開発している。こちらは五つのパネルを表示・非表示にして符号を表現し、それを望遠鏡で確認するというものだった。

まさにこうした紆余曲折を経て完成したのが3本の腕木をもつ腕木通信だった。使用している技術は望遠鏡、符号表、機械技術、鉄鋼技術、土木技術、測量技術といったところか。腕木を操作する機械構造部分については、アブラアン・ルイ・ブレゲという時計職人がシャップを手助けした。

腕時計が好きな方ならば、ブレゲ社ブランドの高級手巻き腕時計を知っているはずだ。アブラアン・ルイ・ブレゲは、このブレゲ社の創設者にあたる。したがって、ハードウェアの部分では、ブレゲが設計した機械構造部分に最先端の技術が利用されていたと言えよう。しかし、いずれも電気とは違って技術的な知識や蓄積が十分あるものの応用だったと言える。既存の技術の蓄積は、新技術誕生の母であると同時に制約条件ともなるわけだ。

このように歴史的必然とともに、その時代における技術的蓄積が、新たな技術を生み出す源泉と同時に制約条件にもなる。しかし新たな技術の誕生への影響はこれらがすべてではない。こうした外部環境と人の知恵や工夫が作用して新たな技術が姿を現す。

腕木通信はもとより、シャッター式通信も、音響や視覚による錘式同期通信も、シャップが自由な発想から得た知恵と工夫による産物だった。実際、やがてスウェーデンやイギリスではシャッター式通信が始まるから、シャップも腕木通信の代わりにシャッター式通信を採用していたとしても不思議はなかった。つまり腕木通信が世界で初めての近代的な情報技術になったのは、歴史的必然性や技術的蓄積という要因に加え、人による選択的意思決定があった。

ちなみに、心理学にはポジティブ心理学、別名「幸福の心理学」と呼ばれる分野がある。このポジティブ心理学の創始者とも言えるマーティン・セリグマンは、幸福を三つの変数で示した「幸福の公式」を公表している。この公式とは「幸福＝遺伝による規定値＋生活環境＋意思に基づく活動」というものだ[8]。

この公式を新しい技術の誕生に置き換えて見た場合、「遺伝」「生活環境」「意思に基づく活動」には、先に見た「歴史的必然」「技術的蓄積」「選択的意思決定」が該当するように思う。人の幸福は新しい技術の誕生とはまったくの別物だが、技術の誕生を考えるうえでの一つのアナロジーになるのではないだろうか。

また、同様の考え方は、ケヴィン・ケリーの著作『テクニウム』にも見られる。ケリーは「構造的必然性」「歴史的偶然」「意図的開放性」によってテクニウム（ケリーの造語で、テクノロジーによる人間の拡張）が成立すると述べている[9]。ここでは詳しい議論は省くが、構造的必然性は技術的蓄積に、歴史的偶然は歴史的必然に、そして意図的開放性は選択的意思決定に関連すると考えてよい。

また、W・ブライアン・アーサーは著作『テクノロジーとイノベーション』で、発明は「先行テクノロジーの新しい組み合わせ[10]」と述べているが、これは新技術の発明における技術的蓄積の重要性を指摘しているのにほかならないだろう。新しい組み合わせには十分な技術的蓄積が必要だからだ。

話を元に戻すと、産業革命という歴史的事実から、新たな情報技術へのニーズが必然的に高まってきた。ではこのような「歴史的必然性」のもと、人類は「技術的蓄積」を基礎にして、いかなる「選択的意思決定」を行使したのか。現実に生み出されたのは「腕木通信」という新たな情報技術だった。しかも生まれたのは産業革命の先進国イギリスではなくフランスでのことだった。情報技術の近代化はこの腕木通信の誕生をもって始まったと言ってよい。そして誕生から約40年を経て、情報技術は電気を使った電信という新たな段階への遷移を開始する。

第2章

電気を使ったコミュニケーション

イノベーションとS字曲線

オーストリア生まれでのちにアメリカへ帰化した経済学者ヨーゼフ・シュンペーターは、経済発展の原動力として「イノベーション」を位置づけた学説で著名だ。私たちは物や力を結合することで何かを生産する。一方、従来とは異なる考え方や方法で物や力を結合することを、シュンペーターは「新結合」と呼んだ。この新結合の遂行こそが経済発展の原動力、すなわちイノベーションを生み出すとシュンペーターは考えた。これは１９１２年に発表した著作『経済発展の理論』でのことだった。

駅馬車と汽車を想起してもらいたい。輸送機関が駅馬車から汽車に推移することで経済は大きく発展した。この経済発展は、旧結合から新結合への移行によって実現したものだ。たとえ駅馬車（旧結合）を１０００台製造したとしても、汽車（新結合）は誕生しない。

新結合たる汽車を実現するには、旧結合たる駅馬車とはまったく異なる考え方や方法によって新たな結合を作り出さなければならない。シュンペーターの言葉を借りるならば、「枠や慣行の軌道そのものを変更[1]」するような、非連続的な発展を必要とする。それは「循環運動とは違って、（筆者注：新たな）循環を実現する軌道の変更であり、またある均衡状態に向かう運動過程とは違って、均衡状態の推移[2]」にほかならない。

一方、このようなイノベーションの進展は、一般にS字曲線によるモデルで描かれる。S字曲線はイノベーションが普及する過程を累積で表現したグラフのことで、初期の段階では伸びが低く、やがてある点（これをクリティカルマスやティッピング・ポイントとも呼ぶ）に達すると普及が急速に進展し、その後成長は穏やかとなり緩やかな線を描くというものだ。この曲線の形状がS字に近いことからS字曲線と呼ばれるようになった。新たな消費財や新品種農産物の作付けなど多くの研究において、それらの普及がS字曲線を描くことが明らかになっている。

また、テクノロジーを長期推移で見ると、このS字曲線が不連続ながら継続して現れて、先行技術の性能を凌駕（りょうが）していく点にも注目したい。たとえば、駅馬車と汽車はそれぞれ異なるS字曲線で考えることができるだろう。駅馬車が世に現れ、やがて急激な普及を迎え、さらに穏やかな発展に至る。汽車は駅馬車の発展が緩やかになった時点に、駅馬車とはまったく異なる軌道上に誕生した。それがやがて急激な技術的進展を現実のものとすることで、駅馬車以上の性能を獲得する。このように従来とは異なるS字曲線を描くことが、シュンペーターの言う「枠や慣行の軌道そのものを変更」することだと言えるだろう。また、哲学者トマス・クーンの言葉を借りると「パラダイム・シフト」がこの「軌道そのものの変更」を意味すると考えてよい。

以上のように考えると、異なるS字曲線が不連続ながら継続して現れることで、テクノロ

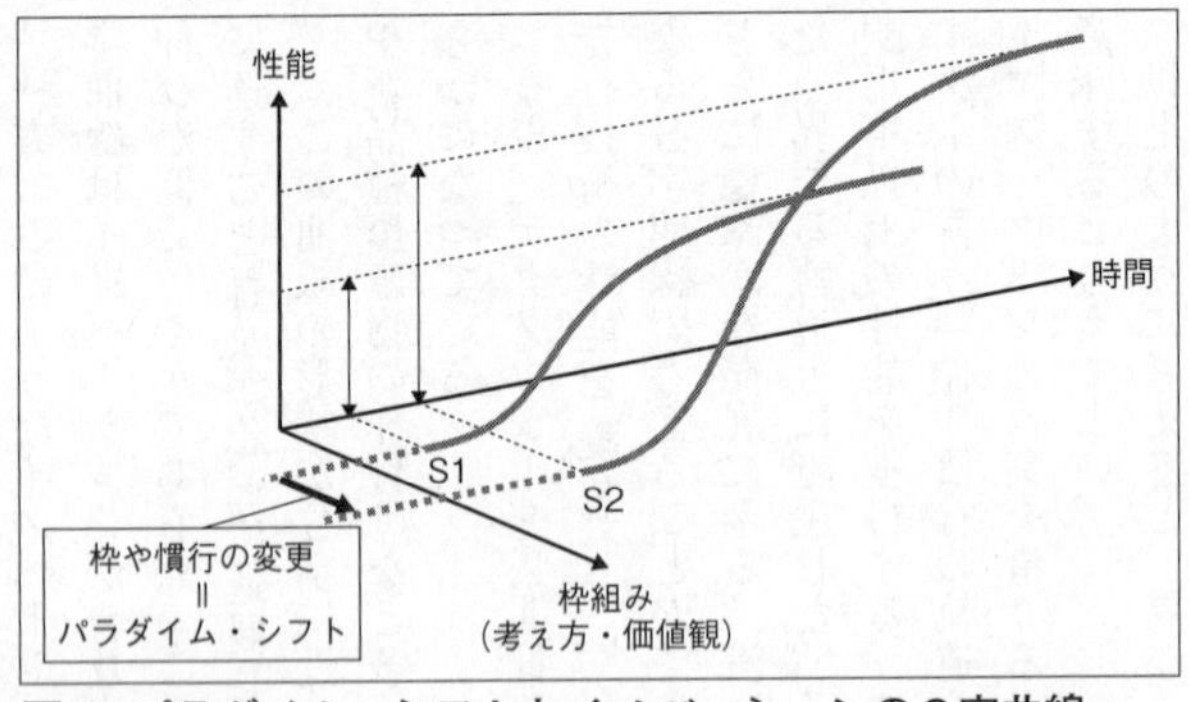

図3　パラダイム・シフトとイノベーションのS字曲線
ある技術の発展(S１)はいずれ頭打ちになるが、別の技術の発展(S２)がそれを引き継ぐ形(＝パラダイム・シフト)でテクノロジーの長期的発展が実現する。

ジーは長期的に進展していくことになる。これを縦軸にテクノロジーの性能、横軸に時間をとったグラフで描くと、いくつものS字曲線が、それぞれの終端の緩やかな曲線と、別のS字曲線の始まりの緩やかな曲線が重複して、全体で見れば右肩上がりで成長していくように見えるだろう。

ただし、2次元で描くこのモデルよりも、Z軸を追加した3次元で描くモデルの方が、よりシュンペーターの意図を反映したものになろう（図3）。新たに設けるZ軸がもつ意味とは「枠組み」と考えればよい。あるいは「考え方」や「価値観」と言ってもよい。

たとえば、駅馬車は「動力に馬を用いて四輪車を引く」という「枠組み」に対応するZ軸上のどこかの位置からS字曲線を描く。これに対して汽車は「動力に蒸気機関を用いて四輪車を引く」という「枠組み」を基礎にする。この枠組みは駅馬車の枠組みとまったく違うから、Z軸上の位置は駅馬車とは違う場所にあるはずで、そこを基準にS字曲線が描かれるだろう。つまりZ軸は、シュンペーターの言う「枠や慣行の軌道」を決める基準になる。

情報技術で考えると、騎馬郵便や郵便馬車から腕木通信への移行は、「手に持てる媒体による意思伝達」から「手に持てない媒体による意思伝達」という「枠や慣行の軌道そのもの」を大きく変更する出来事だった。同様に腕木通信から電信への移行は、「目に見える腕木を使った符号による通信」から「目に見えない電気を使った符号による通信」という「枠や慣行の軌道そのもの」が大きく変わる、近代的情報技術にとっての大事件だった。

しかし電信のS字曲線は、爆発的普及に至るまで、緩やかな曲線を長期間描かなければならなかった。中でもサミュエル・モールスによるモールス式電信が誕生して世界を席巻(せっけん)するまでにはかなり長い時間を必要とした。ここではしばしその経緯についてふれなければならない。

電磁式電信機の誕生

そもそも電気はすでに古代ギリシア時代にその存在について知られていた。しかしその後、電気に関する人類の知識はほとんど進展することはなく、わずかに磁気を羅針盤に応用する程度だった。進展が見られるのは17世紀に入ってのことで、磁気と摩擦電気が区別され、やがて電気を瞬間的に発生させる摩擦起電機が現れる。さらに18世紀の半ばにはようやくライデン瓶が発明され、摩擦起電機で起こした電気を蓄積しておけるようになった。もっともライデン瓶の電気は一度使用すると瞬時に消滅してしまう。電気を安定して供給できるようになるのは（もちろん現代から見ると安定度の度合いは極めて低いが）、１８００年に発明されるヴォルタ電池を待たなければならない。

電気による通信の研究は腕木通信よりも古くから行われてきた。18世紀の半ばにはイギリスのスコッツ・マガジンに「ＣＭ（一説にチャールズ・モリソンまたはチャールズ・マーシャル）」という人物が、電気を用いてメッセージを送信するための方法を提唱している[3]。

この方式では、まずアルファベットの文字数に相当する26本のワイヤーを用意し、受信側の各ワイヤーにアルファベットの文字が記された紙片を挟み込んでおく。一方、メッセージの送信側は、自分が送信したいアルファベットのワイヤーを取り上げて、摩擦起電機でそのワイヤーに電気を通す。すると、受信側のワイヤーの下に挟んであった紙片が吸い付けられる。これにより、受信者は、送信者が意図するアルファベットがわかる仕組みだった。

ＣＭ氏が記した電気通信に関する論文は、仕組みとしては極めて単純なものの、現在ではこの文章が、世界で初めて電気通信の可能性を示唆したものだと考えられている。もっとも論文を記した本人は考え方を示すのみで実験は行っておらず、実際の実験はフランスの物理学者ジョルジュ・ル・サージュが実施した。ちなみにル・サージュについては、福沢諭吉が著作『西洋事情』の「伝信機」の項でふれていて、「エレキトルの力を伝信に用ゆるは一七七四年フランス人レ・サジの工夫なり[4]」と記す。

ヴォルタ電池の発明以降も、電気による通信の進展は決して目覚ましいものではなかった[5]。しかしそのスピードは確実に上がりつつあった。その中には、電気分解とCMの手法を組み合わせたサミュエル・ゼンメリングの電解式電信機やイギリスのフランシス・ロナルズによる大規模な電信実験があったが、大きな画期となったのは1820年にデンマークのハンス・エルステッドが電流の磁気作用を発見したことだろう。

エルステッドは、導線に電気を流すと、方位磁針が振れることに偶然気がついた。この現象からエルステッドは、電気を流すと導線の回りに磁界が発生することを発見する。その後エルステッドは、電気が持つこの特性を生かして、電気の流れを検出する検流計を発明している。

この検流計の技術を電気通信に応用したのがロシアの外交官パヴェル・シリングだった。検流計の針の振れを組み合わせれば、文字を表現できるのではないかと考えたシリングは、導線とコイル、磁針をそれぞれ六つ持つ通信機を製作した。送信側には、白と黒がペアになったキーボードが取り付けられており、キーを押すと電気が流れる仕組みになっていた。また、白と黒とでは電流の流れる向きが逆になり、これにより一つの針は「右」「左」「中央

（電流が流れていない状態）」の3種類の位置を指す。この針の組み合わせでアルファベットや数を表現できるようにした。

もともとシリングが通信機に興味をもったのは、友人でもあったゼンメリングの電解式電信機のデモにふれたことが契機になったという。ただ残念なことに、シリングの電磁式電信機も実用化には至らなかった。しかしこの電信機と同型のものがイギリス人ウィリアム・フォザーギル・クックの目にふれることで、やがて電信は情報技術の主役に躍り出る。

クックとホイートストンの5針式電信機

クックは1836年にインドでの軍隊勤務を辞めた後、ハイデルベルグ大学で解剖学について学んでいた。電気学の講義にたまたま出席したクックは、そこでシリングの電磁式電信機のデモを目の当たりにする。クックはこの通信装置に大きな衝撃を受け、同様の通信装置を独力で開発し始める。しかし技術上の困難に直面したクックは、キングス・カレッジの自然科学教授だったチャールズ・ホイートストンに助言を求めた。そして1837年、二人はパートナーシップを締結して合名会社を組織し、イギリス国内における電信機の特許を取得する。これが電信機に対する世界初の特許だった。

クックとホイートストンによる電磁式電信機はダイヤモンド型をしており、その盤上に20

文字のアルファベットが記されている。また盤の中央には水平に5本の磁針が取り付けられていて、各々の針は電流によって左右斜め位置を指すようになっている。この5本のうち2本を動かして20文字のうち特定の1字を指し示す仕組みになっていた。

しかし考えてみると紆余曲折をたどったものである。ゼンメリングによる電解式電信機のデモを見たシリングが電磁式電信機を開発する。この装置はエルステッドが偶然発見した磁気作用を基礎にしていた。さらにシリングのデモを見たクックが実用的な電信機の開発に成功する。その5針式電信機は、エルステッドの磁気作用をはじめ、過去に発明された原理や過去に提案された仕様など、技術的蓄積を組み合わせた「新結合」だった。これは言い換えると、１８３０年代の後半になってようやく、電気を用いた情報技術の技術的蓄積が、特許取得が可能な新結合を生み出せるまでに充実した証拠なのだろう。

もっとも、素晴らしいテクノロジーが必ずしも市場に受け入れられるとは限らない。テクノロジーを市場へ円滑に導入するにはマーケティングのセンスも必要になる。その点で5針式電信機を開発したクックはセンスが良かった。クックが新発明の売り込み先として選んだのは鉄道会社だったからだ。

当時の鉄道は、時間間隔法と呼ばれる走行手法で列車を運行していた[6]。これは、先行列車が出発してから一定の時間をおいて、次の列車を出発させるという運行法だった。この方法の欠点は、先行列車が途中で故障して停車しても、後続の列車にはそのことがわからないという点だ。このため、実際にしばしば列車衝突事故が起こったという。事故を避けるため鉄道会社では、前方駅から後方駅に対して、先行列車が出発した合図があってから後方駅の列車を出発させる距離間隔法で、列車の運行管理をしたいと考えていた。クックはこのニーズに電信がマッチすると考えた。

クックは特許を取得した1837年に、ロンドン・バーミンガム鉄道に電信の利用を提案し、ユーストン〜カムデン・タウン間1・5kmで実験を行っている。実験は見事成功したものの、同社では本格的導入を見送ってしまう。電信の信頼性が乏しいと判断されたようだ。ちなみに同社の経営は、蒸気機関車ロコモーション号を開発したことで「鉄道の父」の異名をもつジョージ・スティーブンソンの息子ロバートが行っていた。

しかし別の有力鉄道会社グレート・ウェスタンは電信の導入に積極的で、クックとホイートストンに対してパディントン〜ウェスト・ドレイトン間の21kmに電信線の建設を依頼する。同社の電信の運用は1839年に始まっている。その後、電線の数を2本だけにした電信機も誕生し、こうした技術の進展もあって、クックとホイートストンの電信機は着実にその数を増やしていった。いよいよ電信のS字曲線が徐々に上昇し始める。

注目しておきたいのは電信の普及が、情報技術で一歩先行したフランスではなく、産業革命のリーダーたるイギリスで始まった事実だ。工業化が進むにしたがって情報の重要性が増す点についてはすでに述べた。にもかかわらず産業革命で先頭を走るイギリスよりも先にフランスで腕木通信が花開いたのは、フランス革命後の新政府と周辺諸国との緊張が大いに関係していた。

しかしこの点を除くと、情報技術の発展は産業革命がより進んだ国で先行することは、歴史的必然だと言える。そして実際に電信という、視覚に頼った通信とは軌道がまったく異なる新たな情報技術は、産業革命が最も進んだイギリスで始まった。しかもその新たなテクノロジーが、産業革命の主役の一つとも言える鉄道に採用されたのは極めて象徴的と言えるのではないだろうか。鉄道そして電信は、ともに産業革命の申し子だったと言っても過言ではない。

モールス電信機が誕生するまで

ところで、ここまで述べた電信の歴史の中で、サミュエル・モールスの名がまったく出てこないのに違和感を覚えた人もいるに違いない。というのも、電信と言えば真っ先に頭に浮かぶのはモールスの名前だからだ。実はモールスの名が世間に知られるようになるのは、イギリスにおける電信普及の始まりからもう少し時が経たなければならない。要するにモールスは決して電信の発明者ではなかった。

モールスは１７９１年に「アメリカ地理学の父」と呼ばれるジェディディア・モールスの

息子として生まれる。クックがそうだったようにモールスも電気や通信には門外漢で、美術を専門にしていた。エール大学を卒業したモールスは、ロンドンのロイヤルアカデミーで絵画を学んだ後、アメリカに戻って画業を生業としていた。その後、再度渡欧し、イタリアやフランスでさらなる絵画の修業を積む。この渡欧から本国に戻る船上で、モールスは電気を使った通信システムの話を聞き、これに触発されてモールス符号や通信装置のアイデアを思いついたという。これが1832年のことだった（図4）。

モールスのアイデアとは、電流のオン（点）とオフ（間）で数字を表現するものだった。たとえば、「323」を送る場合、「・・・　・・　・・・」のように電流をオン・オフする。一方、これとは別に英単語に番号を振ったコードブックを作成しておき、送信した数字から受信者は意味を理解する。また、送信した電気信号は電磁石で動くペンで紙テープに記録する。ジクザグの線が電流のオンとオフを示していた。帰国の船上でモールスは、符号の送信方法や、信号を受信する記録装置をノートにスケッチするのに没頭していたという。

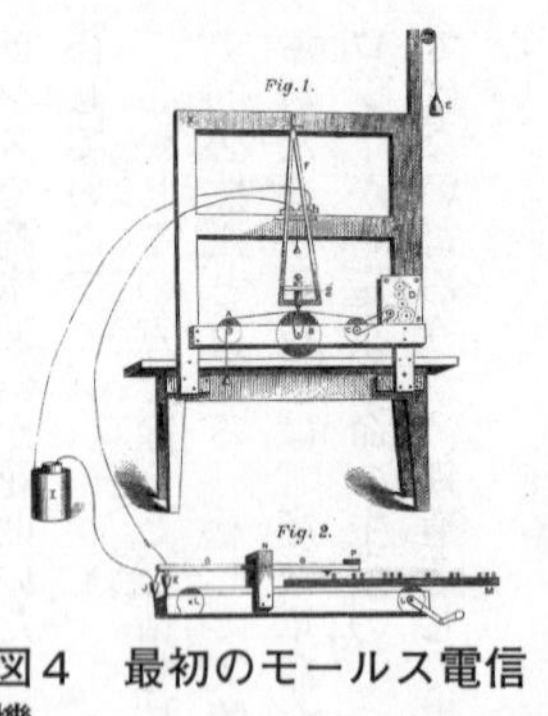

図4　最初のモールス電信機

アメリカに戻ったモールスは、ニューヨーク市立大学の美術教授になる一方で、授業の合間には電信機の製作に没頭した。電気の知識に乏しいモールスは、同じ大学で化学を教えていたレオナルド・ゲイルのアドバイスを受け、やがて16kmの電信実験に成功する。クックとホイートストンが5針式電信機で特許を取得した同じ1837年のことだった。さらにモールスらの公開実験を見ていたアルフレッド・ヴェイルという人物が電信の事業化に興味をもち、発明の特許権を共同で所有する見返りとして、モールスに資金援助を申し出る。

モールスの名に隠れていまやヴェイルの名はほとんど忘れられているが、彼がパートナーとして参加することで、モールスの装置は飛躍的に性能がアップする。なにしろヴェイルの父親は鉄工所を経営しており、ヴェイルも機械装置の設計や製造には深い見識をもっていたからだ。

まずヴェイルは電信で用いる符号の改善に着手した。先に見たように当初モールスは点の数で数字を表現して特定の単語や文を対応させていた。ヴェイルはこの方法を改めて、電流による短点（ドット）と長点（ダッシュ）の組み合わせを特定の数字やアルファベットにあてはめるようにした。ヴェイルは新聞社に出向き、アルファベットごとの活字の数量を調査して、EやTのように活字の量が多い文字ほど単純な符号で表現できるようにした。結果、Eは短点のみ、Tは長点のみとなり、PやQなどといった使用頻度の少ない文字は4つや5つの短点・長点の組み合わせで表現した。

またヴェイルは、表現する符号の特徴に合わせて信号発信装置である電鍵（いわゆる電信キー）を開発した。これもヴェイルの大きな貢献と言える。さらにペンでジグザグの信号を描く方法は廃止して、上下するペンが短点と長点を記すように改良した。ペンの作動には1825年にウィリアム・スタージャンが発明した電磁石を用いている。

なお、ヴェイルが完成させたモールス符号は、短点と長点からなる二進法の信号（バイナリー信号）だとする考えがあるがこれは適切ではない。というのも短点と長点以外にも空白信号も混ぜて信号を送信するからだ。さらに空白信号にも長さによって種類がある。まず短点を打つ場合、「トン」と回線を閉じて、短点と同じ長さの空白を空ける。長点の場合、短点の3倍長く回線を閉じ、短点と同じ長さの空白を空ける。また単語間には短点の3倍長い空白を空け、文章間には6倍長い空白を空ける。このようにモールス符号では、短点、長点、符号間の空白（短点と同じ長さの空白）、単語間の空白、文章間の空白という5種類でアルファベットや単語、文章を表現する[7]。

このように、モールス符号による電信は、「0」と「1」という二進法による通信手法ではない。ただしアルファベットを表す個々の信号は離散的な特徴をもつ。だからモールス符号はデジタル方式を採用している。つまり、腕木通信に続いて世界を席巻するモールス電信も、やはりデジタル方式の通信手法だったことになる。

60kmから6万kmへ伸びたアメリカの電信線

クックとホイートストンの電信機が比較的円滑に市場へ入っていったのに対して、モールスの電信機はなかなか日の目をみることがなかった[8]。ヴェイルの参画で飛躍的な改善が進んだモールスの電信装置は、ようやく1838年にワシントンの国会議員の前でデモンストレーションを行えるまでになった。

しかし、モールスの電信機に対する議員の反応は冷ややかなものだった。同年、モールスは特許取得のためにイギリスに渡るも、クックとホイートストンの邪魔などもあって特許取得に失敗する。めげずにフランスへと渡ったモールスはここでも進退窮（きわ）まり、結局手ぶらでアメリカへ戻る羽目になる。

運が向いてきたのはやっと1842年になってのことだった。アメリカ政府とかけあったモールスは、ボルチモア・アンド・オハイオ鉄道の沿線に、ワシントン〜ボルチモア間64kmの電信線敷設の許可を議会から得て3万ドルの予算を獲得することに成功する。あとから振り返ると、このタイミングと場所はモールスにとって非常に幸運だった。というのも、工事がボルチモアまで残り24kmほどになっていた1844年、ボルチモアで民主党の大統領候補を決める選挙があった。モールスらは、途中まで通じている電信を用いて、誰が大統領候補になったのか、ワシントンへ一足先に伝えることを思いつく。

選挙の結果は5月1日に発表された。候補者に選ばれたのは、ジェームズ・ポーク（後の第11代大統領）だった。ポークの名前は、ボルチモアから列車を用いて、通信線の工事を行っているヴェイルにまず伝えられた。そして、ヴェイルは電信を使って、ワシントンにいるモールスへ当選者の名前を送信した。モールスは、候補に指名されたジェームズ・ポークの名を、ワシントンの人々に公表する。本当にこの情報は正しいのか？ 約1時間後、ボルチモアからの列車がワシントンに到着する。そして大統領候補の名が告げられると、果たしてモールスが告げたのと同じ人物の名前が返ってきた。ここに疑い深かった人々も電信の実力を認めることになる。

この著名なエピソードは、腕木通信が始まった直後に、フランス軍がオーストリア・プロイセン連合軍からコンデを奪回したという情報を、シャップが国民公会に伝えたエピソードと二重写しになる。腕木通信は戦勝をいち早く伝達することで3本の腕木による信号が意思を伝えるのに役立つことを証明した。同様にモールスは、大統領の候補者指名をいち早く報じることで、電気による短点と長点からなる符号で意思を伝えられることを証明したことになる。

1844年5月24日、ワシントン～ボルチモア間64kmの電信線が公式に完成し、最初のメッセージが送信された。ワシントンにいるモールスがボルチモアにいるヴェイルへ送ったメッセージは「これは神の御業なり（What hath God wrought[9]）」だった。その後のアメリカでの電信の普及は凄まじい。モールスは出資を募りながらニューヨーク〜ボストン間、バッファロー〜フィラデルフィア間に立て続けに電信線を敷設する。1848年までにワシントン〜ボルチモア間を含む電信線の総距離は3200kmに達する。

さらにこれが1850年になると、早くも20社にのぼる電信会社が設立され、アメリカの電信線の総距離は約2万kmに達した。それから4年後の1854年になると電信線の総距離は6万6227km（4万1392マイル）に及んでいる[10]。アメリカの電信は、サービスが始まってわずかの期間で、S字曲線が急カーブを描くことになる。

なお、この1854年は、マシュー・ペリーが黒船で日本に訪れ、日米和親条約を結んだ年でもある。注目したいのは、その際ペリーが、徳川幕府に対して4分の1サイズの蒸気機関車、それにモールス式電信機を献上品として贈っている点だ（このペリー献上の電信機は現在、東京スカイツリータウン内にある郵政博物館が所蔵している）。アメリカでは1830年代から蒸気機関車が急速に普及し、1850年の鉄道の総距離は1万4500km、これが1860年までには4万9000kmに及ぶ[11]。要するにペリーは、文明の利器の代表として普及著しい蒸気機関車と電信を贈ることで、アメリカがもつ科学技術力を日本に見せつけようとしたのだろう。

イギリスとフランスの電信事情

アメリカと同様、イギリスの電信も目覚ましい発展を遂げた。1850年の電信線総距離は1万kmを超え、電信オフィスは180カ所、1年間のメッセージは3万件近くまで達した。これが1860年になると、電信線総距離は8万2490km、電信オフィスは1032カ所を数え、1年間のメッセージは186万件に及んでいる[12]。

では、腕木通信で情報技術の先頭を走ったフランスはどうだったか。先にモールスが電信機の売り込みのためフランスを訪れたと述べた。これは1838年のことだった。この時にモールスは、パリ~サンジェルマン間の鉄道沿線に敷設する電信線の入札に参加している。しかしモールスは契約を勝ちとることはできなかった。フランス政府は、外国の私企業に通信線の運営を任せるのはあまりにもリスクが大きいと考えたからだ。結局フランス政府は、パリ~サンジェルマン間の電信計画を白紙に戻している[13]。

このようなことからフランスでの電信の導入はイギリスはもとよりアメリカからも遅れをとる。フランス政府が最初の電信実験をパリ~ルーアン間で実施したのは1844年になってのことで、ようやく翌1845年4月に本サービスを開始している。

当時のフランスはルイ・フィリップが国王の時代で、王制と民衆との間に大きな軋轢(あつれき)が生じていた。そのためルイ・フィリップは同年にルーアンの近くでバカンスを過ごした際、電信を通じてパリの情報を逐次受け取っていたという[14]。

これでルイ・フィリップは電信の利便性に目覚めたのだろう。１８４６年にフランス政府は、腕木通信ネットワークを電信ネットワークに置き換えることを決定する。最初に置き換えられたのは、腕木通信ネットワークの始まりでもあったあのパリ〜リール線だった。そして１８５５年までにフランスの腕木通信は全廃になる。１７９４年の正式なサービス開始から数えると、フランスにおける腕木通信の運用は61年間だった。

このように見てくると、電信のS字曲線は１８３０年代の後半に始まり、１８４０年代半ばにはクリティカルマスを迎え、右肩上がりの急上昇期を迎えたと考えてもよさそうだ。その一方で、フランスにおける腕木通信が全廃となった１８５０年代半ばを基準にすると、約20年間、旧テクノロジーである腕木通信のS字曲線と、新テクノロジーである電信のS字曲線が重複して存在したことになる。この期間は旧いテクノロジーが描いてきた軌道から、新しいテクノロジーが描く軌道に、社会全体が移行する期間と言える。

あるいは梅棹忠夫風に言うならば、腕木通信を中心に成立していた装置群が、電信を中心に成立する新たな装置群に置き換わる過程、あるいは遷移する過程と言えよう。梅棹の言う「装置群」とは、人間が作り出した、人間を取り巻く有形無形の人工物のすべてを指すものだった。情報技術がこうした装置群の中でひときわ重要な位置を占めるのが情報化社会の過程と言ってよい。

旧い技術の破壊と新しい技術の創造

この腕木通信という装置群が、電信というまったく別の装置群に置き換わっていく過程で、注目すべき現象がいくつか生じた。まず、旧い情報技術の破壊と新しい情報技術の創造が徹底的に行われたという点だ。どこが徹底的なのかは、郵便馬車と腕木通信の場合に生じたテクノロジーの置き換わりと比較すればよくわかる。

郵便馬車は手に持てる媒体に記した符号を発信者から受信者へと配達した。それは紙に記された文字の運搬、つまり手紙の配達だった。これに対して腕木通信は手に持てない媒体を用いて符号を遠隔に伝えた。腕木で信号を作り望遠鏡を通じて視覚で認識する手法を用いた。このため、腕木通信は比較的情報量の少ないメッセージを高速に送信するうえで長けていた。その反面で、たとえば百科事典のような大量の文章を送るのには向いていない。この場合、いくら遠くとはいえ、郵便馬車で運んだほうが速かっただろう。加えてフランスの腕木通信は政府の利用のみで一般には開放されなかった。

以上のような事情から、旧い情報技術である郵便馬車は、腕木通信との棲み分けが可能となり、腕木通信が普及したあとも命脈を保つことができた。棲み分けが可能になったのは、

3次元で見たS字曲線モデルに郵便馬車と腕木通信をプロットした時に、それぞれの情報技術が対応するZ軸の位置に大きな隔たりがあったため、一方のS字曲線が他方を完全に破壊することはなかったからだ。

言い換えると、郵便馬車と腕木通信では「枠組み」があまりにも違い過ぎたので、それぞれの価値を認めるニーズが存在したということだ。遷移の過程で新旧のテクノロジー間に軋轢はあったものの、互いに調整が行われて、新たな秩序で共生が実現した。これは草本類が発生してもコケ・地衣類が存続し、低木が優勢になっても草本類は失われない様子とよく似ている。

しかしながら、腕木通信から電信への移行では、旧い情報技術の破壊がとにかく徹底的に行われた。電信の普及過程で腕木通信は徹底的に破壊しつくされ世の中から姿を消してしまった。シュンペーターはイノベーションの特質は創造的破壊にあると述べたが、一方で電信がたくましく創造され、他方で腕木通信が破壊されたこの過程は、まさに創造的破壊の過程だった。

腕木通信と電信で創造的破壊の過程が生じたのは、両者のZ軸上における位置が極めて近接、否、一致していたからにほかならない。いずれの通信方法も、「手に持てない媒体」を利用した通信手段という意味で同じZ軸上に位置する。

ただし両者の間には手法に対する「枠組み」の違いはあった。腕木通信の手法とは視覚を用いたものであり、電信の手法は電気を用いたものだった。両者とも「手に持てない媒体」を用いた通信手段という点では価値を同じくするため、その他の特徴で差別化されない限り、より効率的にこの価値を達成する手法が生き残り、より非効率な手法は徹底して淘汰されることになる。腕木通信と電信では、いずれが効率的かは火を見るより明らかだった。

ここに旧いS字曲線が新しいS字曲線に道を譲る。興味深いのは、新旧のS字曲線は不連続ではあるけれど、巨視的な位置から見ると右肩上がりの連続したテクノロジーの発展として映る点だ。腕木通信から電信への推移は、二律背反ではあるけれど不連続な連続的発展に見える。

過渡期に起きる折衷案

腕木通信から電信への創造的破壊の過程は旧い装置群から新しい装置群への移行だった。装置群には人が作った制度や秩序が含まれるし、装置群と人の相互作用も存在する。したがって、腕木通信が電信という新しい装置群に置き換わるということは、装置群に含まれる制度や秩序と人の相互作用も大きく変化することを意味する。ここでも実に特徴的な現象が生じた。

まず、電信という新テクノロジーの採用に対する強い抵抗が社会の内部、中でも腕木通信に深く関与している人々や組織から生じた。そもそも誕生したばかりの新テクノロジーは技術的にも洗練されていないから未熟なものだ。その未熟さは成熟した旧テクノロジーの立場から見るとより際立つだろう。

腕木通信擁護派は、電信に対して「ある日ある人間が、誰の邪魔もされずにパリ中の電線を切断することだってできる[15]」とあからさまに批判したものだ。そもそも腕木通信には物理的な線など存在しないから切断は不可能だ、と腕木通信擁護派は言いたいわけだ。どこか屁理屈に近いこの言葉は新テクノロジーへの抵抗を見事に表現している。

また、電信の性能が認められ、腕木通信が劣勢になっていく過程で、新旧の体制を取り繕う動きがあったことも見逃せない。腕木通信が劣勢になっていく過程で、新旧の体制を取り繕う動きがあったことも見逃せない。

まった点についてはすでにふれた。その際にフランスでの電信サービスが1845年に公式に始まった点についてはすでにふれた。その際にフランス政府は非常に珍奇な電信機を開発している。当時の政府通信網の長官アルフォンス・フォアが、腕木通信と互換性のある電信機の製造を命じたからだ。いくつかの案から選ばれたのは、腕木通信の機構部分の設計を担当したアブラアン・ルイ・ブレゲの孫ルイ・クレメント・ブレゲが作った装置だった。

フォア・ブレゲ電信機と名づけられたこの装置は、木製の小型キャビネットの前面に、腕木通信機とそっくりのミニチュア版調節器と、その両端には2本の指示器が取り付けてあった。ただし調節器は固定で、電気で動くのは2本の指示器のみだった。これにより従来慣れ親しんできたシャップ・コードを電信でも引き続き利用できる。これには大きなメリットがあった。

まず、通信手は従来の知識を流用でき、新たな知識の学習も最低限ですむ。そのため政府は教育にかける時間や予算を削減できる。加えて、腕木通信ネットワークで働く多くの労働者の雇用を維持できるメリットも大きかった。そもそも腕木通信の通信手には戦争で負傷した軍人が大勢いた。腕木通信はハンディキャップのある人々に職を提供する制度でもあった。これが一夜にしてなくなれば多くの労働者が路頭に迷うことになるだろう。フォアはこれらの点を勘案して腕木通信と互換性のある電信機の製造を命じたわけだ。

旧いテクノロジーから新しいテクノロジーへの置き換わり過程では、制度や秩序、人に求められる知識やスキルが大きく変化する。既存の制度から利益を得ている人々、いわゆる既得権者は変化に強く抵抗するだろう。また旧いテクノロジーに適応している労働者も、既存の知識やスキルが陳腐化して職を失うから、やはり変化には強く抵抗するだろう。こうして旧い制度を残しつつも新しいテクノロジーに対応するという折衷案が模索されることになる。フォアが模索し導入したフォア・ブレゲ電信機はまさに折衷案そのものだった。

しかし、フォア・ブレゲ電信機の命脈は長くなかった。まず、2本の指示器を動かすには余計な電信線が必要になる。これは費用面で大きな負担になった。また、フォア・ブレゲ電信機を現場で使い始めた通信士たちは、やがて指示器1本でアルファベットを送る符号を作り出す。もはや指示器が2本である必要はなくなってしまった。この結果、1855年、フランス政府は電信の方式をモールス式に統一してフォア・ブレゲ電信機を廃止してしまう。ここに旧制度を念頭に置いた折衷案は世の中から消えてしまった。

　ここで見た経緯を一般化すると次のようになるだろう。旧テクノロジーから新テクノロジーへ移行する段階では、古い制度を温存しながら新たなテクノロジーに対応する折衷案が浮上するものだ。しかし新たなテクノロジーに旧い制度を無理に適用しているからどうしても矛盾や非効率が生じる。しかしやがてこの矛盾や非効率のゆえに折衷案は取り除かれ、新たなテクノロジーに適合したより効率的な制度が誕生する。実は同様の現象がインターネット時代の現代にも生じているのだが、この点については第７章で改めてふれることになる。

　ちなみに、腕木通信の機構部分を設計したアブラアン・ルイ・ブレゲは、腕木通信の成功がすべてシャップに帰することが気にくわず、腕木通信の本当の開発者は自分であると喧伝したり、また腕木通信に対抗する独自方式の視覚通信を開発したりした。

　シャップにとってブレゲは頭痛の種であり、シャップの鬱病や自殺の遠因になったとも言われる。その孫であるルイ・クレメント・ブレゲが電気式の腕木通信機を開発するのだから、シャップとブレゲ一族との因縁は深い。加えて腕木通信型のフォア・ブレゲ電信機が、腕木通信と同じ１８５５年にフランスから姿を消すのも、どこか偶然すぎる一致と言わざるを得ない。

世界を結んだ電信線

腕木通信を徹底的に破壊した電信は、その後も日が昇る勢いで普及した。特に注目すべきは電信の拡張規模が世界に及ぶことだろう。

そもそも腕木通信の時代には基本的に通信ネットワークは自国に閉じていた。わずかにスウェーデンとフィンランド、フランスとスペインの視覚通信ネットワーク間でメッセージをやりとりした事実はあるものの、それもネットワーク同士が直接結びつくのではなく、ネットワーク間はメッセージの手渡しに頼っていた。それが電信の時代には、国々を結ぶ世界をまたいだネットワークが急速に整備されていく。

１８４９年、プロイセン国営電信がベルリンとベルギー国境にある古都アーヘン間で操業を開始した。一方西からはパリ～ブリュッセル間が翌１８５０年に開通し、同年終わり頃にはアーヘン～ブリュッセル間１６０ｋｍが結ばれて、パリ～ベルリン間の通信ができるようになる。

さらに１８５１年には、カレー～ドーバー間に世界初の国際海底電信線が完成する。カレー～ドーバー間の海底電信線の成功は電信線の拡張が地球規模に向かう契機になったと言ってよい。それがこの年にロンドンのハイド・パークであった第１回万国博覧会の開催と軌を一にするのはどこか象徴的だ。1852年には、ウェールズ〜アイルランド、スコットランド〜アイルランドが結ばれ、さらに同年にはイギリスとベルギーおよびデンマーク間の北海横断ケーブルが完成している。

1858年になると、アメリカの実業家サイラス・フィールドがニューファンドランド〜アイルランド間に大西洋横断海底電信線の敷設に成功する。この海底電信線を通じてアメリカのブキャナン大統領とイギリスのヴィクトリア女王がメッセージを交わした。しかし、2カ月後に通信は完全に途絶えてしまい、アメリカとイギリスが本格的に電信で結ばれるのは1866年のことだった。

国々が電信で結ばれるようになると国際協力が欠かせなくなる。そこで1865年、ナポレオン3世の呼びかけで、国際電信システムの構築を目的にした会議がパリで開催され万国電信連合が成立する。これは国連の下部組織である現在の国際通信連合（ITU）の前身にあたる。ただしこの会議にイギリスは参加していない。

そのイギリスでは同じ1865年にイギリス〜インド間に電信が通じている。これは電信ネットワークが拡大するにつれて、イギリスが植民地のインドと電信で交信したいとするニーズに応えたものだ。しかし通信品質は非常に悪く、メッセージが届くのに平均で5〜6日を要した[16]。

また2ルートあったイギリス〜インド間の電信線は、いずれも途中で諸外国の電信当局を通過しなければならなかった。通信品質が低い上、重要な情報が筒抜けになる恐れもあったため、イギリスでは自前の通信線を敷設して1870年までに開通している。開通式ではイギリス皇太子がロンドンからインド総督に向けて打電したところ、その返事が30分後に届き、会場は割れんばかりの喝采に包まれたという[17]。

同年、イギリス資本の電信線はさらに東へと延び、ボンベイ(現ムンバイ)からゴール(セイロン、現スリランカ)やシンガポール、ジャカルタなどの東南アジア諸国を経由して上海に至る。そして1871年6月26日、上海〜長崎間がデンマークの大北電信会社(グレート・ノーザン・テレグラフ)によって結ばれて、長崎からロンドンへの通信が可能になる。明治政府が成立して3年足らずの日本は、早くもこの時点で世界の電信ネットワークの一部に組み込まれたのだった。

インヴィジブル・ウェポン

世界が電信網で覆われる中、1887年時点で海底電信線の総距離は21万kmを超える規模になった。また同年、イギリス資本が支配する電信線は世界全体の70%に及んだ[18]。中でもその半分はイギリスの企業イースタン電信連合会社が所有していた。イギリスがこれほどまでに電信での支配力を高められたのにはいくつかの理由がある。

まず、電信線の製造力においてイギリス資本の企業が突出した力をもっていた点が挙げられる。電信線は電気の減衰を防ぐために高い技術力を要する。当時、世界最高クラスの技術力を誇ったのはイギリスのテレグラフ・コンストラクション・アンド・メンテナンス社だった。19世紀における同社のシェアは、世界で製造される電信線の3分の2に及んだ[19]。

また、海底電信線の敷設や修理にも高い技術力、それに大量の電信線を搭載できる輸送力が必要だった。当初、海底電信線を敷設できる汽船はイギリスのグレート・イースタン号だけだった。サイラス・フィールドが指揮した大西洋横断海底電信線の敷設も同船によるものだった。その後、海底電信線を敷設する専用の船舶も建造され、19世紀の終わり頃には30隻を数えるまでになったものの、そのうち24隻はイギリス資本による所有だった[20]。

加えて、電信線の製造や巨大な船舶を実現するには莫大な資本が不可欠となる。その資本の要請にあえてリスクを冒して応える投資家がイギリスには存在した。さらに投資を支えるだけの潤沢な資金力があった。ちなみにイギリスでは、１８６８年に国内の電信を国有化している。その際にイギリス政府は市場価格をはるかに超える額で民間企業の電信設備を買い取った。民間市場に流れ込んだこの潤沢な資金が海底電信線の敷設に投下されたという[21]。

こうした技術的アドバンテージや豊富な資金力、企業家精神により、イギリスは世界の電信ネットワークに君臨し、１９０２年に至っては世界を一周する電信線の構築を達成する。

電信が世界を覆う中、早くも電信線を「脳」や「神経系統」にたとえる文章が見られるようになった[22]。世界の情報はこの神経系統を通じてロンドンに優先的に集まる。もちろんイギリスはこの神経系統を自国に都合よく使うことができた。

たとえば政治や商業に関する重要な情報をイギリスは大陸よりも2~3時間早く入手できたという。海外の情報が最初にロンドンに届くからにほかならない。これはロンドンの金融街にとって大きなアドバンテージだった。最新の情報に基づいたロンドンの市場価格が電信で各国に配信される。これによりロンドンは強大な国際金融市場として地位を揺るぎないものにできた[23]。あのクロード・シャップが夢見たことをイギリスは電信で実現した格好だ。

情報の早期入手はイギリスの外交も変える。1884年6月、フランスと中国の間で清仏戦争が勃発した。この戦争でフランス軍は敗北し、その情報をイースタン電信連合会社系列のネットワークで自国に送信したところ、フランスよりも先にイギリス外務省が情報を入手する。さらにこの情報はフランス政府が入手する前に、駐仏イギリス大使へと送信されたという[24]。

また、1898年に発生したファショダ事件は、国家にとって世界規模の電信線が軍事にいかに重要かを強力に認識させた事件として著名だ。ナイル川の上流で軍事力をもつフランスの探険隊とイギリスの軍隊が衝突したこの事件では、幸い戦争には発展しなかったものの、両軍は進退について本国に指示を仰ぐことになる。

ところが、イギリス軍はエジプトから本国に電信を打てるものの、フランス側には有効な電信通信手段がなく、最悪の場合、イギリスの設備を借りなければならなかった。フランス探検隊の要請を拒否したイギリスは、本国に極めて誇張した情報を送信してフランスを欺き、イギリスは外交的に有利な立場に立つことに成功した[25]。

以上の逸話は社会学者ダニエル・ヘッドリクの著作『インヴィジブル・ウェポン』からとったものなのだが、その著者が表現するように電信は「インヴィジブル・ウェポン＝見えない武器」であり、この武器はイギリスに、政治や経済、軍事面において大きなアドバンテージをもたらした。ヴィクトリア朝時代の大英帝国が世界の覇権を握れた背景には、見えない武器の威力が確実に存在したのであった。

新聞社が電信の力に目覚める

政治や軍事にアドバンテージをもたらす電信は、その意味で国家のための情報技術だったと言える。電信以前の腕木通信もやはり国家のための情報技術だった。フランスやアメリカでは一部商用利用の動きがあったものの、主流は政府や軍のメッセージの送信だった。一方で電信が腕木通信と違ったのは、国家だけでなく国民のための情報技術としても発展した点だった。それはもともと電信が民間の事業として始まり、これが一般に開放されたことに起因する。

たとえばクックとホイートストンの事例で見ると、彼らがグレート・ウェスタン鉄道の依頼で電信を導入した経緯はすでにふれた。その後クックは同社に電信線の拡張を提案していたが色よい返事を得られない。そこでクックは同社に対して電信の独自運営を提案した。この提案では電信の運営をクックが行い、鉄道に関わる電信の利用は無料にする代わり、一般向けのサービスを認めるものだった。こうして1841年にグレート・ウェスタン鉄道の電信線はスラウまで拡張され、やがて電信は一般に向けて開放される。一方、アメリカの電信はイギリスから4年遅れの1845年に一般向けサービスがスタートした。

電信が一般に開放されたものの、このテクノロジーで何が可能になるのか、大衆にとってはまだ雲をつかむような状態だった。そのため当初の一般利用はあまりさえなかった。その中で電信の効用に早くから気づき、以後、電信の最大の顧客になるのが新聞社だった。新聞社が電信を活用する狙(ねら)いは、確かに他社より早く最新のニュースを手に入れる点にあった。しかし新聞社の電信利用の背景にはもっと多くの要因が複雑にからまりあっている。

電信が普及する以前の1814年、蒸気機関を動力とした印刷機が新聞社「ザ・タイムズ」に導入された。これにより従来は1時間に250枚しか印刷できなかった新聞が、一挙にその4倍にあたる1000枚を印刷できるようになった。さらに19世紀も半ばになると蒸気印刷の能力はさらに向上し、1時間に1万部を超える新聞を印刷できるようになる[26]。

とはいえ、大量印刷の技術を有していても、それに見合うだけの購読者を確保していなければ宝の持ち腐れとなる。大量に印刷した新聞を大量に配布するには、できる限り広範囲に新聞を輸送して、できる限り多くの場所で販売することが欠かせない。これを可能にしたのが蒸気機関車だった。

加えて、蒸気印刷による大量印刷、蒸気機関車による大量配布、これに続く大量販売という構造を維持していくには、新聞に対する大衆の支持がなければならない。こうしてそれぞれの新聞社は、特ダネを他社よりも早く報道することに血眼(ちまなこ)になる。このような流れの中で電信がもつ高い利用価値が新聞社に認識されていく。それを象徴する出来事があった。

1844年8月6日、ヴィクトリア女王に二人目の息子アルフレッド・アーネストが誕生した時のことだ。この情報は女王がいたウィンザー城から、約4km離れたスラウ駅に伝わり、電信でロンドンに送られた（スラウに電信局があったのはもっけの幸いだった！）。情報をキャッチした「ザ・タイムズ」紙ではその40分後に皇子誕生の号外を発行し、この速報が電信のお陰だったと称賛している[27]。

その後、新聞記者自身が電信で記事を送稿するようになる。その最初の事例は、1846年に新聞記者アリグザンダー・ジョーンズが、ニューヨーク・シティ駅からワシントン・ユニオン駅まで、「軍艦オールバニーがブルックリン海軍工廠(こうしょう)で進水した」とのニュースを送稿したものだったという[28]。以後、新聞社にとって電信は、記事の送信に欠かせないテクノロジーへと変身することになる。

さらに新聞紙の名前に「テレグラフ」を用いる事例が増えていく点にも注目しておきたい。「ザ・テレグラフ」「ザ・デイリー・テレグラフ」「イブニング・テレグラフ」「サンデー・テレグラフ」などはその代表例と言える。これは「テレグラフ」から「早い情報」を想起させるからだろう。クロード・シャップが開発した腕木通信の固有名詞が、ここにおいて新聞紙名にも利用されるようになったのだ。

通信社を育てた電信

電信は、通信社にとっても欠かせないテクノロジーだった。通信社とは新聞社や雑誌社、放送事業者に内外のニュースを配信する組織で、自らは一般大衆を相手にニュースを流さない。すでに腕木通信時代にも通信社は存在した。中でもフランスのシャルル・アヴァスは、近代的通信社を世界で初めて創業した人物と言ってよい。

アヴァスは1832年のアヴァス事務所を経て、1835年にアヴァス通信社を設立している。アヴァスは各国に通信員を置いて、彼らがパリに送ってくるニュースを翻訳および編集して購読者に配信した。当初の購読者は外交官や商人、金融業者が中心で、論説が主体だった新聞社はニュース配信にあまり興味を示さなかったようだ。

このアヴァス通信社が近代通信社の源流としてふさわしいのは、アヴァスとあわせてのちに「欧州三強」と呼ばれる通信社の創業者二人が同社に所属していたからだ。その二人とはユーリウス・ロイターとベルンハルト・ヴォルフにほかならない。前者はイギリスを拠点とするロイター通信社、そして後者はドイツを拠点にするヴォルフ通信社をのちに立ち上げる。いずれも１８４８年末に翻訳係としてアヴァス通信社に就職した。

通信社の生死は誰よりも早く正確なニュースを入手できるかで決まる。そのために通信社はあれこれと策を弄してきた。郵便馬車という定番の手法から、伝書鳩を用いてパリ～ロンドン間を７、８時間で結ぶ方法も使った[29]。また、作家・広瀬隆によるとアヴァスは腕木通信の信号を望遠鏡で見てニュースを配信したともいう[30]。信号が露出した腕木通信ではコードブックさえあればメッセージを解読できる。広瀬の指摘が正しいとすると、アヴァスは政府関係先からこのコードブックを不正に入手したことになる。

いずれにせよ、電信の普及以前から、通信社はとにかく迅速にニュースを手に入れたかった。それが宝を生むからだ。そのため電信の誕生は彼らにとって最速にニュースを得るための手段に映った。実際にその手段を活用するために彼らは迅速に行動した。

すでに述べたように１８４９年、ベルリンとベルギー国境のアーヘン間が電信線で結ばれた。このラインは同年10月１日にサービスが始まるのだが、実はその数日後、アヴァス通信社を辞めたヴォルフがベルリンにヴォルフ電信事務所を開業している。もちろん電信を使ってニュースの集配信を行うためだ。一方、ロイターもアヴァス通信社の職を辞し、アーヘンに同じく通信社を立ち上げた。

ロイターにとって幸運だったのは、翌１８５０年にパリ〜ブリュッセル間が開通したことだ。ロイターはブリュッセル〜アーヘン間１３０ｋｍが電信で結ばれていないことに目をつける。この間を迅速な通信手法で結べば、パリ〜ベルリン間で情報の高速なやりとりができるだろう。ロイターが目をつけたのは師匠でもあるアヴァスも利用していた伝書鳩だった。ロイターはブリュッセル〜アーヘンを伝書鳩で結び、パリからのニュースをベルリンへ、ベルリンからのニュースをパリへと送り届けた。これは良いビジネスになった。

しかしロイターの成功は束の間で終わる。同年終わりから１８５１年の初めにかけてアーヘン〜ブリュッセル間の電信線が稼動して、パリ〜ベルリン間で電信ができるようになったからだ。ロイターは、この電信線を敷設するためにたまたまアーヘンに来ていたヴェルナー・ジーメンス（ジーメンス社創設者）と知り合いになり、ドーバー海峡に海底電信線が敷設され、ロンドンとパリが電信で結ばれることを知る。こうしてロイターはジーメンスの勧めもあって、１８５１年にロンドンへ進出し、世界一の通信社になる足がかりを作る。

以後ロイターは、あたかも「ケーブルを追う」かのように、電信が延びる先々へと進出し、最新のニュースを集配信した。これは電信が極東の日本にまで延びた時も同様だった。上海〜長崎線が開通した翌年の１８７２年、ロイター社は長崎に通信員を配置する。これは、当時の長崎に大北電信会社が電信局を置いており、同社の電信士をエージェントにしたものだった[31]。

いずれにせよロイターは、イギリス系資本の電信線が延びる先々で、ニュースの集配信機能を整備していった。ロイター社は国営企業ではなかったが、同社の収集する情報は国益にもかなうものだった。したがって、電信線が神経系統だとすると、その先端で情報の収集と配信を、一手とまではいわないものの、かなりのウェイトで担っていたのが通信社ということになる。

電信で社会生活が変化する

電信は一般の人の生活にも作用し、人はその作用に対してそれぞれの反応をした。大きな作用の一つとして挙げるべきなのが新たな職場の創造だろう。電信の誕生により電信士という新しい職業が生まれた。電信技術は専門技能であるため、高い技術を有する電信士の中には、より高い給料を求めて会社を転々とする者もいた。彼らの実態については、松田裕之（まつだひろゆき）の労作『モールス電信士のアメリカ史』や『ドレスを着た電信士マ・カイリー』に詳しい。

また、メッセンジャー・ボーイも、電信が生み出した職業の一つだった。メッセージを受け取った終端の電信局は、その電文を文章にして用紙に記す。その用紙を宛先まで届けるのがメッセンジャー・ボーイの役割だった。彼らの多くは貧しい家庭の少年であり、メッセンジャー・ボーイという職業は重要な稼ぎ口だった。

加えて、メッセンジャー・ボーイを振り出しに立身出世していく人物もいた。発明王トーマス・エジソン、鉄鋼王アンドリュー・カーネギー、それに放送王デービッド・サーノフも一時はメッセンジャー・ボーイで家計を支えたことがある。電信は腕木通信という旧テクノロジーに携わる人々の職場を奪ったが、それとは別に貧しい子供たちに夢と希望を与えた。

新しいテクノロジーが新しい職場を生み出すという考え自体はそれほど新奇なものではない。では、電信により人々が天気予報に目覚めたとしたら、これはかなり突飛な話ではないか。1854年、クリミア戦争に参戦していたイギリスとフランスの連合艦隊は、予期せぬ荒天で手痛い打撃を受けた。これをきっかけに天気予報への需要が高まり、イギリスでは同年に気象局を作り、やがて各地からの気象情報を電信で集めて天気図を作るようになった。「ザ・タイムズ」はこの気象情報を毎日掲載するようになり、穀物の相場師や農夫、船乗りらに貴重な情報を提供した[32]。

電信は天候に対する人々の関心を高めるとともに、時間に対する感覚も徐々にではあるが変化させていく。19世紀の社会は、地域によって時間がまちまちで基準となる時間は存在しなかった。都市では中心部の広場に塔があり、人々はその壁面にある時計が刻む時間を基準に暮らしていた。時計がない場所では、それぞれの地域で日が最も高く上がった時が正午だった。小さなエリアで生活している場合、これで特に問題はなかった。しかし1870年の頃、ワシントンからサンフランシスコまで蒸気機関車で向かう場合、町を通過するごとに200回以上もの時計合わせが必要だったとも言われる[33]。これではあまりにも効率が悪い。

この問題を解消するため、当初、鉄道会社が独自に標準時間を設定した。だが、電信が普及することで、より広範囲な標準時間が必要になってきた。「明日10時までに電信で回答されたし」というメッセージを電信で送信した時に、送信人と受信人の時間が異なっていると具合が悪いであろう。しかし、標準時間を決めたとしても、問題はそれを離れた地域同士で共有する方法だ。それを可能にしたのが電信だった。イギリスでは1840年代にグリニッジ天文台から電信局まで電信線を引いて時報を伝えるようにしている。

このグリニッジを子午線ゼロと取り決めて、地球を1時間ごと異なる24区間に分けることに決めたのは、1884年にワシントンで開かれた会議でのことだった。少々話は先走るが、この世界標準時間を世界で初めて全世界に向けて発信したのはフランスで、1913年7月1日午前10時のことだった[34]。用いた通信手法はエッフェル塔からの無線電信で、この信号を世界の8つの中継所が受信した。メッセージの送信に通信士が介在する電信では、世界中に向けた時報の同時配信は困難だったというわけだ。

通信費負担軽減が著作権問題を引き起こす

電信が生み出した予想さえしなかった出来事は、天気予報や標準時間の発生以外にもまだまだある。記者や通信員が電信を頻繁に使うようになると、新聞社や通信社は高額な通信費が負担になってくる。特に海外からの電信料金はとても高額だった。こんな話がある。

1908（明治41）年、日本初の世界一周パックツアーが挙行された。主催は朝日新聞社で旅行の手配はトーマス・クック社が行った。一行がアメリカ大陸のオークランドからソルトレイクシティーへ向かう途中、ツアーに同行していた東京朝日の記者・杉村廣太郎（すぎむらこうたろう）が、ネバダ州レノ駅から本社に電報を打っており、その際の料金が記録に残っている[35]。

送ったメッセージは日本文に換算して160文字余りで、その料金はしめて48ドル75セントだった。当時は1ドルがほぼ2円に相当したから、電信に約100円かかったことになる。この100円は現在価値に換算するといかほどか。

明治40年当時のかけそばの値段は3銭だった。100円あればかけそばを3333杯食べられる。一方、現在のかけそばの値段を240円とし、これを3333杯に掛け算すると、当時の100ドルは現在価値に換算してほぼ80万円になる。あまりにも高額な料金に東京朝日の杉村は怒り心頭だったようだが、海外からの通信はこれほど高かった。

そのため記者や通信員は、余計な修飾語のない、なるべくシンプルな文章を打電した。少しでも通信費を安く抑えるためだ。こうして電信独特の文体はのちに「電文体」と呼ばれる。さらにこの電文体をもっとシンプルにするスケルトナイズという手法も編み出された。これは文章の骨格のみを表記する手法で、電文を受信した記者はこれをエクステンションして通常の文章に直す。いわばスケルトナイズが符号化で、エクステンションが復号化に相当する。

しかしスケルトナイズしすぎると受信者には訳がわからなくなる場合もある。ある時ロイターの若手編集者がアメリカから「マッキンリー・ショット・バッファロー（McKinley Shot Buffalo）[36]」の電文を受け取った。マッキンリーとは第25代アメリカ大統領のことだ。「なぜ大統領の野牛撃ちがニュースになるのか？」と思った若手編集者が電文をボツにしようとしたところ、ベテラン編集者が「マッキンリー・ワズ・ショット・イン・バッファロー（McKinley was shot in Buffalo）」のスケルトナイズであることに気づく。こうしてロイター社は、1901年9月6日にニューヨーク州バッファローで発生したマッキンリー大統領暗殺事件のスクープを逃さずに済んだのであった。

また、スケルトナイズのような回りくどい方法を使わず、暗号を用いて電文を短くすればよいという発想も浮かぶだろう。当時も実際にそうだった。金融関係者は仲間内の符号を作って値の上下を伝えあったし、電文の暗号化について記した本が出版されると商人などによく売れた。この手の本としては、ウィリアム・クローソン＝シュー著『ABC国際商用電信コード』（1873年）、そしてベストセラーになったE・L・ベントリー著『ベントリーの完全版コード用語集』（1909年）などがある。ベントリーのコード用語集を見ると、商用での常套句が極端に圧縮されているのがわかる。

いくらなら買えるのか（At what price can you buy?）…bipog
いつ出荷できるのか（When can you ship?）…risud
目下考慮中、じきに返答する（Is under consideration, will reply shortly）…denop
次の行動をとるまで指示を待て（A wait instructions before taking further action）…adtur[37]

用語集なしでは「bipog」や「risud」が何を意味しているのかさっぱりわからないだろう。また、コードが5文字なのにも理由があった。暗号文は文字の羅列となる。通信士はその意味を判断できないから誤送信が頻発しやすくなる。そのため国際機関が1単語につき最高10文字という国際的規定をもうけた。コードが5文字なのは、メッセージをこの規定にうまく収めるためだ。

たとえば「denopadtur」とすれば「目下考慮中、じきに返答する。次の行動をとるまで指示を待て」という意味を1単語で送信できる。ちなみに、電信仲介業者の中には5文字のメッセージを集めて、10文字や20文字にして送信する者もいた。規定料金内でより多くのメッセージを送れるこの手法を「梱包」と呼んだという[38]。

また暗号は、安い料金でメッセージを送るだけでなく、電文の内容を電信士に知られたくないというニーズにもマッチした。いずれにせよ電信を多用する者にとって暗号化の手引き書は必携となる。そうするとまた別の動きが顕著になった。手引き書を1冊だけ購入してあとは仲間内で変更して利用するケースがあとを断たなかったのだ。そのため暗号電信本の著者の一人は、明白な著作権侵害であり法的手続きも辞さない、と宣言したという[39]。何と電信は著作権問題をも引き起こしたというわけだ。

可能性が現実になることで生まれる複雑な社会

この著作権問題は情報技術のみならず新たなテクノロジーが社会に導入された際に、正と負の可能性が連鎖的に現実のものとなる例を示していて、極めて興味深い。

ロイターは電信に、より早くニュースを手にする、という可能性を見出してそれを実現した。これは正の可能性が現実になった一例と言えよう。一方、一般大衆にとってあまりにも高価な電信の料金はどうか。これはどちらかというと負の現実だった。これを解消するために生まれたのがスケルトナイズや暗号だった。文字が少なくなるので料金は安くすむ。これは負の現実を少しでも正の方向に向ける活動だったと言える。一般向け電信用暗号本がベストセラーになったのも、同様のニーズが多くの人々に存在した証拠だろう。

ところがこのスケルトナイズや暗号が新しい負の可能性を現実のものにする。先に示したロイターのケースは、スケルトナイズが原因で大スクープを落としそうになった。これは負の可能性がきわどいところで現実にならなかった一例だ。しかし当事者には泣くに泣けない事故が実際に起こっている。

アメリカのある羊毛卸売業者と代理業者とが、電信メッセージに「ＢＡＹ」と「ＢＵＹ」という2種類の暗号を利用していた。前者は「50万ポンドの羊毛を仕入れた」、後者は「50万ポンドの羊毛を仕入れよ」という意味だった。ある時、卸売業者が代理業者に対して「ＢＡＹ」のメッセージを送った。ところがこのメッセージは、電信士の打ち間違いがあったようで「ＢＵＹ」と誤送信されてしまった。

大損をこうむった卸売業者は、アメリカの電信事業を独占していたウェスタン・ユニオン社を相手取り訴訟を起こした。しかし電信の規約には、誤送信防止のため発信人は復誦(ふくしょう)を求めることとあった。卸売業者はこの復誦を怠ったことから、商売における損害賠償は認められず、補償額は誤送信分の1ドル15セントしか認められなかった。卸売業者の損害は2万ドルだったという[40]。

暗号の解説書を一般大衆向けに出版した著者や出版社は、大衆のニーズをがっちりつかむことで、ベストセラーを生み出した。これはポジティブな現象と言ってよい。しかし、右に見た事故や著作権を侵害する行為の発生は明らかに負の可能性が現実になったものだ。

このように、新たなテクノロジーは想像すらできなかった現実を次々と生み出す。電信の普及が文章の書き方に影響を及ぼし、さらに暗号を生み出し、符号省略で思わぬ事故が出来し、国際機関で字数の規制が行われ、一方で暗号解説本が世に出回り、著作権問題が浮上するなど、一体誰が想像できただろう。あるいは電信の普及がやがて標準時間や天気予報を生み出すと誰が予言できただろう。まさにヘーゲル弁証法における「正」「反」「合」の繰り返しではないか。

こうした運動が積み重なって、社会は複雑で矛盾に満ちた様相を呈していく。右で見たのはまさにその一例と言えまいか。ちなみに、文豪アーネスト・ヘミングウェイは作家になる前、新聞社の海外通信員だった。歴史学者スティーヴン・カーンは、ヘミングウェイのシンプルな文体が、「彼の海外報道員としての経験の結果であるのはまちがいない[41]」と指摘する。この主張が正しいとすると、電信という新たな情報技術は、世界的な文豪を生み出す可能性すら秘めていたことになる。

第3章

音声がケーブルを伝わる

電話以前に出現したファクシミリ

電信が急激に普及する中、電信とは異なる二つの情報技術が継続して開発されていた。一つは電話、それにもう一つは今で言うところのファクシミリだった。電話はともかく、電信の時代にすでにファクシミリが開発されていたとは驚きかもしれない。

しかも当時、「自動電解式記録電信機（オートマチック・エレクトロケミカル・レコーディング・テレグラフ）」と呼ばれたファクシミリの原型にあたる装置が、電話よりも早く開発されていたことを知れば、驚きはさらに増すのではないか。本章の主題は電話ではあるが、その前に電話よりも先に開発されていたこの情報技術について若干ふれておきたい。

自動電解式記録電信機を開発したのは、イギリスのアレクサンダー・ベインで1843年11月27日に特許を取得している。モールスの電信機が稼働するのがようやく1844年になってのことだから、ベインの特許取得がいかに早かったかがわかるだろう。

その仕組みは同期して動く金属製の針と電解用紙にある。まず、送受信双方に電信線で結ばれた金属製の針を用意する。この2本の針は左から右、上から下へ同期して動くようになっている。次に送信側は金属製の文字を木製のプレートに取り付ける。金属の文字はそれぞれアースされた導線と結ばれている。一方、受信側はアースされた金属製のプレートの上に、電気を通すと変色する電解性のある用紙（いわゆる感熱紙のようなもの）を敷く。以上で準備ができた。

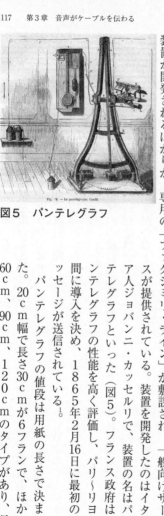

送信側は金属製の針を動かして、木製のプレートと金属製の文字からなる版の上をなぞる。針が木の上の時は電気が通らないが、文字の上に来ると電気が通る。一方、受信側の針も送信側と同期して動いていて、電気が通ると用紙が変色するが、電気が切れると用紙に変化はない。これが連続することで、受信側では送信側と同じ文字を複製できる。

ベインの装置は実用に供することはなかったものの、1860年代のフランスでは同様の装置が開発されるばかりか、専用の「ファクシミリ・ライン」が敷設され、一般向けサービスが提供されている。装置を開発したのはイタリア人ジョバンニ・カッセルリで、装置の名はパンテレグラフといった（図5）。フランス政府はパンテレグラフの性能を高く評価し、パリ〜リヨン間に導入を決め、1865年2月16日に最初のメッセージが送信されている[1]。

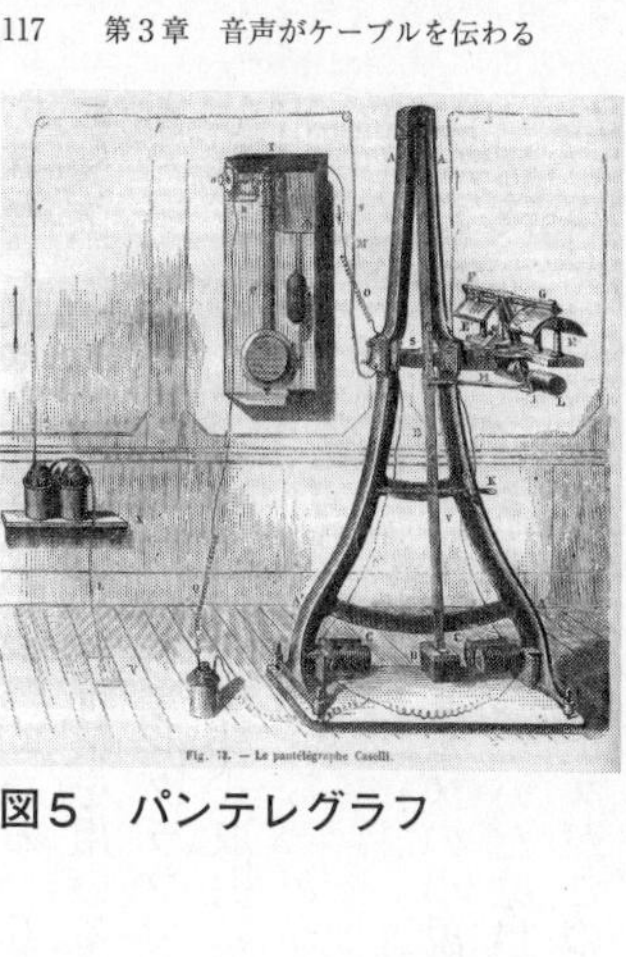

図5　パンテレグラフ

パンテレグラフの値段は用紙の長さで決まった。20cm幅で長さ30cmが6フランで、ほかに60cm、90cm、120cmのタイプがあり、長いほど値段は6フランずつ高くなる。6フランは現在価値の約6000円に相当する。当時のフランスでは、モールス電信を用いると20ワードで2フランだったから割安感はあったようだ。1866年にはパンテレグラフで4860通のメッセージがパリ～リヨン間を行き来した。そのうち4853通が株式取引に関する文書だったという。しかし残念なことに1870年でサービスは終了している。どうも同年に勃発したフランスとプロイセンの戦争が影響したようだ。

ところで、ジュール・ヴェルヌの小説に『二十世紀のパリ』という作品がある。ヴェルヌの死後、未発表のまま埋もれていた原稿が1991年に偶然発見され、日の目を見るに至ったいわくつきの作品だ。ヴェルヌがこの小説を執筆したのは1863年で、物語はそれから100年後のパリを舞台にしている。実はこの中にカッセルリが開発したパンテレグラフが登場する。

パンテレグラフが描かれているのは、ヴェルヌが1960年代の銀行の設備について語るくだりでのことだ。〝未来〟の銀行はイギリスのホイートストン式の専用電信回線を所有して、ピア・ツー・ピアで相手と連絡がとれ、直接顔を合わせることなく商談を行える（1860年代には画期的なことだった！）。そのうえ、前世紀にジョバンニ・カッセルリが開発した「写真電送機」によって、「文書やサインやデッサンの複写を遠隔地に送ったり、五千里も遠くにある為替や契約書にサインしたりすることができた[2]」とヴェルヌは書く。

このようにヴェルヌは、ファクシミリが普及する未来を的確に予言していたように見える。実際ヴェルヌは、当時の最新科学に精通していた人物で、小説にその知識をふんだんに盛り込んでいる。注目したいのは『二十世紀のパリ』が執筆された1863年という年だ。実はフランス政府がカッセルリの装置をパリ～リヨン間に導入することを決めたのはこの年のことだった。そのパンテレグラフが小説に登場するということは、フランス政府と同様に科学通ヴェルヌも、この装置に大いに注目していたのだろう。

テレフォンの誕生

しかしながら科学通のヴェルヌも、100年後の世界で電話が普及しているとは思いもよらなかったようだ。『二十世紀のパリ』に電話の技術は一切でてこない。もっともそれも仕方がなかったのかもしれない。アレクサンダー・グラハム・ベルとエリシャ・グレイが電話の特許を申請したのは1876年2月14日のことだったからだ。この特許申請競争は2～3時間の差でベルの勝利となったのはあまりにも有名な話だ。

ただし、それよりも10年以上も前の1860年に、イタリアの発明家アントニオ・メウッチが、ベルやグレイと同じ原理による「テレトロフォノ」を開発していた[3]。しかし金銭面の事情からメウッチは特許を維持できず、ベルとグレイが特許を申請する以前に、テレトロフォノの特許は無効になる。１８６０年という時期を考えると、ヴェルヌがメウッチのテレトロフォノを知っていた可能性もある。しかし仮に知っていたとしても、当時電話はあまりにも夢物語すぎて、さすがのＳＦ作家も手を出すのに躊躇(ちゅうちょ)した——と考えるのは、あまりにも穿(うが)ちすぎだろうか。

それはともかく、アレクサンダー・グラハム・ベルの特許から始まる電話の話をしなければならない。ベルは１８４７年にスコットランドのエジンバラに生まれた。祖父は発声法学校の経営者、父はエジンバラ大学の音声言語学者だった。生まれた時から言語学と近しい環境で育ったベルが、祖父や父と同じ道を目指したのも自然な流れだったのかもしれない。やがてベル一家はカナダに移住し、ベル自身はアメリカのマサチューセッツ州ノーサンプトンにあるクラーク聴覚障害者スクールの教師としてキャリアをスタートさせている。同校は現在もアメリカ屈指の聾(ろう)学校として存続している。その後ベルは１８７３年にボストン大学の発生生理学の教授に就任する。

音声に強い興味をもっていたベルは、やがて電気で音声を伝えることができるのではないかと考えるようになる。ベルは、クラーク聴覚障害者スクールの創設者の一人で弁護士のガーディナー・ハバード、そしてボストンの富裕家トーマス・サンダースから資金面の援助を受けるとともに、ボストンの電気器具工場で働いていたトーマス・ワトソンを助手にし、本格的に電話の開発を進める。これが１８７５年のことだった。

すでにふれたように、ベルが電話の特許を申請したのはその翌年の1876年2月だった。しかしベルが実際に電話を開発したのは特許申請後のことだった。

「ワトソン君、来てくれないか。用があるんだ（Mr. Watson, come here, I want you.）」

この著名な言葉を助手のトーマス・ワトソンが電話を通して聞いたのは、1876年3月10日のことだった。ちなみにベル自身の記録によると、「ワトソン君——来てくれないか——私は君に会いたい（Mr. Watson —— come here —— I want to see you）[4]」と話したという。電話の性能が低く、ワトソンはベルの言葉をきちんと聞き取れなかったのだろうか。なお現在では、前者が電話による最初の会話だと言われている。

ベルにとってこのタイミングでの実験の成功は幸運だった。同年の5月10日から半年の会期でアメリカ合衆国独立100周年を祝うフィラデルフィア万国博覧会が盛大に開催されるからだ。電話を大衆に公開するにはまさにうってつけの大イベントと言える。

ベルは博覧会に電話を出品し、送話器側から受話器側にいる大勢の来場者にハムレットの独白や新聞記事の抜粋を朗読した。受話器に耳をあてていたブラジル皇帝ドン・ペドロⅡ世は「生きるべきか死ぬべきか。それが問題だ」との声が聞こえた際、椅子から飛び上がって「聞こえた、聞こえた[5]」と叫んだという。会場が騒然としたのは言うまでもなかろう。

また、のちにケルヴィン卿と呼ばれるイギリスの著名物理学者ウィリアム・トムソンも、このデモンストレーションでハムレットの名文句を耳にした一人だった。トムソンは「この偉大な発明に、私たちはただ心から感嘆するばかりです[6]」と大賛辞を送っている。ベルは偉大な物理学者のお墨付きを得たのであった。

電話サービスがそろりと立ち上がる

確かに万博でのデモンストレーションは電話の知名度を上げるのに効果的だった。しかしさらなる知名度向上をはかるため、ベルとワトソンはその後も講演とデモンストレーションを繰り返す。このデモンストレーションはどこかショー・ビジネスの風情があった。

まず、ベルとワトソンは二手に分かれる。ベルは講演会場に電話の受信機を3～4台設置する。一方、会場から離れた場所にはワトソンが電話の送信機、それにブラスバンドとともに待機している。両会場の電話機はレンタルした電信線によって結ばれていた。

以上の楽屋裏から、ベルたちがどのようなデモンストレーションを行ったのかだいたい想像がつくだろう。まず、ベルが電話について一通りの説明を行う。その後、遠くでスタンバイしていたブラスバンドが演奏を始め、その音楽が公演会場の受話器から聞こえるという趣向だ。ブラスバンドの演奏のほか、コルネットのソロ、さらにワトソンによるスピーチや歌唱もあったという。

電話の事業化がいまだ海とも山ともわからぬ中、1877年にベル電話会社が成立した。

この会社が現在のアメリカ最大の通信企業AT&Tのルーツになるとは誰が想像したであろう。ハバードが社長でベルは電気技師、ワトソンは製造部門の責任者になった。ただし彼らが、電話事業は将来莫大な富を生む、と真剣に考えていたかどうかは怪しい。1876年から77年にかけて、ハバードはウェスタン・ユニオン社に、10万ドルでベル電話会社の所有する電話特許を譲渡する商談をもちかけているからだ。

ウェスタン・ユニオン電信会社は1851年にニューヨークで設立され、1856年に社名をウェスタン・ユニオン（WU）に変更している。当初はアメリカの電信会社の一つに過ぎなかったが、当時のWU社はライバル企業を次々と買収することで4000カ所以上もの電信局を運営し、アメリカの電信事業をほぼ独占していた。

WU社の社長ウィリアム・オートンは、ハバードからの特許権譲渡をあっさりと断っている。しかし何とも皮肉なことに、電話事業で大成功したAT&Tは、やがてWU社の経営権を握ることになる。そのためオートンの意思決定は世紀の判断ミスとも言われている。

ベルの電話システムが初めて「売れた」のは1877年4月4日のことで、ある電器店とその店主の自宅を結ぶためのものだった。その距離4・6kmだった。また翌月には、ボストンの銀行家に売れていて、やはり事務所と自宅を結ぶものだった。このようにビジネスが立ち上がった当時の電話サービスは、経営者の自宅と会社間、さらには企業の事業所間などを結ぶことでそろりと始まった。もちろん電話交換機はいまだ存在しなかったので2地点を専用線で直結していた。

電話サービスを顧客に提供するにあたり、当時ベル電話会社がとった手法は電話の売り切りではなかった。地域の事業者に電話サービスのライセンスを与え、電話は賃貸するというものだった。ライセンスを得た事業者は自らの負担で電話機を借り受けて電話回線を整備する。ベル電話会社は技術的指導を行うとともにライセンス料とリース料を得た。

このビジネスモデルは、かつてハバードが成功した靴磨き機のレンタルビジネスを範にしたと言われている。利用者の費用は2台の電話機と回線込みで公共用が年間20ドル、民間用が年間40ドルだった。これは現在価値に直すと約60万円と約120万円に相当する。そここそ高額にもかかわらず、1877年の秋までに600件以上もの加入があったという[7]。

しかし、当時の電話の品質は目を覆うばかりだった。まず大声で話さないと相手には聞き取れない。また、受話器と送話器が同じ装置だったため、利用者は送受信機に大声でしゃべったあと、次に送受信機を耳に押し当てる。この作業を繰り返す必要があった。しかも聞き取りにくいため、互いが同時にしゃべり出すともう収拾がつかなくなった。しかし品質も悪く高価だったにもかかわらず、短期間で600件もの加入者を獲得できたということは、遠くにいる人と直接会話できるメリットを理解していた人がそれだけいたということだろう。

その反面で電話の実効性に懐疑的な人がいたのも事実だった。というのも、電信は記録に残るけれど、電話の会話は記録に残せないからだ。そのため、ベルと同じ日に特許を申請したエリシャ・グレイは、より優れた手段である電信があるから、電話はビジネス的に成功しないだろう、と考えていたほどだった。しかしグレイの判断が誤りだったことは早晩明らかになる。

次々生まれる新たな運用の仕組み

電話の利便性は加入者の多さに直結する。加入者が増えると電話をかけられる相手が増えて便利になる。便利になるとより電話の加入者が増える。このようにある製品やサービスの利用者が増えるほど利便性が増す状況をネットワーク外部性やネットワーク効果と呼ぶ。

しかし電話の場合、ネットワーク外部性を高めたいからと、あるネットワーク参加者と他の参加者n人を1対nの専用回線で結んでいては非効率的過ぎる。そこで考え出されたのが電話交換機にほかならない。これは電話交換手が利用者の要望に応じて通話先の回線に手作業で接続する装置を指す。ニューヘブンで電信ビジネスに携わっていたジョージ・W・コイが1878年に開発したのが電話交換機の最初であり、したがってコイが世界最初の電話交換手となる[8]。

電話交換機の誕生により、電話の加入者は電話局までの回線を確保すれば加入者全員と通話できるようになる。電話会社にとっては回線の数を抑えながらネットワーク外部性を確保できるので、まことに画期的な方式だった。こうして電話は、医者や病院、薬局、弁護士などのスペシャリストや酒屋、馬車業者、工事請負業者、印刷業者などの小規模事業者の営業ツールとして拡大していく。

また、電話交換機を発明したコイが電話帳を世界で初めて作ったとしても何ら不思議がないかもしれない。電話ネットワークへの参加者が増えるにしたがって、自分の知らぬ人やお店が当然増えてくるだろう。これらを一覧にしたものがあれば利用者にとっては便利だ。コイは電話交換機を開発した同年に、1ページだけの加入者名簿を作った。現在ではこれが世界初の電話帳と言われている[9]。

ところが当時の電話には電話番号が存在しなかった。そのためコイの電話帳にも電話番号が載っていなかった。利用者は電話交換手に電話をかけたい先の名前を告げて回線をつないでもらっていた。電話交換手がすべての加入者を把握している小さなコミュニティではこのようなことも可能だったかもしれない。しかし、土地に暗い不慣れな交換手だとそうもいかないだろう。そこで1879年秋には、それぞれの電話を番号で識別する方法が考案された[10]。マサチューセッツ州ローウェルの医師モーゼス・グリーリーが提案したこの手法は、瞬く間に他の電話交換局にも採用されていく。

当初、電話交換機が増えると電話交換手の数も増えていった。そのほとんどはハイティーンの男性だった。しかし彼らは退屈な電話交換業務に飽き飽きし、交換を申し込む相手と喧嘩することもしばしばあった。こうしたぶっきらぼうな男性よりも愛想がよくソフトな女性のほうが加入者の受けもよいだろう。そういうことから、１８８０年代の初めには電話交換手のほとんどが女性に置き換わっていく。

以上、電話交換機、電話帳、電話番号、女性電話交換手の４例を挙げたが、いずれも電話というテクノロジーが社会に導入された時点ではまったく念頭に置かれていなかった装置や制度ばかりだ。どれも電話の効果や利便性を高めるために、後付け式に考え出された、新たな技術、新たな制度、新たな流儀にほかならない。これは電話という新たな情報技術が人に作用し、それをもっと使いやすいものにするために人が電話という情報技術に反応した結果と言えよう。この相互作用により電話サービスはより現代の電話らしく洗練されていく。

電話サービスの独占が進む

電話サービスが始まった当初、ベル電話会社が安定成長したかというと決してそういうわけではなかった。１８７７年12月に、電信業界の巨人ウェスタン・ユニオン（ＷＵ）がアメリカン・スピーキング電話会社を設立して電話サービスに参入したからだ。同社のオートン社長は、ハバードから提案のあった電話特許の譲渡を断った経緯があったものの、電話の将来性を否定していたわけではなかった。ＷＵ社はトーマス・エジソンやエリシャ・グレイらの発明家と提携し正面からベル電話会社に対抗した。

WU社の武器は何と言ってもエジソンが発明した電話だった。エジソンの送話器はベルが発明したものよりも明らかに品質が良かった。これに加えてWU社にはアメリカ全土に電信網や電信局を所有している。電信の技術を電話に転用するのは比較的容易なうえ、設備の流用もきく。一から通信基盤を整備しなければならないベル電話会社にとってはあまりにも強力なライバルだった。これに対してベル電話会社がとったのはWU社に対する特許侵害訴訟、それに技術力の向上だった。この陣頭指揮をとったのがセオドア・N・ヴェイルだった。

ヴェイルは、サミュエル・モールスの片腕として電信の実用化に協力したアルフレッド・ヴェイルと親戚関係にある。もともとはWU社の電信技士で、ユニオン・パシフィック鉄道の鉄道郵便局で業務改革を推進し頭角を現した。ハバードがヴェイルの手腕を見込んでベル電話会社にスカウトしたのは1878年7月のことだった。

ヴェイルはベル電話会社が所有する特許を、WU社が侵害していると提訴するとともに、技術力の向上についてはパテントの取得で乗り越えようとした。注目すべきは訴訟の行方だった。当時のWU社とベル電話会社は巨人と子供と言ってよいほど企業規模に格差があった。しかしWU社にも社内の内紛や、ライバル企業の買収攻勢といった差し迫った事情があった。また、ベル電話会社が所有する特許が強力で、WU社の弁護士も裁判に勝ち目はないと判断する。

この結果、1879年11月に、ナショナル・ベル電話会社（同年にベル電話会社から社名変更）とWU社の間に和解が成立する。WU社は電話事業に関するすべての特許を放棄し、全米55都市に築いた電話網をナショナル・ベル電話会社に譲渡する。これに対してナショナル・ベル電話会社は、特許が切れるまで電話レンタル収入の20%をWU社に支払うというものだった。和解は明らかにナショナル・ベル電話会社に有利なものだった。その後もナショナル・ベル電話会社は10年間で600件以上もの特許侵害訴訟を争い、そのすべてで勝訴している。ベルが取得した特許はそれほど強力だった。

ベル電話会社の危機を救ったヴェイルは、この強みをテコにしてアメリカの電話市場で独占的なポジションを築いていく。ヴェイルがベル電話会社に入社する直前の1878年6月、同社には1万余りの加入者があった[11]。これが1881年の初頭には13万2692台の電話機をレンタルするまでに成長している。同社の同年の総収入は50万ドルを超え、1883年には150万ドル、1880年代の終わりには250万ドルにも達する。

進む電話の大衆化

ヴェイルはアメリカン・ベル電話会社（1880年にナショナル・ベル電話会社から社名変更）の電話特許が切れる1893～4年以降も、市場での独占的ポジションを維持する戦略を練る。ヴェイルが切り札として考えたのは市外長距離電話サービスだった。1885年、アメリカン・ベル電話会社は、市外長距離回線の整備を主業務とする子会社としてAT&T（アメリカ電話電信会社）を設立し、ヴェイルが社長に就任している。

当時、電話サービスは主要都市にほぼ普及していたものの、それぞれの電話サービスは基本的に市内に閉じたものだった。そのため市外とコミュニケーションをとろうと思うと電信に頼らざるを得なかった。一方、市外長距離回線は、従来は独立していた電話回線同士を結ぶことであり、これが進んでゆけばネットワーク外部性は格段に向上する。このようなポジションを電話特許が切れる前、言い換えると多くのライバルが参入する前に構築しておけば、特許終了後もアメリカン・ベル電話会社の地位は揺るがないだろう。

またヴェイルは電話サービスの行き渡っていない農村部へも積極的に事業を拡大しようとした。ライバルがいない間に少しでもサービス空白地帯を埋めておけば、特許が切れてもライバル進出の抑止力になる。さらにこうした農村部も長距離回線で結ぶことで、アメリカン・ベル電話会社のポジションをより強固にできる。

ところがヴェイルの戦略はアメリカン・ベル電話会社の内部から不興（ふきょう）を買った。先に見たようにアメリカン・ベル電話会社の収益は順調に伸びている。その利益を市外長距離回線のような投資に用いるよりも株主に還元すべきだ、と株主も兼ねる取締役はこのように主張した。また、農村部は都市部に比べて人口が少ない。そのような不採算地域は切り捨てて都市部に集中し、高めの料金を設定してより収益を高めるべきだ。取締役会はこのような主張も繰り広げた。

これは短期利益に執心する取締役会と長期利益を念頭に置くヴェイルとの対立だった。その結果、1887年にヴェイルはアメリカン・ベル電話会社を去ってしまう。

転機はアメリカン・ベル電話会社が所有する電話の特許が切れてすぐに到来した。電話市場にライバル企業が次々と参入してくる。その中にはベル系列に対抗して都市部に参入するベンチャーがいた一方で、農村地域では電話会社による電話サービスの提供が待ちきれず、協同組合を組織して独力で電話網を構築するケースも相次いだ。

「ファーマー・ライン（農民回線）」などと呼ぶこの電話サービスは、地域の医師や商人が発起人となって組合を作り、出資加入者に電話サービスを提供するものだった。その中には、牧場に張り巡らされている有刺鉄線を回線に利用する有刺鉄線電話という代物まで登場した[12]。この有刺鉄線電話では金属の股釘を絶縁体に換えて漏洩（ろうえい）を防いだというからすごい。

新たな電話会社の誕生に利用者も好意的だった。というのも、ベル系電話会社の料金が非常に高かったからだ。1890年代で事務所用は年間125～150ドル、家庭用は100ドルした。現在価値に直すと事業用が約300万円、家庭用が約200万円という価格になる。やがて独立系のファーマー・ラインが加入金25ドル、年間7ドルでサービスを提供することを考えると、ベル系電話会社の価格設定が極めて高価だったことがわかる[13]。

以上からだけでも、独立系電話会社の誕生によりベル系電話会社の独占が揺らぐことは容易に想像できる。1893年時点で26万6000台あった電話機はベル系列の支配下にあった[14]。しかし、1897年には独立系電話会社の数はなんと5000社を超えたという[15]。こうして1907年までにベル系電話会社の電話は313万台を超えるものの、独立系電話会社もそれに匹敵する299万台の電話を提供している[16]。電話の大衆化はすさまじい勢いで進展した。

そもそも電話は電信と違って、コミュニケーションに高度な技術をまったく必要としない。受話器をとれば誰でも通話できる。また、メッセージは電信士の手を介さずに相手に届く。これだと人に知られたくない話もできるだろう。こうして電話は瞬く間に家庭に入り込んだ。そんな彼らが望んでいたのは、質は少々悪くても、手頃な値段で通話ができること、この点にあった。人々は電話によるコミュニケーションに飢えていたのだ。電信の誕生で通信は大衆化への一歩を大きく踏み出したわけだが、電話の誕生はその歩みを劇的に前進させたと言える。

互換性のない電話システム

電話の普及により予期せぬ問題も発生した。一つは意外にも環境問題だ。電話回線の集中する都市部では電柱がさしずめ「電柱の森」のように林立することになる。しかも電柱1本の高さは27メートルにも達し、そこへ30本もの支柱がしつらえられて1本あたり10本、合計300本の電線が架けられていた。当時の写真を見ると、都市部ではまるで商店街のアーケードのごとく道路の真上を電話線が覆っていたのがわかる。電話回線の地中化が提言されるものの、大きな費用が必要なため作業は遅々として進まなかった。

また、アメリカン・ベル電話会社が、独立系電話会社との相互接続を認めなかったことも大きな問題となった。これはベル電話会社にとっては当然の措置だったかもしれないが、利用者にとってははなはだ迷惑な話だった。ベル系でも独立系でもいずれの電話も受けられるよう、ビジネス利用者は電話を2台用意する必要があった。また、電話をかける際も相手先がいずれの電話サービスに加入しているか確認する必要があった。これは現代にも通じる互換性の問題だった。

独立系電話会社との相互接続を頑(かたく)なに拒否するアメリカン・ベル電話会社は、ライバル企業の攻勢で財務的な圧迫を受けたものの、それでも市場では大きな力をもっていた。それはヴェイルが先見の明によって始めたAT&Tの市外遠距離回線の資するところがとても大きかった。

困ったのは独立系電話会社だ。そこで独立系は1897年に全米独立系電話事業連合を設立するとともに、独自の市外遠距離回線の整備に踏み切ることにした。こうして利用者をよそこに、アメリカにおける電話は1国2システムが決定的となる。ここに互換性の問題はますます深刻度を増す。

その後、アメリカン・ベル電話会社は、1899年12月に事業と資産をニューヨークのAT&Tに移し、AT&Tを後継会社にした。これはボストンにあるアメリカン・ベル電話会社が州法により資本金の上限を1000万ドルに制限されていたからだった。これにより資本金7000万ドルの新生AT&Tが誕生する。社名から「ベル」という名が消えたのはこのような経緯があった。

1910年にはウェスタン・ユニオン社の経営権をも手に入れた同社は、名実ともにWU社に代わる巨大通信企業になる。

しかしながら、AT&Tの市場の独占的支配に国民や政治の不満が高まり、AT&Tは1913年12月、とうとう独立系電話会社との相互接続を認めることになる。このほかにも経営権を入手したWU社から手を引くことや、許可なしで独立系電話会社の買収は行わない旨を宣言することになる。ようやくアメリカの電話は、全国どこでも公平に利用できるユニバーサル・サービスへと進展することになった。

翌1914年、AT&Tはニューヨーク〜サンフランシスコ間の大陸横断回線の建設工事を完了させる。これはユニバーサル・サービスとしての電話を象徴する出来事だった。大陸間の電話回線が正式に開通するのは翌1915年1月のことで、ニューヨークのAT&T本社とサンフランシスコ万博会場を結んで式典が行われた。AT&Tの本社にはグラハム・ベルが、また万博会場にはトーマス・ワトソンが受話器をとって会話した。その際にベルとワトソンの間でこんなやりとりがあった。

「昔発明したこの電話機を通して、例の言葉を話してくれと頼まれているんだがね。『ワトソン君、来てくれないか。用があるんだ』とね」

ワトソンは昔を思い出しながら答えた。

「そこに行くには、1週間ほどかかりますよ[17]」

この頃にはアメリカの電話加入者はほぼ1000万人に達していた。互換性の問題が生じたものの、競争の促進が電話の普及を一挙に押し上げたことは間違いない。

民間電話サービスと国営電話サービス

アメリカで急速に普及した電話だったが、他の国での進展はもっと緩やかなものだった。ジョン・ブルックスの著作『テレフォン』によると、世紀の変わり目においてアメリカの電話普及率が60人に1台だったのに対して、スウェーデン115人に1台、スイス129人に1台、ドイツ397人に1台、フランス1216人に1台、イタリア2629人に1台、ロシア6988人に1台だったという。あのイギリスでさえ、電話機は1912年時点で全国に60万台しかなかった[18]。

日本では電話サービスが1890(明治23)年に東京と横浜で始まった。最初の加入者は東京155件、横浜42件だった[19]。1901(明治34)年に東京の加入者は1万件を超え、1907(明治40)年の全国の加入者数は4万3266件だった。しかし1960(昭和35)年度でも、全国普及率はわずか3・9%にしか過ぎなかったから、日本での電話の普及は遅々として進まなかったと言ってよい[20]。

このように、アメリカの電話がいかに他国を大きく引き離して普及していたかがわかる。また、アメリカと他の国々では電話の制度でも大きな違いがあった。アメリカでは民間企業が電話サービスを提供していたのに対して、イギリスとカナダを除く他の国々では最初から国家主導で電話サービスを提供した。イギリスの場合、最初は民間企業が電話サービスを提供したものの、1912年に電話事業を国有化している。これは同国が、当初民間事業だった電信サービスを国有化した経緯と軌を一にする。

そもそもアメリカでは通信のみならず、あらゆる業界で自由競争を重んじる傾向にある。しかし規制がまったくなかったわけではなく、通信の場合を見ても、「自由競争の行き過ぎ→政府による規制→やがて規制緩和」という構図が繰り返して行われている。AT&TはWU社を手放したあとも電話市場で独占的な地位を築き続ける。そのためAT&Tは1984年に独占禁止法違反により、長距離電話会社のAT&Tと7社の地域ベル会社に分割される。もっともAT&Tはしぶとく生き残り、その後の規制緩和を受けて分割された地域ベル電話会社を次々と再吸収していく。そして2016年にはタイム・ワーナー社を傘下に入れ、強力な通信基盤から豊富なコンテンツまでをも有する巨大企業に復活している。これもまた規制ののちに規制緩和が行われて、自由競争が促進された結果だ。

それはともかく、政府が通信市場にどこまで介入するかは、テクノロジーに対する人側からの反応と言える。すでに見たように、民間主導のアメリカでは、1894年までにアメリカン・ベル電話会社が所有していた特許が切れると、競合企業の参入もあって電話利用者は激増した。

これに対して国営やそれに準じる場合、競争原理が働かないため、市場に高い需要があったとしても対応はどうしても緩慢になる。企業家が経営しているわけではないので、需要に対処しようという強い動機が働かない。この現象がアメリカ以外の国々で起こったと言ってよい。結果、19世紀末には世界の電話機のうち75％をアメリカが占めたという[21]。

しかし、アメリカの流儀が万全というわけでもなかった。すでに前節で見たように、自由競争に任せた結果、1国に互換性のない二つの電話システムが存在することになった。そのため利用者にとって不便を招く状況になってしまった。国家レベルで見ると、競争は重要ながら、同じ社会基盤を二重で作ることは無駄に映る。

さらに全国にあまねくサービスを提供する電話のような事業では、民間に任せると強大な企業による自然独占が発生する可能性が高い。実際アメリカでは、電信も電話も巨大な企業が市場を支配した。

国による規制を強化すべきなのか。国営にすればこうした問題を未然に防ぐことはできるだろう。民間による自由競争に任せるべきなのか。この問いに対する答えは現在も出ていない。ただしテクノロジーが可能性の展開だとしたら、自由競争のほうが可能性の模索は明らかに進むだろう。現在でもアメリカが情報技術の分野で強烈な存在感を維持しているのは、たゆまぬ可能性の模索による結果に違いない。

しかし、その結果が新たな問題を引き起こす可能性もある。インターネットが規制ばかりの国から誕生したとは思えない。一方で、そのインターネットがテロリストに利用されているのもこれまた事実だ。規制強化と自由競争、いずれを取るべきか揺れているのは、電話時代も現代も変わりはない。

電話サービスのアナザー・ヒストリー

現代の常識に照らすと、電話とは1対1でコミュニケーションをとるための情報技術になろう。ここまで見てきた電話の歴史も1対1のコミュニケーションを前提にしていた。しかし、電話にはこれとは別の歴史があった。この「電話のもう一つの歴史(アナザー・ヒストリー)」はテクノロジーによる可能性の展開を示す格好の例と言える。

電話が誕生した当初、ベルがワトソンとともに電話をデモンストレーションした際に、ショー・ビジネス的な手法を用いたことはすでに述べた。それは講演や音楽を中継するものだったが、同様の用途がフランスで事業化された。契機になったのはテアトロフォンという出し物で、1881年に開催されたパリ国際電気博覧会でのことだった。これは博覧会場に設置された二つの部屋に10組のイヤフォンを用意し、イヤフォンを通じてオペラ座からの演奏とテアトロ・フランセからの演劇を生中継で鑑賞できるものだった。来場者は演奏や演劇を聴くために長蛇の列を作ったという。

博覧会以後、このテクノロジーは特権階級のプライベートな娯楽となり、さらにそれがもう少し大衆化して富裕層の娯楽へと化していく。1890年初頭、パリのテアトロフォン社は、五つの劇場からの公演を電話加入者に生中継していた。年間契約料は180フランで、利用ごとに15フラン必要だったという[22]。これは現在価値に換算すると年間契約料が約100万円、利用料は約8万5000円に相当する。まさに富裕層の遊びだった。

さらに同社では一流ホテルのロビーにコイン投下式のテアトロフォンを設置して、1フランで10分間（5分間という記録もある）の中継を聴けるサービスを提供していた[23]。ホテルには表示板があって、現在開演中の公演が随時示されたという。これらの操作はテアトロフォン社の電話交換局で行っていた。さらに同社はイギリスにも進出し、ロンドンのサヴォイ・ホテルにテアトロフォンを設置している。

またロンドンでは1894年に、テアトロフォン社と同様のサービスを提供するエレクトロフォン社が設立されている[24]。当初は民間会社が運営していたが、のちに英国郵便局が運営に携わっている。演劇や音楽の中継のほか、日曜日には教会のミサも中継した。また、海底ケーブルを通じてテアトロフォンの番組の提供もしている。1896年の加入者はわずか50件だったが、1923年までに2000加入にまで伸ばしている。しかしラジオ放送の影響でこれをピークに加入者は激減し、1925年にサービスを終了した。

このように初期の電話は、現在の用途とは別に劇場中継システムとして、言い換えると同時一斉配信である放送に近いシステムとしても運用されていた。実はこの可能性がさらに追求されて、現代の放送に近い、電話を用いた仕組みが登場する。電話サービスの歴史を語る際にたびたび話題に上がるテレフォン・ヒルモンドがそれだった。

電話回線を使った本格的な放送システム

テレフォン・ヒルモンドは、ハンガリーのエンジニアでエジソンの研究所でも働いた経験のあるティヴァダル・プシュカーシュがブダペストに設立した、電話のシステムを利用した番組配信サービスだった。1893年からサービスがスタートし、約四半世紀も定期的に番組を提供し続けた。

番組の編成、いわゆるプログラムは1896年頃までに完成していた。1日の番組は9時半から22時半までで、ニュースや列車の出発情報、株式情報、議会情報、天気予報、演劇公演、コンサートと、お笑いやバラエティはないものの、現在の放送番組とさして変わらない内容になっていた。

個人の加入者は政府高官などエリート階級で、病院やホテル、カフェなどでも聴取でき、1896年の時点で全加入者は6000人にのぼったという。しかしイギリスのテアトロフォンが消滅したのと同じ1925年、テレフォン・ヒルモンドはハンガリー・ラジオ放送に吸収されてしまう[25]。

テレフォン・ヒルモンドはアメリカにも影響を及ぼした。テレフォン・ヒルモンドの特許使用権を得たニュージャージー・テレフォン・ヘラルドが1911年から番組提供を始めている。1日の番組は朝8時の時報から始まり、ニュースや天気予報、株式情報、音楽、子供のための物語とおはなし、ボードビル、コンサート、オペラなどとなっていた。

このテレフォン・ヘラルドを聴取している人々の様子を撮影した写真が残っている。これを見ると、リスナーはイヤホンを両耳にして番組を楽しんだようだ。複数の人がイヤホンをしているので、これは1加入で同時に複数の人が番組を聴けたことを示している。同社のサービスは人気を呼び、一挙に大勢の加入者を獲得することに成功した。しかし、それに見合う資本を用意しておらず、サービスの維持が困難となり、ニュージャージー・テレフォン・

ヘラルドは1912年にサービスを停止せざるを得なかった[26]。

時代と場所がいきなり飛んでしまうけれど、私の実家は滋賀県大津市南部の片田舎で、かつて上田上と呼ばれていた地域にある。住所変更によりいまや地図上からなくなってしまった地名ながら、『日本書紀』にも登場する古い土地柄だ。この在所には、少なくとも私が中学3年生の1977(昭和52)年には有線放送電話のサービスが存在した。

このサービスは地域の組合組織が運営する電話と放送のサービスで、朝昼夕の定時、時報とともに5~10分程度、地域に密着したニュースや暦などを流していた。この放送時にはプライベートな電話はできない仕組みになっていた。いわばアメリカの農村部で発達したファーマー・ラインとテレフォン・ヒルモンドが組み合わさったようなサービスと言える。組合は電電公社(現NTT)とは独立した組織のため、私の自宅には電電公社用および有線放送電話用と、2台の黒電話があった。

ファーマー・ラインは電話会社のサービスが待ちきれないため、地域の有志が独力でサービスを始めた電話だった。日本の有線放送電話も同様で、なかなか一般農漁村部までに届かない電電公社の電話サービスを断念して、農業組合や漁業組合、地域の有志組織が整備した経緯がある。昭和20年代頃から導入が始まり、1966年度には全国で300万台も普及する[27]。電電公社の電話が1959年度にようやく300万加入(全国普及率3・4%[28])を超えたことを考えると、有線放送電話の普及には目を見張るものがある。

社会学者・吉見俊哉が著作『「声」の資本主義』の中で「有線放送電話には、さしあたり町村単位のシステムが、もしもやがて相互にネットワーク化されていったならば、わが国の国家主導の電話制度を根底から変容させてしまいかねない可能性すら孕まれていたのである[29]」と書いており、まさにそのとおりだろう。ちなみに、テレフォン・ヒルモンドもテレフォン・ヘラルドもはるか昔になくなったものの、有線放送電話が残る地域が日本にはまだ存在する。

「おしゃべり」の発見

電信がそうだったように、電話という情報技術でも、まったく予期せぬ可能性が現実のものになる。その一つが「おしゃべり」だった。

ネットワーク外部性が進み、電話は桁外れに使いやすくなった。目的の話し相手をすぐ呼び出せるようになった。では、電話事業にとっての電話回線上にのる「キラー・コンテンツ」とは何だったか。ビジネス上の用件を話すことだったのか。もちろんそれもあった。しかし電話会社の収益に大きく貢献したのは長々と続く「おしゃべり」すなわち「無駄話」だった。これは電話事業者にとっては予期せぬ可能性の展開だった。

そもそも電話会社にとって電話はビジネス上の注文やサービスの依頼などに用いるものだ

という先入見があった。そのため、無駄話は電話会社にとって電話の正しい使い方に映らなかった。無駄な長電話に反発さえ感じていた。しかし定額制ならばともかくも、従量制の長電話ならば、電話会社の収入増につながる。これは電話会社にとって「予期せぬ成功」になるはずだった。しかし当初、電話会社の経営者にはこの理屈が理解できなかったようだ。

ここで用いた「予期せぬ成功」という言葉は経営学者ピーター・ドラッカーが言いだしたものだ。予期せぬ成功とは、文字通り予想もしていなかった成功のことを指す。ドラッカーはイノベーションを実現するうえで最初に注目すべきがこの予期せぬ成功だと述べた。しかし人とはとかく不思議なもので、あらかじめ成功だと決めていた出来事が起きない限り、成功したと思わない傾向にある。この点に関してドラッカーは次のエピソードを披露している[30]。

1950年頃、ニューヨーク最大のデパートであるR・H・メイシーの会長からドラッカーに相談があった。会長が言うには、最近ファッション製品の売上げよりも家電製品の売上げがよくて困っている、とのことだった。ドラッカーは「それで損をしているのか」と質問した。すると会長は、本来メイシーのような百貨店は売上の7割がファッション製品でなければならない。ところが家電の伸びが大きくて6割に達した。残された手段は家電の売上げを抑えて、正常な水準に戻すことだ、と言う。

実はメイシーが直面したのは予期せぬ成功だった。しかしメイシー百貨店の経営者は、長期に渡って続いてきたものが正しいという信念をもっていた。予期せぬ成功を受け入れるにはこの信念を捨てなければならない。しかし信念が捨てられなかったためか、その後のメイシー百貨店は長期間の低迷を続ける。

もうおわかりだと思うが、当時の電話会社が直面した事態もメイシー百貨店と同じだった。電話は注文や依頼といったビジネス用途に使うものだ。この信念が邪魔になって電話会社は「おしゃべりによる収入増」という予期せぬ成功を受け入れられなかった。実際、ベルがコンサートの中継を電話の主たる用途だと決めつけて、この用途に固執していたら、ベル電話会社の歴史は実に短いものだったに違いない。しかし幸いなことに電話会社の重役はやがて「おしゃべり」が電話会社にとって大きな収益になることに気づき始める。そして、予期せぬ成功を受け入れることで、電話会社の収益を大きく底上げすることに成功する。

この「おしゃべり」の発見には重要な教訓があるように思う。それは「このテクノロジーはこう使われるべきだ」とする独断は得てして打ち砕かれるということだ。そのテクノロジーが市場でどのように使われるかは市場に聞かなければわからない。市場からのリアクションに耳を傾けなければならない。テクノロジーと人の間に相互作用の関係があるとするならば、当初想定していた使い方が変更を余儀なくされるのも、場合によっては致し方ないことになる。

歴史は繰り返すと言うけれど、同様のことは近年のインターネットでも起こっている。インターネット上のおしゃべりとはSNSでのやりとりがそれに相当するだろう。いまや「インターネットは学術で利用すべきものだ」と考える人は少数だと思うが、無駄話にインターネットを利用することに、快く思わない人はきっといるに違いない。しかし現実を直視すると、ラインやフェイスブック、ツイッターなどでは、他人からすればたわいのないおしゃべりが延々と続く。事業者はそうした「おしゃべりをできる場」を提供することで大成功を収めている。これを見るにつけ、やはり歴史は繰り返すと言わざるを得ない。

テクノロジーの用途に対する独断を避けるには、それがもつ可能性をいくつも列挙することが大切だ。その際に、トーマス・エジソンが蓄音機の開発の際に行った可能性の列挙は大いに参考になる。エジソンは蓄音機の用途として次の10種類を想定した。

①手紙の筆記とあらゆる種類の速記の代替手段、②目の不自由な人のための本、③話し方の教授装置、④音楽の再生機、⑤家族の思い出や遺言の記録、⑥玩具、⑦時報、⑧さまざまな言語の保存装置、⑨先生の説明を再生させる教育機器、⑩電話での会話の録音機[31]。

いまから思うと驚きながら、あのエジソンですら蓄音機が何に使われるのか把握していなかった。音楽再生の用途を掲げているものの、①〜⑩が優先順位だとすると、それは4番目に位置する「可能性」だった。このように考えると、エジソン自身も、テクノロジーは人との相互作用で用途が決まることを知っていたのかもしれない。だから10種類もの可能性を想定したのではないだろうか。

パーソナルな情報とパブリックな情報

ここで再び「電話によるおしゃべり」と「電話による放送」について考えてみよう。前者の電話によるおしゃべりは、基本的に1対1で行うものだから、極めて個人的（パーソナル）な活動と言える。これに対して後者の電話による放送は、不特定多数の大衆に対して情報を提供することから、個人的活動に対して公共的（パブリック）な活動と言えるだろう。

電話は個人的な活動を支える情報技術としても、公共的な活動を支える情報技術としても、いずれの道でも存続する可能性はあった。パーソナルにも、パブリックにも、利用できる可能性があった。しかし社会は、個人的な活動を支える情報技術として電話を利用することを選び、結局公共的な活動を支える情報技術として使用することにはならなかった。

この選択には重要な意味が含まれているように思う。その点を明確にするために、ここでは縦軸に「情報技術のタイプ」として「有線」と「無線」、横軸に「コミュニケーション方式」として「個人的活動（パーソナル）」と「公共的活動（パブリック）」からなるマトリッ

	個人的活動（パーソナル）	公共的活動（パブリック）
有線	① ●電信 ●電話 ●有線放送電話の電話機能	② ●電話回線による放送サービス（テアトロフォン、テレフォン・ヒルモンド） ●有線放送電話の放送機能
無線	③ ●無線電信 ●無線電話（携帯電話）	④ ●ラジオ放送 ●テレビ放送

図6　情報技術のマトリックス

クスを考えてみたい（図6）。

このマトリックスでは同じ象限（しょうげん）に位置する情報技術が互いに競合する関係となる。たとえば「①有線×個人的活動（パーソナル）」には電信と電話が位置している。両者は何らかの差別化がなされない限り、いずれかが消滅する可能性が高くなる。実際、電話と競合した電信は、記録性という差別化ポイントはあったものの、やがてそれは無視されるほど小さくなって、もはや使われることのない情報技術となってしまった。

また象限は異なっていても、同じコミュニケーション方式（用途）に位置する情報技術は互いに競合関係にある。上に示したマトリックスでは、この競合関係が①と③、②と④とで生じる。この場合も、特定の情報技術が持続するには両者の間に差別化ポイントが欠かせない。スマートフォンが普及した現代の時点で①と③の関係を見ると、電話は無線電話（携帯電話）に対して極めて不利な立場にあることがわかるだろう。

またここで注目したいのが②の置かれている立場だ。電話回線による放送サービスは、電話が発明された時点からテクノロジーがもつ可能性として考えられていた（ベルのデモンストレーションを思い出してもらいたい）。実際、テアトロフォンやテレフォン・ヒルモンドといったサービスが誕生した。しかし電話は「個人的活動（パーソナル）」に用いる情報技術（象限①）の道を歩むことになる。

そして、「公共的活動（パブリック）」（象限②）と決別した電話は、以後、パーソナル化の度合いをさらに深めていった。電話が家庭に急速に普及し始めた昭和40年代、当初電話は玄関にある靴箱の上や靴箱横の専用台に置くケースが多かった。しかし電話はやがて居間に入り込む。さらに子機が登場して個々の部屋から電話できるようになり、携帯電話の登場で電話は１人１台の時代が到来する。いまや小学生でもスマートフォンを所有するまでにパーソナル化の度合いは進展した。

一方、電話が切り捨てた「公共的活動（パブリック）」を、社会が見捨てたわけではなかった。注意したいのは、テアトロフォンやテレフォン・ヒルモンド、ニュージャージー・テレフォン・ヘラルドは、市場から一定の支持を得ていたという事実だ。これは言い換えると、早くも１８８０～90年代に、通信ネットワークを用いて情報を不特定多数に配信する、いわば「放送」に対する一定のニーズが存在したことを示している。

このニーズに対して、当時の人々は電話という情報技術を活用しようとした。しかしニーズとテクノロジーがうまくマッチしなかった。とはいえニーズがなくなったわけではない。

ニーズは解消されずいまだ存在していた。となると、このニーズの解消は「歴史的必然」となるだろう。そして、その時点における「技術的蓄積」の中から「選択的意思決定」により新たな情報技術が現れて、そのニーズに対処することになろう。

このような環境の中で誕生するのがラジオ放送だった。実際、同じ１９２５年に、イギリスのテアトロフォンがラジオの誕生で廃(すた)れ、テレフォン・ヒルモンドがハンガリー・ラジオ放送に吸収されたのは象徴的な出来事だった。先のマトリックスに照らすと②の象限に属する電話回線による放送サービスと、④の象限に属するラジオ放送とが競合関係となり、電話回線による放送サービスはラジオ放送の軍門にくだったことになる。

こうして本書では引き続きラジオ放送、さらにはその継承者であるテレビ放送について語らなければならない。そのためには、ラジオ放送とテレビ放送の基礎となる情報技術、すなわち無線について語るのが順序になるだろう。

第4章

電波に声をのせる

マルコーニの生涯と無線電信の進展

１８９５年秋のことだった。イタリアのボローニャにある町ポンテッキオ、その小高い丘の上に立つグリフォーネ別荘の３階の部屋に、21歳のグリエルモ・マルコーニがいた。もともと蚕（かいこ）を飼っていたこの部屋は、いまやマルコーニの無線実験室になっている。マルコーニは満を持して送信装置の誘導コイルから連続して３度、火花を散らした。これはモールス符号のＳ（短点（ドット）三つ）に相当する。

グリフォーネ別荘から２・４ｋｍ離れた丘の彼方（かなた）には、ブリキ缶につないだアンテナが張ってある。アンテナが電波を受信するとベルが鳴る仕組みになっていた。ここに待機していた農夫は「ベルが鳴ったら鉄砲を撃て」と命じられていた。

送信装置から放った３度の火花のあと、窓の向こうに見える丘の方角から間髪を置かず銃声が聞こえた。青年は窓から身を乗り出したあと小躍りして喜んだ――。

残念ながら正確な日付はわからないものの、ここで示した様子は、世界で初めて無線電信の特許をとったマルコーニが、別荘の庭で２・４ｋｍの無線伝送に成功した時の様子だ。無線通信の実用化はまさにこの時、この場所から始まったと言ってよい。

グリエルモ・マルコーニは１８７４年にイタリアのボローニャに生まれた。物理学に親しんだマルコーニは、１８９４年夏、避暑地で電磁波に関するヘルツの実験を紹介する雑誌記事をたまたま読んで、この手法が通信に使えるのではないかと考える。

電磁波とは、電気および磁気の影響がおよぶ範囲である電場と磁場がお互いに影響しあって、真空中や物質中を伝わる波を指す。周波数の違いによりX線や光、電波などが電磁波に含まれる。１８６４年、イギリスのジェームズ・クラーク・マックスウェルが「電磁場の動力学的理論」という論文で電磁波の存在を初めて理論的に予言した。しかしその予言は証明されることなく長らく放置されていたが、１８８８年にドイツのハインリッヒ・ヘルツが証明に成功する。マルコーニが読んだ雑誌記事とは、１８９４年1月に早世したヘルツを追悼する記念論文で、マルコーニの恩師であるボローニャ大学のアウグスト・リギが書いたものだった。

マルコーニはリギのアドバイスを受けながら、最初は部屋の中で電波による無線伝送の実験に成功する。やがて送信距離を徐々に延ばしていき、その距離は１００ｍ、４００ｍとなり、そして前述のとおり2・４ｋｍの無線伝送に成功した。マルコーニはイタリア政府にこの無線技術を売り込むも見向きもされない。マルコーニの母アニーの親元がアイルランドの著名ウイスキー醸造元だったことから、マルコーニは母親の伝手（つて）を頼りにイギリスに渡る。１８９６年、マルコーニはイギリス郵政省の支援を受けながら、イギリスで無線電信の実験を行い、同年特許の取得に成功する。これが無線電信に関する世界最初の特許だった。

以後のマルコーニの生涯を簡単にたどると、イギリスで無線電信信号会社（のちにマルコーニ無線電信会社）を設立したマルコーニは、やがてドーバー海峡を隔てたイギリス〜フランス間の無線電信に成功する（1899年）。1901年には無線電信による大西洋横断実験に成功し、その6年後には大西洋横断商業業務を開始している。1909年にはノーベル物理学賞を受賞し、第一次世界大戦時は無線通信の顧問として、イタリア軍の軍務に就いている。1937年、63歳で世を去った。マルコーニが亡くなった翌日、世界中の無線電信機は2分間運用を止めて喪に服したという[1]。

大西洋を横断した無線通信

情報技術の歴史にとって、無線を実用化したマルコーニの貢献はあまりにも大きい。この無線技術が無線電話、ラジオ放送、テレビ放送とつながり、さらには携帯電話、スマートフォンへと結び付くからだ。しかしその割にマルコーニの名は過小評価されているのではないか。たとえばアマゾンで「マルコーニ」をキーワードに書籍を検索してもらいたい。知名度に比べると、その検索結果は、寂しいとしか言いようがない。

それはともかく、マルコーニが自身の開発した無線技術を用いたビジネスを始めたのは、イギリスに渡った翌年の1897年だった。当時、電信は世界にまたがるネットワークを形成しつつあったものの、まったく手つかずの領域があった。それは海上での通信だった。貿易が盛んになるほど船舶の運航も旺盛になる。それにしたがって海難事故も増えていくわけだが、対処するには有効な通信手段が欠かせない。

マルコーニが狙ったのはこの通信空白地帯であり、通信へのニーズが強力な船舶市場だった。これはウィリアム・フォザーギル・クックが、衝突事故の対策に苦慮していた鉄道市場に電信を投入した経緯といささか似ているところがある。

似ていると言えば、電信と同じく無線電信も、社会が注目するイベントを通じてその名を高めた点も類似している。モールスは、ボルチモアであった選挙の結果を電信でワシントンにいち早く伝えることで、電信がもつ能力を世間に知らしめた。一方のマルコーニは、１８９８年、ダブリンにある新聞社の依頼で、キングスタウン・レガッタの報道を無線電信で実況中継する。マルコーニは無線装置を搭載したタグボートに乗り込んでレースに帯同し、刻々と変化する様子を無線電信で陸上に伝えた。このイベントは無線電信の威力を大いに世間に喧伝することになる。

さらに付け加えると、マルコーニおよび電信電話を事業化した人たちのキャリアは、どことなく類似している。いずれも情報技術の専門家ではなかった。クックは軍人だったし、モールスは画家、ベルは発声生理学の教授だった。マルコーニは物理に興味をもつ青年だったが大学への進学には失敗している。つまり、専門教育を受けなかった人々が、電信や電話、無線電信を事業化したことになる。

マルコーニが無線ビジネスを始めた当時、電波は波打ちながら直進すると考えられていた。そのため学者は、地球は丸いのだから、地球の反対側はもちろんのこと、たかが何百kmほど離れた場所でも無線で通信するのは不可能だと考えていた。それも仕方がない。当時はまだ電離層の存在が明らかにされていなかったのだ。

これに対してマルコーニは、とにかく無線伝送の距離がどこまで延びるのかを実証しようと努めた。まず、イギリスのドーバー西部にあるサウス・フォアランドと、ドーバー海峡を隔てたフランスのブーローニュ北部にあるヴィムルー間50kmの無線電信に成功する。1899年に成功したこの事例は世界初の国際無線電信だった。さらに通信距離は延び、マルコーニの装置を搭載したイギリス海軍の軍艦が100kmでの無線電信に成功し、さらにはコーンウォールのリザード岬とワイト島間約300km、そして前述のように1901年には大西洋を横断する無線電信に成功する。

理屈よりも実証を進める

この大西洋横断実験で使用した基地は、コーンウォール海岸のポルデューとアメリカのマサチューセッツ州コッド岬、それにカナダ東部ニューファンドランド島にあるセント・ジョンズの3カ所だった。当初は、マルコーニ社の技術顧問だったロンドン大学教授ジョン・フレミング（あのフレミングの法則を考案した物理学者）が設計した装置をコッド岬に設置した。しかしこれが台風で大破してしまい、マルコーニはポルデューから最も近いセント・ジョンズに受信場所を変更している。地図を開くとわかるが、ポルデューとセント・ジョンズは大西洋をはさんで対面する位置にある。経度でいうと両地区は北緯45度と50度の間だ。その距離は3400km余りで、これは名古屋からベトナムの首都ハノイまでに相当する。

セント・ジョンズでの受信準備を整えたマルコーニは12月10日に電信を使って、翌日の午後3時から6時（カナダ時間の午後12時から3時）にモールス符号のSを送信し続けるよう、ポルデューにいる助手にメッセージを送った。そして12月11日の12時30分、モールスは大西洋を越えたポルデューからS信号を受信する。受信できた信号は、その日だけでも20回に及んだ。

しかし、世紀の実験成功にアカデミック界の反応は冷淡だった。直進する電波が3400kmも離れた地点に届くはずがない。マルコーニが聞いたのは雑音ではないか。そもそも電波を受信した証拠がないではないか——。実際、マルコーニの証拠とは、自身および助手の証言、それに信号を受信した際のメモだけだった。

もっとも学者の中にもマルコーニの実験を支持する者もいた。その中には、電波が3400kmも先に届くのは、上空に電波を反射する何かが存在するからだ、と考えた科学者もいた。しかし電離層の存在が実際に観測されるのは１９２４年を待たなければならない。

とはいえマルコーニには電離層の存在が証明されることを待つ時間もなかったし、それほど興味もなかったに違いない。マルコーニにとっての興味は、電波が実際に届くか否か、この一点のみだった。マルコーニにとって重要なのは実証であり、理屈はあとからついてくるものだった。

大西洋横断無線実験の批判から、マルコーニはより確証性の高い実験に取り組んだ。この実験ではアメリカン・ラインの汽船フィラデルフィア号に無線電信装置一式を積み込んで、ポルデューとの間で無線通信を行うというものだった。この結果、夜間ならば３３００ｋｍを超えても無線電信の受信が可能なことがわかったし、今度は受信した記録と船長の証言が動かしがたい証拠になった。こうして理由はまだ不明ながら、丸い地球の向こう側でも電波が届くことをアカデミズムも認めざるを得なくなる。

ここでも働くネットワーク外部性

大西洋横断実験の前年の１９００年、社名をマルコーニ無線電信会社とし、あわせてマルコーニ国際船舶通信会社を設立したマルコーニは、商船に無線機を搭載して陸上と交信する商用無線ビジネスに進出する。マルコーニの無線を最初に搭載した商船は北ドイツ・ロイド汽船が所有するカイザー・ヴィルヘルム・デア・グロッセ号だった。その後、キュナード・ライン、ホワイト・スター・ライン、P&Oなど大手汽船会社が相次いでマルコーニ社と契約を結ぶ。

その際にマルコーニ社が採用したビジネスモデルは、無線装置を販売しないという点でベル電話会社が用いた手法とよく似ていた。マルコーニ社は、契約した船舶に訓練した通信士を派遣し、独自で設置した地上無線局と通信する。同社は通信士の派遣費と地上局および装置の使用料を得るというものだった。

しかしこのビジネスモデルを実行するには、無線通信装置はもちろんのこと、陸上基地局の整備、さらには熟練した通信士の育成も欠かせない。そのためマルコーニは通信士養成の学校を設ける必要もあった。以上からだけでも大きな先行投資が必要になることがわかるだろう。これに加えて大西洋横断実験のような研究開発も必要となる。給料の遅配や工場労働者の解雇など、マルコーニ社の経営は決して順調ではなかった。会社が株主に配当を支払えるようになったのはようやく1910年になってのことだった。

一方でマルコーニ社のとった手法はマルコーニ無線帝国を築く上での利点もあった。マルコーニ社は1902年末までに70隻の商船と契約し、25の陸上局を所有していた。陸上局との通信は、遭難信号を除いてマルコーニ社の装置を搭載した船舶に限られた。また、船舶間の通信もマルコーニ社間のものだけ認められた。そのため船舶会社は、大きな通信ネットワークを有するマルコーニ社のネットワーク外部性に魅力を感じた。このことは、他の企業（たとえばマルコーニの強力なライバルだったドイツのテレフンケン社）を選ぶよりもマルコーニ社を選ぶ強い動機づけとなった。

実際、1910年には250隻の船舶がマルコーニの無線装置を搭載していた。こうなると船舶間同士でも電信のやりとりが実に容易となる。船舶が中継局となった大陸間と大陸間を結ぶ電信を送信することも可能になる。マルコーニが提供するサービスはより利便性が高まり、それがさらに顧客を呼び込む要因として働いた。

もちろんこれはマルコーニ社のネットワークに参加しない者にとっては不利に働く。1902年、ドイツのハインリッヒ親王がアメリカを訪問した時のことだ。ドイツからアメリカへ向かう船舶はカイザー・ヴィルヘルム号だったからマルコーニ製の装置を積んでいた。そのため情報は逐次マルコーニ社が所有する陸上無線局に伝わり、ハインリッヒ親王はアメリカで大歓迎を受けることになる。ところが帰路の船舶は他社製の装置だったため親王が、船舶からアメリカ大統領へ打った電報はマルコーニ社の陸上局で受信を拒否されてしまったという[2]。

このような事態に対処するため、1906年にはベルリンにおいて第一回国際無線電信会議（ベルリン会議）が開催された。この会議で装置の方式に関わらない相互通信の義務が決議されている。しかし除外規定もあったことから、マルコーニ社はやはり他社の通信を拒否し続けた。ところが、無線電信事業者を揺るがす大事故が発生したことで、マルコーニ社も他社の通信を受け入れざるを得なくなる。その大事故とはほかでもない、あのタイタニック号の遭難だった。

タイタニック号の遭難を世界に知らせた無線テクノロジー

イギリスの汽船会社ホワイト・スター・ラインは、大型の客船を投入することで有名で、またブルーリボン賞（大西洋横断最速記録）の獲得にも熱心な船会社だった。しかし1890年代に入るとライバル会社のキュナード・ラインの後塵（こうじん）を拝するようになっていた。そこで同社が起死回生のために投入した一隻が4万6328トンのタイタニック号だった。これは3万1000トンクラスだったキュナード・ラインの豪華客船ルシタニア号やモーリタニア号をはるかに上回る規模だった。

タイタニック号は1912年の4月10日、サザンプトンから乗員および2200名余りの乗客を乗せて処女航海に出た。無線装置はマルコーニ社製で無線室はマルコーニ室と呼ばれていた。4月14日、タイタニック号は、マルコーニが大陸横断無線電信実験で基地局を設けたカナダのニューファンドランド島沖を航海していた。当日は暖冬の影響で氷山が大量に流れ出しており、夜間の航行は極めて危険な状況だった。

4月14日当日、タイタニック号の通信士ジャック・フィリップスと助手のハロルド・ブライドは、最新のマルコーニ無線装置が故障したため修理に7時間もの時間を割いていたという。そのため送信すべき電報が山のように積まれており、衝突直前も電報の送信に大忙しだった。また、タイタニック号の進行方向に発達した氷山がある旨の警告を電信で受けたものの、正確な現在地を理解していなかったため船長に報告せずにいた。

さらに衝突の直前には、リーランド汽船のカリフォルニアン号から緊急通信を受けている。カリフォルニアン号は「三つの大きな氷山がわれわれから南五マイルのところにある。要注意。船長より[3]」と打電しようとした。しかし電報の送信に忙しかったフィリップスはカリフォルニアン号からの通信を拒否してしまう。たまっている電報を打電するためだ。さらに不運なことに、何度も通信を試みたカリフォルニアン号の通信士は、タイタニック号が氷山に衝突する15分前に通信を諦め、装置の電源を切って就寝してしまった。

運命の午後23時45分頃、タイタニック号の右舷前方に氷山が衝突する。タイタニック号は船底の亀裂から大量の海水が流れ込み、やがて沈没は免れない状況になる。

１９９７年に公開されて大ヒットした映画「タイタニック」では、沈没は避けられないと判断したエドワード・スミス船長が、マルコーニ室に行って通信士フィリップスに遭難信号を打つよう指示する。フィリップスは答えた。

「ＣＱＤですか?」

「ああ、ＣＱＤ。遭難信号だ。本船の位置」

スミス船長はこう言うと、西経50度14分、北緯41度46分と記したメモをフィリップスに手渡した。フィリップスは船長の命令どおり「ＣＱＤ」を送信する。

ＣＱＤはマルコーニ社が定めた船舶の遭難信号で、「全局応答せよ（Call to Quarters）」に「遭難（Distress）」を加えたものだった[4]（「カム・クイック・デインジャー」とも読める）。ただし、先にふれた第一回国際無線電信会議では遭難信号を「ＳＯＳ」（「セイヴ・アワ・ソウル」とも読める）と取り決めていた。文字間の空間はなしに「・・・―――・・・」と打つ。もっとも会議のあった１９０６年以降も、遭難信号には「ＣＱＤ」が使われるケースが多く、タイタニック号の場合も例外ではなかった。ただし、会議での取り決めを助手ブライドが進言したこともあり、フィリップスはやがて「ＣＱＤ」から「ＳＯＳ」に信号を切り替えて打電した。映画ではこの場面までは描いていないが、遭難信号「ＳＯＳ」を打電したのはタイタニック号が世界初だったという。

タイタニック号から約30ｋｍの距離にいたカリフォルニアン号は、無線装置の電源を切っていたため遭難信号を受信できなかった。また、同船の見張りはタイタニック号の緊急灯火を目撃していたが、遭難信号とはわからず無視してしまった。最初に遭難信号を受信したのはドイツ船フランクフルト号だった。しかしその距離は約２５０ｋｍも離れていた。信号を聞いて救助にかけつけたのはキュナード・ラインのカルパチア号で、タイタニック号とは約

100km離れていた。タイタニック号は15日午前2時20分頃完全に沈没する。カルパチア号が到着した時には沈没から1時間半以上も経過していた。脱出できたのは700名余りで、1500名余りが海底に沈んだ。

ニューファンドランドの無線基地が遭難信号を傍受したのは、タイタニック号が完全に沈没する1時間前だった。遭難の情報はニューヨークから海底ケーブルを通じてヨーロッパに送られた。15日の早朝には全世界がタイタニック号の遭難について知ることになる。

なお、当時すでにノーベル物理学賞を受賞していたマルコーニは、名士の一人として家族ともどもタイタニック号の処女航海に招待されていた。しかしマルコーニはアメリカでのビジネスの都合から前の船に乗り、妻のビートリスと2歳の息子がタイタニック号に乗船する予定になっていた。しかし、直前に息子が病気になり、ビートリスと息子はタイタニック号への乗船を取り止めている。マルコーニ一家は危機一髪で難を逃れたのであった。

事故から2年後、第一次世界大戦が勃発する1914年、船舶の安全に関する国際条約を取り決める国際会議がロンドンで開かれ、「海上における人命の安全のための国際条約」が採択された。別名「タイタニック条約」とも呼ばれるこの条約により、船の構造や救命設備、無線設備などについての国際基準が決定された。無線設備については、50人乗り以上の船舶は無線機を装備すること、遭難信号受信のため無線装置は24時間電源を入れて担当者を配置することなどが取り決められた。これは、テクノロジーがより効力を発揮するには、

「装置群」の一部である制度も極めて重要であることを示唆する。

無線に声がのる

第一次世界大戦中にはまだ実用化していなかったものの、戦後になって急速に普及する無線を使った情報技術に無線電話がある。電線で音声を送れるならば、無線で音声を送るのも可能ではないか。このように考える科学者や技術者が現れるのは歴史的必然と言えるだろう。あとは技術的蓄積がどの程度まで進んでいるのかが無線電話の実現を決定づける。

カナダ出身の電気工学者レジナルド・フェッセンデンも無線電話の可能性を信じていた。1906年、フェッセンデンは米マサチューセッツ州ブラント・ロックと英スコットランドのマックリアニッシュ間4800kmの無線電話実験に成功している。

さらにその年のクリスマス・イブ、まだ夕刻の早い時間に、大西洋上の船舶に乗船していた通信士たちがCQ信号を受けた。船舶の遭難かと思った通信士がイヤホンに集中すると、何と人間の声が聞こえてくるではないか。言葉もだいたい聞き取れる。続いて女性の歌声が聞こえ、歌が終わると詩の朗読が続き、さらにバイオリンの演奏が聞こえてくる。

船舶の通信士たちが腰を抜かしたのは言うまでもない。通信士は乗務員を呼び集め、通信室は大勢の人だかりとなった。最後に男性の声がした。「今回のプログラムを聞いた方は、マサチューセッツ州ブラント・ロックのR・A・フェッセンデン宛てに手紙を書いて欲しい[5]」。多くの通信士がそのとおりにした。

フェッセンデンが行った実験は、「無線電話（ワイヤレス・テレフォニー）」と表現するよりも「無線放送（ラジオ・ブロードキャスティング）」に近いものだったと言ってよい。そのため、これが最初のラジオ放送だと主張する論者もいる[6]。もっとも、フェッセンデンの取り組みからラジオ放送が即座に誕生したわけではない。また、フェッセンデンがいまで言う放送を無線電話で実現しようと構想していたわけでもないようだ。むしろ当時、放送を強く意識していたのはフェッセンデンよりも、アメリカの発明家リー・ド・フォレストのほうだった。

ド・フォレストは無線電信の開発者兼事業家で、彼の設立したアメリカン・ド・フォレスト無線社をマルコーニ社と競合する企業に育てている。1907年夏、ド・フォレストはニューヨークにある二つのビルに装置を導入して「無線電話＝ラジオ放送」の実験を開始した。ちょうどその頃、ヘンリー・ダンウッディ陸軍大将がカーボンランダム（炭化ケイ素）を使った検波器を発明し、さらにシリコンや鉱石でも電気なしで電波を検出できることがわかった。ド・フォレストはこの鉱石を使ったレシーバー（のちに言う鉱石ラジオ）を無線放送に使うことを想定した。ド・フォレストはその構想を銀行家や投資家に熱く語るも、残念ながらフォレストに賛同するビジョナリーはほとんどいなかったようだ。

1908年、フランスに渡ったド・フォレストは、パリのエッフェル塔に出力を上げた送信機を設置して、蓄音機からの音楽を放送することに成功する。放送は西ヨーロッパ全域で聴取でき、その距離は800kmに及んだという[7]。さらに1910年1月20日、ド・フォレストは無線を用いたグランド・オペラの中継を行った。出し物はテノール歌手エンリコ・カルーソーによる「カヴァレリア・ルスティカーナ」と「道化師（パリアッチ）」で、ド・フォレストは2本のマイクロフォンで舞台を収録して中継した。これは世界最初の本格的なラジオ中継と言ってもよい。この中継放送を聴取したリスナーは50名ほどいたという[8]。

しかしド・フォレストの構想はあまりにも時期尚早だった。利益の出ない会社に対して出資者はド・フォレストを詐欺罪で告訴する。ド・フォレストは訴訟費用を捻出するために、所有していた特許をAT&Tに売却しなければならなかった。ド・フォレストにとっては残念なことに、ラジオがビジネスとして成立するには、第一次世界大戦後を待たなければならない。

アマチュア無線からラジオ放送へ

ところで、ここで注目しておきたいのは、ド・フォレストのオペラ中継に50名のリスナーがいた点だ。彼らの中には熱心なアマチュア無線家が混じっていたのは疑いない。科学雑誌

「アマチュア・ワーク」の１９０４年６月号には、13歳と14歳の少年が自作のアマチュア無線機で電信のデモをする記事が掲載されている（図７）[9]。すでにこの頃よりアマチュア無線家の裾野は広がっていた。その後、アマチュア無線の愛好家の数は着実に増え、１９０８年には専門雑誌が刊行され、アマチュア無線クラブも結成を見る。

彼らはアマチュアとはいえ、その無線技術は玄人はだしだった。軍の無線通信に侵入して軍艦に偽の命令を下したりした。たとえば、遭難信号を発信して沿岸警備隊に、本当は存在しない遭難船の救助に向かわせたりしている。こうした愉快犯のほか、愛好家の増加は無線の深刻な混信を招くという問題も生み出した。そのためアメリカ政府は、タイタニック号が遭難した年の１９１２年に無線通信取締法を施行し、アマチュア無線が使用できる波長を２００ｍ以下に制限している。２００ｍ以下の波長いわゆる短波は、通信品質の悪い帯域と考えられていたからだった。それでも愛好家の数は増え続け、１９１７年には無線免許のアマチュア無線局もいれるとその

図７　男の子が自作のアマチュア無線機でデモをする様子を取り上げた雑誌記事

数は15万局以上にのぼったという[10]。

ド・フォレストとは別の人物による、無線に音声をのせる実験もぼつぼつと行われるようになった[11]。のちに詳しくふれる放送王デービッド・サーノフは、1914年に蓄音機からの音楽を無線にのせ、約100km離れた海上の客船で受信するデモを行っている。

また同時期には、ニューヨーク市立大学の電気工学者アルフレッド・ゴールドスミス教授も音楽や会話を無線にのせる実験を行っていた。ゴールドスミス教授の「ラジオ放送」は、約1200kmの範囲で聴取可能で、熱心な鉱石ラジオ愛好家が検波していた。

さらに1915年には、AT&T社がバージニア州アーリントンから音楽を無線で流している。この放送はパリやサンフランシスコ、ホノルルなど約4800km～8000km先で聴取できた。このようにラジオ放送は、技術的に実用間近にまで到達していた。

しかしアメリカが第一次世界大戦に参戦すると、公衆用やアマチュア用のいかんを問わず、あらゆる無線設備は政府の管轄下となる。その際に多くのアマチュア無線家が軍務について無線電信オペレーターとして活躍している。そして戦後、アマチュア無線が解禁になると、受信するだけでなく積極的に電波を飛ばす無線マニアは、モールス信号ではなく音楽や会話を電波にのせるようになる。やがて彼らが、特定の時間帯に定期的な送信、すなわち定時放送を行うようになっても何の不思議もないだろう。

ウェスチングハウス社に勤めていたエンジニアでアマチュア無線家フランク・コンラッド

もそんな一人だった[12]。コンラッドは、ピッツバーグにある自宅裏のガレージに無線局8XKからおしゃべりや音楽を流し始めた。これが愛好家の間で話題となり、コンラッドは熱心なファンから音楽リクエストの手紙を受け取るようになる。こうしてコンラッドは、定期的な「ラジオ放送」を毎週土曜日の夜、やがては毎晩送信するようになる。

さらに、ハミルトンという音楽店と契約して、レコードを無料で貸してもらう代わりにラジオで店の名前を流すようにした。これはバーターではあるがラジオ放送を用いた草創期の広告と言えよう。またピアノやサックスのライブ演奏も人気があった。1920年5月にはコンラッドが定期的に行う「無線コンサート」はピッツバーグの新聞記事にもなるほど人気を博している。

このラジオ放送の人気に目をつけたのが、地元のジョセフ・ホーン百貨店だった。同社は同年9月に、店で扱う鉱石ラジオを使えば、コンラッドが定期的に「上演」する無線コンサートを楽しめる、という広告を新聞紙「ピッツバーグ・サン」に打った。話題は高まり放送を聞きたいという人が10ドルの鉱石ラジオを買い求めた。

さらに、ウェスチングハウス社の副社長ハリー・デイヴィスが、ジョセフ・ホーン百貨店の新聞広告を見て、コンラッドのラジオ放送が人気であることを知る。デイヴィスは考えた。無線電話の明らかな欠点は、通話の秘密を守れないことだ。しかし、これほどリアルタイムかつ広範囲にメッセージを伝えられるコミュニケーション手段はかつて存在しなかった。逆に最大の欠点が最大の利点になるのではないか。この利点を活用すればラジオ受信機の売上げ増加につながるに違いない――。

逆転の発想に至ったデイヴィスは、コンラッドに命じて、イースト・ピッツバーグにある自社工場にラジオ放送局を設置し、毎晩定期番組を放送することにした。これが１９２０年11月２日に開局した、世界初といわれる商業ラジオ放送局ＫＤＫＡ局にほかならない。

ＫＤＫＡ局の開局が11月２日になったのには理由があった。実はこの日、共和党候補のウォーレン・ハーディングと民主党候補のジェームズ・コックスの間で戦われた大統領選挙の開票が行われることになっていた。デイヴィスは地元の新聞社から入る速報を、ＫＤＫＡ局から放送して開局のこけら落としにしようと考えたのだ。

振り返ると、サミュエル・モールスがワシントン～ボルチモア間に電信線を敷設している際、民主党の大統領候補を決める選挙を速報して大きな話題となった。デイヴィスがこの前例を知っていたかどうかはいまとなってはわからない。しかし、デイヴィスの企画はみごと図に当たり、ＫＤＫＡ局の名はアマチュア無線家を中心に一躍有名になる。そして以後、アメリカで次々とラジオ放送局が誕生し、ラジオ受信機が文字どおり飛ぶように売れた。ＫＤＫＡ局が開局した当時のラジオ受信機の数はおよそ1万５０００台だった。それが4年後にはなんと５００万台に及んだ。ラジオ放送局も５３０局を数え、アメリカに空前のラジオ・ブームが巻き起こった[13]。S字曲線が急上昇したのだ。

ラジオがもたらした新しいコミュニケーション

そもそもラジオは当初、無線電話と呼ばれていたように、双方向のコミュニケーション装置だった。しかもこの装置が特殊だったのは、プロフェッショナルの占有品ではなく、アマチュアにも広く利用されていた点だった。いやむしろラジオ放送の誕生からも明らかなように、その端緒となったのはビジネスマンの戦略的発想ではなく、アマチュアの好奇心だった。しかも放送に必要な設備が、資本家によって牛耳られているのではなく、資本家以外の人々にも公平に門戸が開かれている点も大きな特徴になっていた。

電信を考えてみてもらいたい。アマチュア電信士が個人で所有している電鍵でモールス符号の練習をすることはできる。場合によっては自作の電信線を張って友人同士で信号のやりとりもできるだろう。実際、あの発明王トーマス・エジソンは、子供の頃、電鍵や電池を自作し、紙で絶縁した針金の電信線を自分の家の屋根裏部屋から友達の家まで張って、友人と信号のやりとりをしていたという[14]。

しかし本格的な電信士として活躍しようとするならば、ウェスタン・ユニオン社などの企業に所属しなければならない。というのも、巨大な電信網は大きな資本をもつ大企業が所有しているからだ。生産の手段は資本家が支配しており、資本がない者は資本家に従属せざるを得なかった。

これに対して無線では、なるほど送受信機は必要となる。しかし無線通信の媒体は空中を走る電波だから、通信網を構築する必要はない。無線電信の知識と装置一式をそろえるのに莫大な投資は必要ない。ちょっとした資本さえあれば誰でもラジオ放送に参入できる。

さらにアマチュア無線家は、無線電信と有線電信の決定的な違いを早期に理解した。それは無線がリアルタイムで1対nのコミュニケーションを実現できる情報技術だという点だ。実際、デイヴィスが悟ったように、このようなコミュニケーション手法はかつてほとんどなく、電信や電話とはまったく異なる可能性を切り拓くものだった。

そもそも、無線による電波の受信と送信の技術的な難易度は非対称だった。鉱石ラジオを使用すれば電波の受信は無線マニアでなくても容易にできる。価格もマニアが選ぶ機材よりも格段に安い。百貨店や街の電気屋で売っているから誰でもすぐ手に入れられる。

ところが電波の送信になると特殊な知識が必要となり、整備する機材の価格も高くつく。そこまでして電波を送信しようとするのは好きだからであって、これがマニアのマニアたる所以(ゆえん)だ。しかし一般の人はそうではない。無線電波の送信に興味があるのではなく、にわかに話題となったラジオ放送を聴取することに興味があった。だから彼らにとっては、送信機能がまったくない、安価な鉱石ラジオでも問題はなかった。

こうしてラジオの受信を通じて人は新しいコミュニケーション様式を受容する。それは大衆が1対nのn側になるコミュニケーション様式、すなわち「ブロードキャスト＝広範囲に投げかけること＝放送」が成立する過程だった。ラジオ放送の登場により大多数の人々は、無線がもつ送信の可能性には背を向けて、手軽な受信に可能性を見出した。こうして無線電話はラジオ放送へと姿を変えることで、アマチュア無線時代以上に情報技術の大衆化に成功する。

無線通信士デービッド・サーノフ

ラジオ放送はアマチュアの手によって始まったと先に書いた。しかしビジネスマンの中にもラジオ放送の可能性を予見していた人物がいる。先に若干ふれたデービッド・サーノフがその人だった。サーノフは早くも1915年、自分の上司に対して「ラジオ・ミュージック・ボックス」が有望商品になることを提案している。サーノフが言うラジオ・ミュージック・ボックスとは要するにラジオ受信機のことなのだが、この点についてふれる前に、情報技術の歴史の中でも特筆すべき活躍をしたサーノフという人物について若干説明しておくのが順序だろう。

デービッド・サーノフは、1891年にロシアのミンスク地方の寒村で、ユダヤ系ロシア人の農民の子として生まれた。一家はサーノフが9歳になった1900年にロシアから新天地アメリカへ移住する。しかし言葉もしゃべれないサーノフにとって、アメリカは新天地にほど遠く、しかもサーノフの父親は健康がすぐれず思うように働けない。一家はニューヨークのイースト・サイドにある古いビルの4階で貧しい暮らしを強いられた。サーノフは小学校に通いながら新聞売りをして一家の家計を助けることになった。

サーノフはどうやら商才に長けた人物だったようだ。最初は新聞の一販売人に過ぎなかったが、やがてスタンドや売店に新聞を卸す仕事を始める。さらに、優先的に手にした300部の新聞を、6人の新聞売りに50部ずつ分けてやり、街頭で新聞売りをすることなく手数料を稼ぐようになった。その間に父親の病状は悪化し、一家は長男デービッドの双肩にかかることになる。

1906年、15歳のサーノフは、電信会社コマーシャル・ケーブルのメッセンジャー・ボーイの職に就く。当時の多くのメッセンジャー・ボーイがそうだったように、サーノフもすぐに電信士に憧れるようになった。サーノフは少ない小遣いで電鍵とモールス信号の本を買って、信号を送信する練習を始めた。幸い会社の電信士と仲良くなり、彼はサーノフの良き教師となった。

しかしサーノフはささいなことから同社をクビになる。途方に暮れているところ、アメリカ・マルコーニ無線電信会社という聞き慣れない会社が給仕を募集していた。同社はマルコーニがアメリカに設立した新興の無線会社にほかならない。運良くサーノフは同社ニューヨーク事務所の給仕として採用される。これが1906年9月30日のことだった。モールス信号にも覚えのあったサーノフは、やがてアメリカ・マルコーニ無線電信会社の無線通信士の座を得る。

この無線通信士時代、サーノフは世紀を揺るがす事件に遭遇した。それはタイタニック号の遭難だった。タイタニック号が氷山に衝突した1912年4月14日、サーノフは無線通信士としてジョン・ワナメーカー局に詰めていた。この局はニューヨークにあるワナメーカー百貨店に併設した無線局だった。その日、夜勤をしていたサーノフのイヤホンには偶然にも、2200km余り離れた汽船オリンピック号からの緊急メッセージが届いた。

「汽船タイタニック号が、氷山に衝突。急速に沈没中[15]」

サーノフはオリンピック号に詳細を確認すると、すぐさま新聞協会と各新聞社に情報を流した。以後、サーノフは続々と入る情報を受信し続ける。混信を避けるため、時のアメリカ第27代大統領ウィリアム・タフトは、サーノフの受信が妨害されることがないよう、ワナメーカー局以外の通信局を一時的に閉鎖するよう命令したほどだ。ワナメーカー百貨店には、家族や友人がタイタニック号に乗船している人々や野次馬であふれかえった。もちろんサーノフが受信する最新の情報を得るためだ。サーノフは責任の重大さを感じ、三日三晩、持ち場を離れずに刻々と入る情報を収集し報告し続けた。

夢に消えたラジオ・ミュージック・ボックス

象徴的なのは、サーノフが1912年という年に、タイタニック号遭難の信号を偶然受信していることではないか。1912年よりも以前、アメリカでは無線を「ワイヤレス」と表現していた。ところが1912年を境にして、無線を「ラジオ」と呼ぶ動きが強まる[16]。これはアメリカ海軍が、無線電信と無線電話を区別するために、前者は「ラジオ・テレグラフィー」、後者を「ラジオ・テレフォニー」と表現していたことに由来する。つまりラジオの呼称が一般化し始めるその年に、やがてラジオ放送を一大産業に育て上げることになるサーノフが、ラジオ技術を駆使して情報を収集し配信していたことになる。

このサーノフが前述のラジオ・ミュージック・ボックスの言葉を初めて用いたのは、タイタニック号の事件から3年後の1915年、アメリカ・マルコーニ無線電信会社副社長兼総支配人エドワード・ナリーに宛てた手紙でのことだった。これはサーノフがまだ24歳の時のことだった。この手紙の中でサーノフはラジオ・ミュージック・ボックスの可能性とラジオ放送の将来性を次のように予見した。

私は、ピアノもしくは蓄音機と同じような意味合いで無線(ラジオ)を〝家庭の実用〟に供するある開発プランをいだいております。このアイデアは、音楽を無線によって各家庭に運ぶというものです。（中略）その受信機は、ある単純な〝ラジオ・ミュージック・ボックス〟の形で設計され、いくつかの異なった波長に調整されますが、波長はただ一つのスイッチの切換えもしくはただ一つのボタンを押すことで変えることができるものでなければなりません[17]。

その上でサーノフはラジオ放送に効果的なプログラムとして、コンサートや公演、音楽、リサイタル、さらに国家的に重要な出来事あるいは野球のスコアのアナウンス、つまりニュースの可能性に言及している。

また、ラジオ・ミュージック・ボックスの価格は、量産により1セットあたり75ドルという手頃な価格とする。これが全米1500万世帯中、7％の100万世帯に販売できるとしたら、総額で約7500万ドルの売上げを期待でき相当の収益を生むだろう、とサーノフは述べている。さらにその内訳についても言及しており、初年度10万台750万ドル、2年目30万台2250万ドル、3年目60万台4500万ドルで、計7500万ドルという計画だ[18]。

サーノフはこの提案を技術的な根拠なしに行ったわけではない。先にもふれたように、1914年、サーノフは、ワナメーカー局から蓄音機の音楽をラジオにのせる実験を行っている。実験当時、すでにド・フォレストがラジオによるオペラ中継を実施していたものの、時期的にはKDKA局開局よりもかなり早い。サーノフはド・フォレストの実験についてもおそらく知っていたのだろう。サーノフはラジオ放送の可能性を理解するとともに、技術的にも自社開発が可能なことを証明してみせたわけだ。

このようにサーノフは、技術的な検証も行ったうえで、総支配人ナリーに対してラジオ・ミュージック・ボックスを提案した。ナリーは決して凡庸（ぼんよう）な経営者ではなかった。しかしながら経営陣には、サーノフの計画が夢物語のように映ったようだ。結局、時期尚早ということでサーノフの提案は却下された。しかし第一次世界大戦を経て、サーノフのラジオ・ミュージック・ボックス計画は再び動き出す。

サーノフがラジオ・ビジネスに参入する

第一次世界大戦が終結した翌年の1919年、アメリカ政府、特に海軍では無線通信において国家的な企業の必要性を感じていた。現状、無線市場で国を代表する企業はアメリカ・マルコーニ無線電信会社しかない。しかしこの会社はイギリス資本だった。そこでアメリカ海軍の指導により、同社総支配人エドワード・ナリー、アメリカを代表する電気機器製造会社ゼネラル・エレクトリック（GE）の代表らがイギリスに飛び、マルコーニ社に株式を譲り渡すよう交渉した。その結果、同年12月1日にRCA（ラジオ・コーポレーション・オブ・アメリカ）が成立する。

RCAの最大の株主はGEで、ほかにもAT&Tやウェスチングハウス（WH）、ユナイテッド・フルーツ社と、無線技術の特許をもつ企業が株主として名を連ねていた。ただし同社の憲章には、役員はアメリカ人で、外国人は20％以上の株式を保有できず、また役員に海軍の代表が加わるよう決められていた。アメリカの民間企業では珍しい国家色の強い体制だった。サーノフの肩書きは従来と同じ営業部長だった。

RCAの株主になったユナイテッド・フルーツ社について一言述べておくと、同社はカリブ海諸国にプランテーションを所有し、主にバナナをアメリカに輸入するビジネスを手がけていた。同社ではサプライチェーン間の情報のやりとりが必要だったので、早くから通信に無線を使用していた。無線の運営は子会社が行っており、特許も多数押さえていた。そのためRCAの株主として参画することになったという経緯がある。

RCAに参画した企業は、特許をプールし、GEとWHがラジオ受信機の製造、AT&Tが送信機の製造と販売、RCAは無線業務およびGEとWHが製造するラジオ受信機の販売を受け持つという協定に合意した。

1921年、サーノフは30歳の若さでRCAの総支配人になると、いよいよ温めていたラジオ・ミュージック・ボックスの計画をスタートさせる。KDKA局よりも半年ほど遅れた市場参入ながら、挽回はまだまだ十分にきくだろう。

計画の目玉となったのが、ボクシング世界ヘビー級チャンピオンのジャック・デンプシーと挑戦者ジョルジュ・カルパンティエとのタイトルマッチの実況中継だった。サーノフはRCAの特別会計から1500ドルを引き出して、ジャージー・シティの試合会場に実況中継基地を設けた。さらに、中部および大西洋側にある映画館に受信機を設置して、ラジオのない人でも遠くから世紀の決戦を楽しめるようにした。

6月2日にあったイベントは大盛況でおよそ40万人がラジオをとおしてデンプシーvsカルパンティエ戦を聴取したという。4回ノックアウトでデンプシーの勝利に終わった直後、ロンドンで休暇をとっていたRCA社長ナリーからサーノフ宛てに電報が届いた。そこには「君たちは歴史をつくった[19]」とあったという。

以後、サーノフのラジオ・ビジネスは急成長を遂げる。RCAではロングアイランドに強力な無線局を設置するとともに、有力な特許を買い集め、さらに1924年には全国にある九つの有力放送局を傘下に収めることにも成功した。RCAの勢いは同社が扱うラジオ・セットの販売額にも表れていた。

初年度（1922年）　1100万ドル
2年目（1923年）　2250万ドル
3年目（1924年）　5000万ドル

計　８３５０万ドル[20]

サーノフは１９１５年当時、ラジオ・ミュージック・ボックスの売上げを３年間で７５００万ドルと予想していた。しかし実績はその予想を大幅に上回るものだった。実際、ラジオの所有世帯数は順調に増え、１９２２年が６万世帯だったのに対して、１９２４年は１２５万台、１９２９年には１０２５万台と１０００万台を超えることになる[21]。

「プログラム＝コンテンツ」の成立

初期のラジオ番組というと、サスペンス・ドラマやソープ・オペラ、コメディアンのおしゃべりなどを想起しがちだが、１９２０年代の番組はもっとほのぼのとした内容だった。たとえば、昼間時にあるメロドラマを指すソープ・オペラ（広告スポンサーに石鹸会社が多かったことからこの名前がついた）が特に人気を博すのは、１９３０年代にはいってからのことだった。

草創期のラジオ番組としては、株式および市況情報、小説朗読、コンサート中継、オペラ、主婦のためのインテリア・コーディネイトのアドバイス、さらに午後７時から８時の時間帯には、「ベッドタイム・ストーリー」などのタイトルで、子供向けの朗読番組を各局が放送していた。

また、20年代の中頃になると、一つのプログラムで音楽とおしゃべりをトータルに演出して提供する番組が現れる。たとえば、シカゴのラジオ局WLSが放送を始めた「WLSショーボート」もそのような番組の一つだった。WLS局は通販カタログのシアーズ・ローバック社が1924年に開いたラジオ局で、WLSは「ワールズ・ラージェスト・ストア」の略称だった。同社が得意客とする中西部の農村地域に向けて番組を提供した。

やがて絶大な人気を誇ることになる「WLSショーボート」は、毎週金曜日晩の放送で、アメリカの河川を航行するショーボートの上から音楽とおしゃべりを提供する演出になっていた。メイン・キャスターが船長役を務め、そこに航海士がからむおしゃべりで番組は進行する。そしてカントリー・ミュージックのブラッドレイ・キンケイドやオルガン奏者のラルフ・ウォルド・エマーソンらの歌声や演奏が流れる。このバラエティ番組は観客の前で生収録された。現代で言う公開番組はすでにこの当時から始まっていた。

ところで、1925年時のアメリカにおけるラジオ局の数は571局で、これが1920年代の終わりには600局を超える[22]。1923年時で見ると、その多くがラジオ受信機のメーカーやラジオ販売店によるラジオ局で全体の約40%を占めた[23]。そのほかには、大学などの教育機関や新聞・出版社、シアーズ・ローバックのような小売業、さらに電波を通じた説教のため教会がラジオ局を所有するケースもあった。

これらのラジオ局の多くは、放送局運営の費用を本業の利益でまかなうのが普通だった。先のＷＬＳ局の場合も、シアーズ・ローバック社が提供しているラジオ局という打ち出しがポイントで、より多くの人が聴取してくれることで、販売促進にもつながるだろうという考え方だった。また公開番組を目当てに来場したリスナーが買い物をすることも考えられる。ちょうどインターネットのＷＷＷ（ワールド・ワイド・ウェブ）が登場した時も、とりあえず企業はウェブ・ページをもつようになった。ラジオ局の開設にもそれと同様の傾向があったようだ。

ネットワークと広告放送の誕生

１９２２年、電話市場の巨人ＡＴ＆Ｔが満を持してラジオ市場に参入した。同社が所有するニューヨークのＷＥＡＦ局は、定期番組を放送するとともに広告放送を主たる収入源にしていた点が大きな特徴だった（１９２７年頃までにはほとんどのラジオ局が広告放送を主たる収入源にするようになる[24]）。また、ＡＴ＆Ｔはラジオ・ビジネスにチェーン放送方式を導入する。これは現在の放送ネットワークのルーツであり、ＡＴ＆Ｔが所有する長距離電話回線を用いてニューヨークのＷＥＡＦ局を中心に、大陸を横断する26局のネットワークを築いた。これにより同一のラジオ放送をアメリカ大陸に一斉に流す仕組みが成立する。

ところが、このAT&Tが所有していたラジオ放送局は1926年にRCAに売却される。また同年、RCAはラジオ放送専門会社としてNBC（ナショナル・ブロードキャスティング・カンパニー）を設立し、同社はアメリカのラジオ放送を独占する企業として君臨することになる。もっとものちにはその支配力が問題視され、NBCは分割されてABC（アメリカン・ブロードキャスティング・カンパニー）が生まれるのではあるが。

それはともかく、この全国規模のネットワークと広告放送に目をつけたのがナショナル・ブランドの消費財メーカー、それに広告代理店だった。J・ウォルター・トムプソン、ヤング&ルビカム、ダンサー・フィッツジェラルド・サンプルといった巨大広告代理店は、スポンサー企業の代理となってラジオ放送枠を買い取り、そこへ大衆が喜びそうな番組を制作して投入した。たとえば1928年に始まりやがてP&Gがスポンサーとなったホームコメディ「エイモスとアンディ」では、番組が始まる夜7時になると、アメリカ人の3人に1人がラジオの前にかじりついたと言われる。これによりP&Gが宣伝したペプソデント歯磨は空前の売上げを達成したという[25]。

ここで思い出したいのは、産業革命時の大量生産と輸送、それに情報との関わりだ。大量生産した製品を売り捌くには、広域に物を流通させる必要がどうしても出てくる。鉄道はそのための輸送力として大きな威力を発揮した。一方で円滑に物を流通させるにはどうしても情報が重要になる。さらに、大量生産した製品について「こんなに素敵なものがある」ことを知らせる必要もある。実はその役目を果たすようになるのがラジオ放送にほかならない。つまり大量生産した商品を広く告知して大量に売り捌くための装置、それがラジオによる広告放送だったわけだ。

意外なことにサーノフ自身は広告放送について否定的で、広告以外の収益でラジオ放送を維持するべきだと考えていた。まず、放送は公共事業だから誰でも聴けなければならない。だからリスナーは無料で番組を聴取できる必要がある。そのためには、事業者側が放送費用を工面すべきだ、とサーノフは考えた。ド・フォレストも広告放送によりラジオがもつ最大の利点、すなわち質の高い放送の提供がぶちこわされると考えていた。企業は儲けるのに忙しいから番組の質など目もくれない、とド・フォレストは歎く。

その一方で、１９２７年に開局し、のちにアメリカ3大ネットワークの一角に食い込むＣＢＳ（コロンビア・ブロードキャスティング・システム）の社長ウィリアム・ペイリーは、ラジオの広告放送を積極的に支持した。ペイリーによると、ラジオ放送には金がかかり、政府がその面倒を見てくれるわけではない。したがって財源は広告に求めざるを得ない、というものだった。このように、サーノフとド・フォレストの考え、それに対するペイリーの考え、それはラジオ放送を世の中にどのように位置づけるかというポリシーの対立だった。言い換えるとラジオ放送がもつ可能性をいかに育てるかという価値観の対立だった。いずれも実現する可能性はあるわけだから、どちらに転んでも不思議ではない。仮に国家がラジオ放送を支配していたとしたら広告放送の可能性は実現しなかったかもしれない。国営で始まった日本のラジオ放送がまさにそうだった。

しかしアメリカのラジオの場合、サーノフやド・フォレストの価値観は棄却され、広告放送の道を突き進むことになる。そして、先にも述べたように、大量に生産した商品を広く告知し大量に売り捌くための装置として、ラジオ放送は巨大産業にのし上がっていく。まさに梅棹が言った情報産業の誕生だった。

変化する生活、新たな問題との直面

ラジオという新しい情報技術がもつ可能性が実現すると、別の可能性が姿を現す。先に見たチェーン放送の実現が、ナショナル・ブランドの消費財メーカーによるラジオ広告の可能性を拓いたのもその一例だった。また、ラジオ受信機も同様のプロセスをたどった。

１９２０年代初期のラジオ受信機は、まさに「受信機」という言葉にふさわしく鉄の塊（かたまり）だった。やがてむきだしの機械は木製のキャビネットで覆われた家具調のラジオへと進歩する。たとえば、ウェスチングハウス社の最高級機「アエリオラ・グランド」は、豪華なマホガニー製キャビネットで、フルセットの値段は１９２２年当時で４０９・５ドルだった（図８）[26]。これは現在価値に換算するとほぼ１００万円になる。当時の高級ラジオはまさに上中流家庭のステータス・シンボルにふさわしかった。その一方でラジオの小型化が進み、やがて持ち歩けるポータブル・ラジオが登場する。これはラジオが1人1台の時代になったことを意味する。またラジオは自動車にも搭載されることになるが、これは１９３０年のことだった。

図８　ウェスチングハウス社の高級ラジオ受信機

ラジオ放送やラジオ受信機を生活に取り込むことで人々の生活様式も当然のことながら変化した。たとえば、ソープ・オペラを聴きながら家事をする主婦が増えた。その後テレビの普及で「ながら視聴」が一般的になるけれど、ラジオの「ながら聴取」は「ながら視聴」のルーツであることに間違いない。

また、先に「エイモスとアンディ」を聴くために、アメリカ人の3分の1がラジオ受信機の前に集まったと書いた。このように定刻にラジオの前に集まるという行動様式にも注目したい。これは生活する人が自分の都合に合わせてスケジュールを立てるのではなく、ラジオ放送のプログラムに合わせて自分のスケジュールを調整することを意味する。というのも放送は同時一斉配信であり、番組を録音できない時代は、定刻でなければ番組を聴取できなかったからだ。つまり１９２０年代末に、早くも人は放送プログラム優先で自分の時間を管理するようになる。この生活様式はテレビ放送の時代になると一層顕著になる。

可能性の実現は、時として予期せぬ問題を起こすことはすでに述べたけれど、ラジオもその例外ではない。ラジオ放送草創期に生じた大きな問題の一つに、ラジオ放送局の乱立による混信があった。そのため早くも１９２２年に、政府が主導となり業界関係者を集めた会議を開いている。この会議で、電波は有限で国民共有の資源であるから、「パブリック・インタレスト＝公共の利益」が優先されなければならないという方針が打ち出されている。５年後の１９２７年には無線法が成立し、ラジオ放送事業者は「公共の便宜、利益および必要」を念頭にサービスを提供しなければならなくなる。

また、ラジオ放送の普及により、またしても著作権問題が生じた点も指摘しておきたい。ラジオ当初、音楽家やレコード会社は、保有する音楽がラジオで流れることに鷹揚（おうよう）だった。ラジオ放送局へ積極的にレコードを提供するケースもあった。ところが、ラジオが急速に普及する中、音楽著作権団体ＳＣＡＰが、作曲家や演奏家の権利を強硬に主張するようになる。そのためラジオ放送局は、使用した音楽を団体に申告するとともに、音楽使用料を支払うようになる。

アメリカという国が面白いのは、新しいことはとにかく始めてみて、問題が起きたら都度対処する流儀を取るところだ。これは19世紀後半にアメリカで生まれたプラグマティズムがその根底にあるように思える。

実用主義とも呼ばれるプラグマティズムでは可謬（かびゅう）主義を重視する。可謬主義とは、人間が獲得する知識には常に誤りがあることを認める態度を指す。そのうえで、何かを実行して誤りを発見したら修正する。それでもまだ誤りがあるだろう。見つかればその誤りを修正する。この活動を繰り返して、100%の正しさを確保するのは不可能だとしても、100%の正しさに至る努力を惜しまない。これがプラグマティズムの重視する可謬主義という態度だ。この可謬主義が、「正」と「反」を止揚して「合」に至るヘーゲル弁証法の態度と響き合うのがよくわかるだろう。

可謬主義は、いままで見てきた電信や電話、ラジオに対して人がとった行動と共通する。そしてこの精神は現代のアメリカにも引き継がれているようだ。たとえば、グーグルによるストリート・ビューは、サービス導入直後、プライバシー問題などで大騒ぎになった。しかし人の顔や車のナンバーなどにぼかしをかけるなどの対策もあり、いまや生活に欠かせないサービスになった感がある。これも可謬主義がなせる業(わざ)ではないか。

それはともかく、ラジオ放送は1対nの情報技術として大衆に番組を次々と送り続けた。いわゆる強力なマス・コミュニケーションの登場だ。しかし、やがてラジオよりも強力な1対nの情報技術が登場する。もちろんそれはテレビ放送にほかならない。そしてこのテレビ放送の時代にも、あのデービッド・サーノフが大活躍することになる。引き続き次章ではその経緯についてふれなければならない。

第5章

テレビ放送時代の到来

テレビ放送を画策するサーノフ

1923年4月のことだった。当時、RCAの副社長兼総支配人だったデービッド・サーノフは取締役会で発表するための覚書に次のように記した。

私は、無線で聞くかわりに無線で視るという技術に対して名づけられたテレビジョンがやがて実現するようになるものと信じている。近い将来ニュースが無線で送られるとき、たとえばヨーロッパ、南アメリカあるいは東洋の重要事件のニュースがアメリカに向けて送られるとき、その事件の画像もまた同様に無線によって送られ、ニュースと同時に到着することになろう。(中略)私はまた動く画像の無線による伝送と受信がここ一〇年以内に完成されるだろうと信じている。その結果、重要な事件や興味あるドラマの上演が適当な送信機を用いて無線で文字どおり放送され、次いで各家庭や劇場で受信され、ここでもとの場面が現在の映画とよく似た状態でスクリーン上に再現されるだろう[1]。

1923年といえば、ラジオ産業がやっと緒(しょ)につこうとしていた頃で、ラジオ局のネットワーク（チェーン放送）や広告放送はまだ始まったばかりの時期だった。ラジオが黄金時代を迎えるのはまだまだ先だ。この時期に早くも、サーノフはテレビ放送時代の到来に言及している。ラジオ・ミュージック・ボックスが実現したと思ったら次はテレビジョンだという。サーノフの相も変わらぬ突飛な発言に取締役会はさぞかし目を丸くしたことだろう。

時代は飛ぶけれど、第二次世界大戦後の１９４７年、サーノフはＮＢＣの年次総会における講演で、やがてテレビ放送がラジオ放送を破壊するほどの影響を及ぼすと述べて、ラジオ業界に注意を喚起している。

そのうえでサーノフは、通信と娯楽における過去40年の経験から、ただじっとしているだけでは自分の身は守れない、前進以外に保身はありえない、と宣言する。ラジオ業界人を前にして、従来の軌道から新しい軌道への移行、自らが遷移の流れに乗ることを訴えた。このため頭の古い人々からは、「テレビ屋（テレビジョナリイ）サーノフがラジオ産業を粉砕している[2]」と後ろ指をさされた。

こうした頭の古い人々をサーノフが完全に超越していたのは、当時白黒だったテレビ放送が決してゴールでないことを早くから理解していたことだ。白黒テレビ放送すらまだ影も形もない１９３０年、サーノフは「ニューヨーク・タイムズ」紙に寄稿した文章で、やがてカラーテレビの時代がやって来ると予想している。そしてＲＣＡが第二次世界大戦後、白黒テレビを本格的に売り出してから4年後の１９５０年には、いまやテレビはカラー時代の入り口に立っていると宣言している。そして大きな予算を割いてカラーテレビの開発に力を注ぎ、やがてこの市場でもリーダーシップをとる。このようなサーノフの取り組みを見ると、彼は生涯に少なくとも3度、シュンペーターの言う創造的破壊を実践している。

①無線電信からラジオ放送へ
②ラジオ放送から白黒テレビ放送へ
③白黒テレビ放送からカラーテレビ放送へ

「われわれが昨日の装置を時代遅れのものとして廃棄するときにのみ、それを明日のさらにすぐれた新しい装置にかえる機会を得るのである[3]」。これもサーノフの言葉なのだが、サーノフが実行したことは、まさにシュンペーターの言う創造的破壊だった。もっとも、サーノフが早々に創造的破壊を宣言したからといって、白黒テレビやカラーテレビの普及はそう円滑に進むわけではなかった。

ラジオよりも古いテレビ開発の歴史

情報技術の歴史はラジオ放送からテレビ放送へと推移した。そのため一般的にラジオはテレビよりも先に実験が始まっていると考えられているのではないか。しかしテレビ開発の歴史はラジオ開発の歴史よりも古い。テレビジョンを連続して静止画を送信する技術ととらえると、静止画像送信の技術はアレクサンダー・ベインが「自動電解式記録電信機（オートマチック・エレクトロケミカル・レコーディング・テレグラフ）」として特許を取得している。これが1843年だったことはすでに記した。

また、連続的な静止画いわゆる動画を有線で送る手法については、1880年代に複数の装置が特許を取得している。いずれも機械的な走査線方式を用いるもので、1920年代までにぼんやりした画像を送れるようになっていた。しかし実用化にはほど遠いもので、サーノフがテレビジョンに初めて言及した当時はこのような状況だった。

そもそも機械走査線方式には決定的な弱点があった。それは走査線の数が制限されることだった。走査線が多いほど画像は明瞭になるため、これは機械走査線方式にとって致命的だった。その代わりに登場するのが全電子式のテレビジョンであり、こちらではカメラでとらえた光学像を電気信号に変え、受信機にあたるブラウン管に送信する。

1926（昭和元）年、「日本のテレビジョンの父」ともいわれる高柳健次郎（たかやなぎけんじろう）が、ブラウン管にカタカナの「イ」を表示することに成功する。しかし実用的な全電子式のテレビが完成するのは、ロシア生まれでアメリカに移住したウラジミル・ツボルキンの手によってだった。ツボルキンはアメリカ移住後、ウェスチングハウスで全電子式テレビの開発に携わっていた。しかしWH社はツボルキンの研究には冷たく、必要な予算を投じようとしなかった。そのためツボルキンは、当時RCA副社長だったデービッド・サーノフに資金援助を求めたのだった。

サーノフはツボルキンを数名の部下ともどもRCAに引き取り、ツボルキンを責任者にすえて全電子式テレビの開発に着手する。これが1929年のことだった。さらに同年11月、ラジオ技術者協会の会合でツボルキンはアイノスコープと呼ばれる電子式画像走査管を展示した。これは全電子式テレビジョンが公に姿を現した最初となる。

しかし、RCAの傘下にあるNBCが本格的にテレビ放送を開始するまでにはさらに10年の月日を要した。それまでにRCAは当初10万ドルの予算で始まったテレビ事業に1000万ドルを費やし、黒字を確保するまでさらに4000万ドルを必要とした[4]。その間、1936年にあったオリンピック第11回ベルリン大会で、ナチス・ドイツは市内28カ所にテレビ受信機を設置して、テレビ放送による大会の実況中継を行っている。

ようやくテレビ放送が事業として成立するのは1939年のことだった。ニューヨーク万国博覧会が開催されたこの年の4月20日、デービッド・サーノフはRCA館の開館にあたり挨拶(あいさつ)をした。サーノフの前にはテレビカメラが備えられており、彼の挨拶は博覧会内の建物にある受像機やマンハッタンにあるRCA本社備え付けの受像機、そしてごく少数の家庭に備え付けられた試験用受像機に映し出された。受像機は直射式でたった9インチ、反射式でも12インチしかなかった。これは現在のタブレット端末程度の画面サイズだと考えればよい。もちろん画面の回りは分厚い筐体(きょうたい)で囲まれていたから、タブレット端末のスマートさには及びもつかない。

サーノフはテレビカメラの前で高らかに宣言した。「4月30日、ＮＢＣはわれわれの歴史において最初の定期的な一般向けテレビ放送を開始するだろう。そしてテレビジョン受信機は、ニューヨーク地区の販売店で市販されよう[5]」。来場者は初めて見るテレビに大興奮した。そのためＲＣＡ館は大人気となる。

サーノフの宣言から10日後、ＮＢＣはエンパイアステートビルにある放送局からテレビの定時放送を開始した。ＲＣＡが製造したテレビもニューヨークの電気店に姿を現した。価格は６２５ドルだった。現在価値に直すと３００万～３７０万円に相当するだろうか。１９４０年までにテレビ受像機を購入した人は数百人にしか過ぎなかったという[6]。

しかし、ニューヨーク万博でお披露目したテレビの開発と普及は、その後の第二次世界大戦の影響もあり、ほぼ棚上げ状態になる。１９４４年、アメリカ・テレビジョン協会はサーノフに「アメリカのテレビジョンの父」の称号を贈ったけれど、テレビが本格的に普及するのは第二次世界大戦後を待たなければならない。

国主導で始まった日本の放送

日本における放送は、アメリカとはまた異なる道を歩んだ。その歴史についてもふれておこう。日本で初めてラジオ放送が流れたのは1925（大正14）年3月22日のことで、ピッツバーグのKDKA局が最初のラジオ放送を行ってから4年4カ月後のことだった。放送を行ったのは日本放送協会（NHK）の前身にあたる社団法人東京放送局で、東京・芝浦（しばうら）の仮放送所からだった。

アメリカのラジオ放送事情を調査した逓信省（ていしんしょう）（郵政省の前身）では、当初、アメリカと同様にラジオ放送事業を民間に開放しようと考えていた。しかし政府はラジオ放送を非営利事業にすべく方針を転換し、東京放送局を社団法人として設置し、続いて名古屋放送局、大阪放送局を設けている。この3局は1926年に統合されて社団法人日本放送協会となる。当時はラジオ受信機の所有も逓信省の許可が必要だった。要するに「有り難くもお国から授けられたもの」が日本の放送の始まりだった。電信も電話もラジオも官業からスタートした。

この点において日本の通信は官製を源流としており、一般市民の情熱で成立したアメリカの通信事業とはそもそもの成り立ちが違う。

とはいえ、日本人がラジオに無関心だったわけではない。当初、政府がラジオ放送を民間に開放するために事業者を募ったところ、全国から１００件を超える応募があった。ラジオ放送の可能性に賭ける人は日本にも大勢いた。政府は「１都市１放送局」を原則にまずは東京・名古屋・大阪の３都市でラジオ放送を開始しようとしたが、希望者のとりまとめがうまくいかず、この点もラジオ放送が国営になる大きな要因になったようだ。また、許可制のラジオ受信機についても放送が始まった３月の末で５５００セットだったものが、その半年後には７万５０００セットに急増している[7]。日本でもラジオに対する期待は極めて高かった。

太平洋戦争が終結すると、従来のＮＨＫによるラジオ放送独占に対して反旗がひるがえる。これは「フリー・ラジオ」と呼ぶ運動で、政府による放送事業を放棄して完全な民営化を行い、放送事業に競争原理を導入するというものだった。

戦争の復興から日本が新たな成長を始める１９５０（昭和25）年、電波法と放送法をはじめとした電波三法が成立し、社団法人日本放送協会が、放送法の定める特殊法人に改組となる。また、この電波三法の成立により民間放送局の設立が可能となり、フリー・ラジオの理念が部分的ながら結実する。１９５１（昭和26）年９月１日には、名古屋の中部日本放送（ＣＢＣ）、大阪の新日本放送（のちの毎日放送）が初の民放として開局した。以後、１年間で北海道から福岡まで全国に14の民間ラジオ放送局が成立している。戦後になってようやく、日本にも官製ではない通信事業者が登場した。

ちなみにいま「通信事業者」という語を用いた。民間放送局を通信事業者と表現することに違和感を覚える人もいるかもしれない。しかし「民間放送局は通信事業者である」という表現は誤りではない。というのも、旧放送法第二条に「『放送』とは、公衆によって直接受信されることを目的とする電気通信の送信をいう」とあり、放送を通信の一部として扱っているからだ。電気通信の一形態が無線通信であり、法律で定められたその特殊な形態が放送となる。だから放送局は通信事業者でもある。

吉田秀雄(よしだひでお)と日本の民間放送局

話を元に戻そう。実は太平洋戦争以前にラジオの広告放送が行われたことがあったという。ただし内地ではなく台湾(たいわん)と満州でのことだった。いずれも1933(昭和8)年に日本語による広告放送を行っており、民間による満州のラジオ放送は70万人を超える聴取者がいたという。すでにアメリカや満州の前例があるので、日本の民間放送局が広告放送を収入源にすることは想定済みだった。

となると民間放送事業を円滑に進めるには広告の専門家がどうしても必要になる。このような経緯から民間放送局と広告代理店の結び付きが始まる。中でも民間放送局の立ち上げに獅子奮迅(ししふんじん)の働きをしたのが広告会社電通の第4代社長で、あの「鬼十則(おにじゅっそく)」を作ったことで著名な吉田秀雄だった。

電通は、従軍記者などを経験した光永星郎が1901（明治34）年に創設した日本広告株式会社に併設した、新聞社へのニュース配信を専門とする電報通信社をルーツにする。創業6年後の1907（明治40）年、その前年に株式会社となった電報通信社が日本広告株式会社を吸収合併して現在の電通の基礎となる。新聞社にはニュースの通信料と相殺で広告を提供し、広告主から得た収益を通信部門の運営に投入することで業績を拡大した。

1936（昭和11）年、電報通信社の通信部門は、ライバルの聯合（日本新聞聯合社）に移譲して国策会社の同盟通信社となる。また、電報通信社は聯合の広告部門を譲り受け広告専業となる。ちなみに同盟通信社は戦後すぐに解散し、社団法人共同通信社と株式会社時事通信社が誕生する。また、電報通信社が電通に社名を変更するのは1955（昭和30）年のことだった。

吉田秀雄が東京帝国大学経済学部を卒業して電報通信社に入社したのは1928（昭和3）年だった。以後、広告事業部門の営業部一筋で頭角を現し、第3代社長・上田碩三が公職追放で電報通信社を去った1947（昭和22）年、そのあとを襲って吉田が社長に就く。43歳の若さだった。

吉田が放送事業の将来に注目するようになったのは戦後まもなくしてのことだった[9]。敗戦の年の9月25日、政府はNHKと民放1社の共存を認める「民衆的放送機関設置に関する件」を閣議で決定する。また、東京商工経済会（現・東京商工会議所）の理事長・船田中は逓信院からの勧めにより「民衆放送株式会社」設立の先頭に立つことになった。民衆放送には広告が不可欠ながら船田にはその知識がない。そこで船田が電報通信社の上田社長に相談したところ、担当として吉田の名が挙がった。こうして吉田は民衆放送株式会社の創立準備副委員長となり放送局の免許申請を行う。吉田が放送事業と結びつくのはこれがきっかけになった。

民衆放送株式会社は東京を中心に、北海道、名古屋、大阪、福岡に放送局を設け、NHKに対抗するラジオ放送網の確立を目指す。聴取料はとらない。代わりに広告を放送して広告主からの収益で会社を運営する。これが民衆放送株式会社の基本方針だった。

しかしGHQは民間放送の設立を不許可とする。この背景には放送を独占したいNHKの姑息(こそく)な運動があったようだ。またGHQとしても放送局が1社のほうがなにかと都合がよかったのだろう。その後、同社の創立準備委員長となった吉田は創立準備事務所を電通社内に移し、電波三法成立の推移を横目で見ながら機をうかがう。そして社名を民衆放送株式会社から東京放送に変更して、1949（昭和24）年に再度免許申請を行っている。

その後、競合で申請していた読売放送（読売新聞社）、朝日放送（朝日新聞社）、ラジオ日本（毎日新聞社）と合併してラジオ東京が1951（昭和26）年に成立する。これが現在のTBSのルーツにほかならない。ラジオ東京の放送開始は同年の12月25日だった。

また吉田はラジオ東京の成立に先がけて、電通の本社・名古屋・大阪にラジオ広告部を設立している。同時に広告主にはラジオ広告放送のサンプルを作り、啓発活動に余念がない。さらに、ラジオ東京以外の新設ラジオ局から協力の依頼があると、吉田は広告を知り尽くした優秀な人材を惜しみなく送り込み、ラジオ放送業界全体の成功を期した。このように、日本における民間放送事業の立ち上げで吉田が果たした貢献は極めて大きい。そして、こうした放送事業への早期の取り組みが、広告会社電通の急成長を支える原動力となる。

ラジオ放送の生まれ変わり

ラジオのもつ広告放送の最大の可能性はラジオ受信機の数にあると吉田はにらんでいた。1920年時にはすでに110万台余りの受信機が一般家庭や事務所に行き渡っている。さらにGHQの指導もありそのラジオ受信機が次々と製造され、民間放送開始時には900万台にのぼるラジオ受信機が存在していた[10]。広告放送を流せばこれらのラジオ受信機が一気に広告の出力口となる。ただし、吉田の計画に否定的な声もあった。その声とは、ラジオ放送はNHKが採用している受信料を基礎にすべきであり、受信料なしでの経営は困難だ、というものだった。

しかし、民間放送局による広告放送は、吉田のにらんだとおり大成功となる。広告放送が始まった1951（昭和26）年、ラジオ広告全体の売上げは3億円だったが、それが195

5(昭和30)年には98億円へと急上昇した。これは日本の広告全体の16・1%に相当した[11]。

もっとも海の向こうのアメリカでは、広告放送が成立したのは1920年代のことで、1930年代にはラジオの黄金期を迎えている。しかも、デービッド・サーノフが満を持して始めたテレビ放送が、第二次世界大戦終了を機に爆発的な普及を始めていた。

1946年こそ5000台ほど製造されたに過ぎなかったテレビ受像機だが、以後RCAの年間販売台数は、1948年に94万台、1949年に300万台、そして日本でラジオの民間放送が始まる前年の1950年には700万台にも達している[12]。日本の放送事情はアメリカの3周か4周遅れという状況だった。

アメリカの放送業界では1942年にNBCが分割されてABCが誕生している。これにより、1927年創立のCBSとともに3大ネットワークが出そろい、ラジオ放送市場を独占していた。第二次世界大戦後になると、テレビ受像機の激増からもわかるように、テレビはラジオに取って代わる存在となる。しかしながら3大ネットワークはそれぞれがテレビ放送事業に参入した。そのためラジオ放送市場と同様、テレビ放送市場も3大ネットワークが独占していた。

このことは放送の受信装置がラジオからテレビに置き換わっただけで、ビジネスモデル自体はラジオ放送時代のものを踏襲していることを意味する。別の観点から言うと、テレビ放送はラジオ放送に準じたものであり、ラジオ放送がテレビ放送の在り方を決定づけた。あるいは、ラジオ放送が紆余曲折を経て形成したビジネスモデルを借用してテレビ放送は成立したと言ってもよい。

たとえばテレビという情報技術にはテレビ電話という可能性もあっただろう。しかしそうした可能性はほとんど顧みられることもなかった。それはラジオ放送があまりにも成功したため、その再現をテレビにも期待したためと言ってもよい。いずれにしろサーノフの予言は当たった。

怪人・正力松太郎がテレビと出会う

アメリカでテレビが急速に普及する中、この新たな情報技術に注目する人物が日本にいなかったわけではない。そもそも日本でのテレビジョンの開発は決して世界にひけをとらなかった。1926（昭和元）年に高柳健次郎が、ブラウン管に「イ」の字を映し出したことはすでに述べた。また、1936（昭和11）年、ベルリン・オリンピックの際にテレビ中継が大々的に行われると、次は東京での開催が決まっていたから、日本でもオリンピックの様子を中継するために急ピッチでテレビ技術の開発が進められた。しかし、戦争の拡大で東京オリンピックは中止となり、日本におけるテレビ放送の開始も延期を余儀なくされた。

もちろん日本のテレビ事業を推進したのは国が中心になってのことだった。そのため戦後、ラジオ放送が平時の状態に復旧したら、満を持してテレビ放送の準備にとりかかるのが、政府および日本放送協会の描いたロードマップだったであろう。しかしここに乱気流が突如として生じる。官製テレビのビジョンを乱したのは読売新聞社の実質的支配者・正力松太郎だった。

もともと警視庁の高級官僚だった正力は、1923（大正12）年にあった虎ノ門事件（当時は摂政宮殿下だったのちの昭和天皇への狙撃事件）の責任をとり辞職を余儀なくされる。翌1924（大正13）年、民に下った正力は、後藤新平の援助を受けて、当時経営不振だった読売新聞社を買収して社長に就任した。

正力はその翌年に始まったラジオ放送の人気に目をつけ、プログラム面（いわゆるラジオ番組面）を一挙に2ページの見開きとして、読売新聞の販売部数を激増させている。これが正力と放送の最初の接点だった。戦時中、軍部が全国の新聞社を一つに統合しようとした際には、言論機関を官の手に委ねてはならない、という信念から徹底的に抵抗した反骨の人物でもあった。

戦後、正力はA級戦犯容疑で巣鴨拘置所に入所したが、1947（昭和22）年に釈放される。その翌年暮、公職追放でまだ身動きが取れない正力は、旧知の鮎川義介からテレビ放送事業をやらないかと勧められた。鮎川は日産コンツェルン（現・日産自動車のルーツ）の創始者で、戦時中は大陸に進出して満州における重工業の重鎮となる。戦後、正力と同じくA

級戦犯容疑で巣鴨行きとなり、正力とほぼ同時期に巣鴨より釈放されている。

アメリカで武者修行をしたこともある鮎川は戦前よりテレビ放送の可能性に着目していた。そのため日本ビクター蓄音器（現・日本ビクター）や日本蓄音器商会（現・日本コロムビア）を日産コンツェルンの傘下に収めて、テレビ受像機の研究をしていた。しかし政府の求めに応じて満州に進出することになったため、これら不急の事業は整理したという経緯がある。

正力の回想によると、鮎川は正力にこう言ったという。「今の日本で、テレビジョンの様な大事業を興すのは容易な事ではない。君でなければ到底やれる人は他にない。君なら必ず成功する[13]」。正力は、事業の鬼である鮎川のこの言葉にほだされてテレビ事業参入を決意したという。これが1948（昭和23）年暮のことだった。ちょうど吉田秀雄が東京放送の立ち上げに躍起（やっき）になっていた頃だ。ただし、当時の正力も鮎川も公職追放の身であり、テレビ放送という大事業を立ち上げることは現実が許さなかった。

日本テレビ放送網という一大構想

1951（昭和26）年に正力の追放が解除された。そして、民間のラジオ放送が始まった3日後の9月4日、早くも正力は日本工業倶楽部で日本テレビ放送網の構想をぶち上げている。日本テレビ放送網とは、テレビをはじめFM放送、ファクシミリ、テレタイプなど全通信に対応する情報網を日本全土に張り巡らせる壮大な計画だ。中でもテレビ放送については、東京に中央送信所を設け、マイクロウェーブを用いて全国に設けた中継局に送信する構想だった。

正力がこれだけ大風呂敷を広げられたのにも理由がある。アメリカではラジオからアメリカの声を届けるVOA（ヴォイス・オブ・アメリカ）の映像版として、VOA（ビジョン・オブ・アメリカ）構想が持ち上がっていた。そして、このVOAの当面の整備地域とし敗戦国のドイツと日本が候補に挙がっていた。この構想を換骨奪胎（かんこつだったい）し、アメリカの支援を受けながら日本主導で実現しようとしたのが日本テレビ放送網にほかならない。マイクロウェーブで中継局と結んで日本全土を網羅することから、「放送」ではなく「放送網」というわけだ。10月2日、正力は事業主体を日本テレビ放送網株式会社として、電波監理委員会に免許申請を行っている。

民間によるテレビ構想に肝を冷やしたのがNHKだった。白黒テレビが世に出てもやがてカラーテレビに取って代わる。それならばカラーテレビが実用化するまでテレビ放送事業は待ったほうがよい、という思惑がNHKにはあった。しかしテレビ構想を大々的にぶち上げた正力に遅れをとれば面子（めんつ）は丸つぶれになる。NHKは日本テレビ放送網株式会社から20日あまり遅れた10月27日に放送免許を申請する。

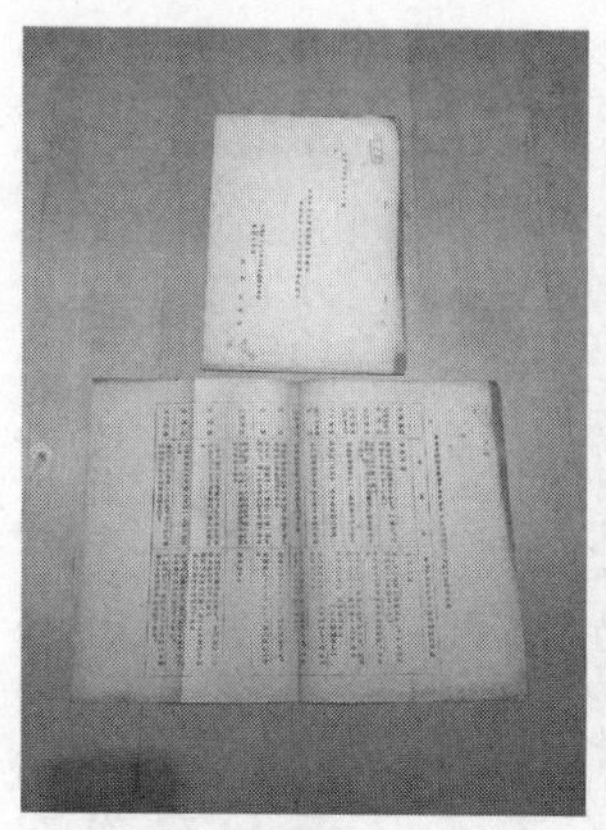

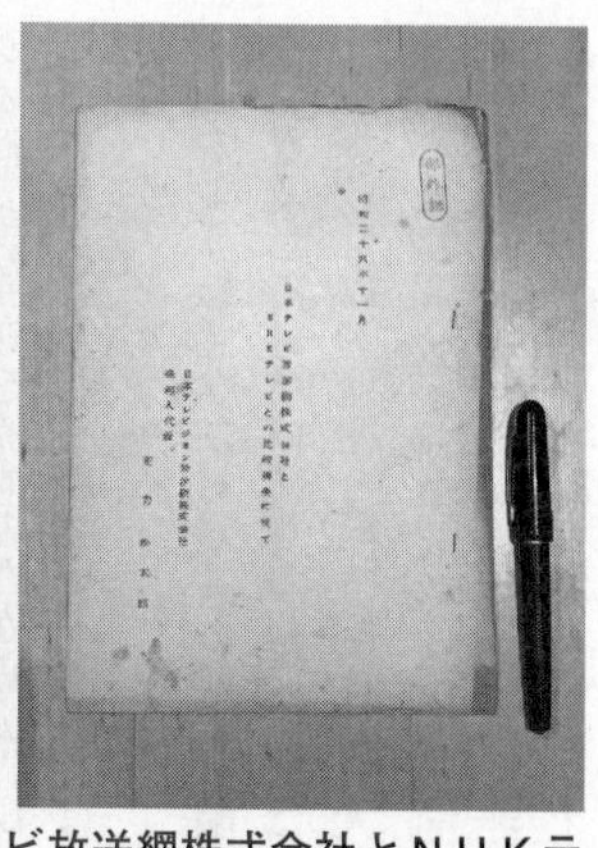

図9　部外秘資料「日本テレビ放送網株式会社とNHKテレビとの比較得失に就て」

さらに「テレビは公共放送で！　売国テレビは絶対お断り！　日本放送労働組合」と書いたポスターを全国に配布して正力を批難した。「売国テレビ」とは日本テレビ放送網が国内ではなくアメリカの技術を利用するからだ。

もちろん正力も負けてはいない。正力松太郎名の部外秘資料である「日本テレビ放送網株式会社とNHKテレビとの比較得失に就て」（昭和二十六年十一月）を見ると、正力がNHKに徹底対抗するための論陣を入念にはっていたことがわかる（図9）。

この資料の中で正力は、全国にテレビ網を構築する所要経費を20億円と見積もり、これに対して会社の資本金は10億円で、すでに朝日・毎日・読売の三新聞社のほか30口以上もの株式引受の確約があるとする。また、日本テレビ放送網ではすでにアメリカで完成済みの技術を利用するため、放送開始後2年間で全国網を完成できると述べる。さらに広告収入も当初より相当の額が期待できるとする。これに対してＮＨＫのテレビ放送は、資金計画が不確実で、技術的にも不完全、建設計画に5年を要し、しかもその5年間で10数億円もの欠損が生じるだろうと手厳しく論じている。

とはいえ、正力が主張する日本テレビ放送網の優位性の中で、広告放送による収入が本当に期待できるのかという疑問が残る。すでにふれたように日本で民間のラジオ放送が始まったのが同年9月1日のことだった。ラジオ受信機はすでに９００万台以上もある。そこへラジオの広告放送を流すのだから広告媒体価値は十分に期待できる。ところがテレビ受像機はまだ1台も普及していない。これではテレビによる広告放送は時期尚早と考えるのが普通ではないか。

このような懸念に対して正力は持論をぶち上げる。確かにテレビ受像機はまだまったくもって普及していない。しかし受像機は家庭の中だけに置くとは限らない。

「本会社は放送開始と同時に東京、大阪、その他の大都市の盛り場（新宿、渋谷、浅草、銀座、心斎橋（しんさいばし）、大須（おおす）等）に大型の投写型受像機を備えて大衆の観覧に供する予定でありまして、これは最新式の広告塔であり、非常な人気を呼ぶこと必然であります。米国の実例によればテレビジョンの広告効果はラジオの十一倍といわれていますから、広告収入は当初より相当の額」[14]に上るだろう。正力は「日本テレビ放送網株式会社とＮＨＫテレビとの比較得失に就て」の中でこのように言う。つまり、のちに言う「街頭テレビ」が当面の広告収入の柱であり、広告媒体の価値を決めるのは受像機の普及台数ではなく視聴者の数なのだ、と正力は主張したわけだ。

街頭テレビという強力な武器

とはいえテレビを価値ある広告媒体に育てるには広告会社の支援がどうしても不可欠だ。放送局の広告営業を指南しているのは電通の吉田秀雄だった。やはり正力も吉田の支援を必要とし、吉田をテレビ放送事業に引き込もうとした。しかし、吉田はテレビ放送事業の成功に懐疑的だった。これからラジオによる放送広告で勝負に打って出ようと考えていた吉田が、受像機がまだ1台もないテレビ放送に疑心を抱くのももっとものことだった。

１９５２（昭和27）年7月31日、日本テレビ放送網に日本初のテレビ放送予備免許が交付された。ただし予備免許には条件があった。政治的・軍事的に大きな問題があるとして、電波監理委員会はマイクロウェーブ計画を切り離し、同社の放送範囲を東京エリアに限ることにした。こうして正力が構想した日本全国に放送「網」を構築する夢はついえた。しかし現・日本テレビの正式名称は「日本テレビ放送網」であり当初の理念は現代も社名に息づいている。

日本テレビ放送網が予備免許を取得すると、吉田はにわかに豹変（ひょうへん）した。翌月早々、吉田は東京と大阪にテレビ部を設けている。これは電通がテレビ広告に本格的に参入するシグナルだったと言ってよい。おそらく吉田のこの判断は電通の歴史の明暗を分かつものだった。少なくともラジオ放送にしがみついていたならば、吉田が電通の中興の祖と言われることはなかっただろう。アメリカと同様に日本でも、やがてテレビ放送がラジオ放送をやすやすと凌駕（りょうが）するからだ。

対してNHKは、同年12月にテレビ放送予備免許を取得する。さらに興味深いのは翌年1月にラジオ東京テレビが免許を得ていることだろう。もちろんこのテレビ局はラジオ東京を母体にする。これは同社の産婆役を果たした吉田が、いまや何も躊躇（ちゅうちょ）することなくテレビ放送事業に邁進（まいしん）している証拠と言える。

開局に向けて日本テレビ放送網は機器の一切をアメリカのRCAに発注した。しかし機器の改造問題があり日本への輸入が大幅に遅れてしまう。対するNHKは国産中心で挑み、日本テレビ放送網よりも先にテレビ放送にこぎつける。これが1953（昭和28）年2月1日のことだった。NHK関係者は、じゃがいものような正力の顔を思い浮かべながら、溜飲を下げるとともに胸をなでおろしたに違いない。しかし開局当日の受信契約者数はわずか866件だった[15]。

一方、日本テレビ放送網の開局は半年遅れの同年8月28日で、第4チャンネル、「JOAX-TV」のコールサインで放送を開始した。最初の広告は精工舎がスポンサーで電通が制作した「正午の時報」だった。しかしフィルムが裏返しに挿入され音が出ないまま消えてしまったという[16]。ちなみに日本テレビ開局当日の番組スポンサーは7件でそのうち4件が電通扱いだった。またスポット広告についても3件のうち2件が電通だった[17]。吉田はテレビの広告放送にもスタート時からしっかりと食い込むことに成功していたわけだ。

正力は当初の宣言どおり東京および周辺の主要地に街頭テレビを設置していった。当初の設置数は55カ所で1955（昭和30）年には220台に達している[18]。これが大衆に受けた。街頭テレビの前には黒山の人だかりができた。特にプロ野球やプロレスの中継は絶大なる人気になった。サーノフはラジオ放送でボクシング世界タイトルマッチを流したが、正力が実施したのはそのテレビ版だった（ただし街頭テレビを考え出したのは正力ではなく彼のブレーンだったという[19]）。

街頭テレビは人々に「テレビは面白い」という意識を植えつけるのにもってこいの装置だった。これはやがてテレビの所有という欲望に転じるだろう。1957（昭和32）年になってもテレビの世帯普及率はわずか7・8％にしか過ぎなかった[20]。これが1958（昭和33）年には10・4％となり、1959（昭和34）年には23・6％に急増している。両年にかけて皇太子殿下と美智子様のご婚約・ご結婚、いわゆるミッチー・ブームにより、テレビ受像機を買い求める世帯が急増したためだ。放送が始まってわずか十数年後の１９６５（昭和40）年には全世帯の9割がテレビを所有するまでになっている。ここでも情報技術の大衆化は大いに進んだ。

20世紀を代表するテクノロジー

白黒テレビの普及が一巡すると、やがてカラーテレビの時代がやって来た。サーノフが率いるＲＣＡは白黒テレビの爆発的な売れ行きで順調な成長を遂げていた。しかし１９５０年代の終わりになると売上げも鈍化した。その間にＲＣＡはカラーテレビに1億３０００万ドルもの莫大な開発資金を投じ、１９５４年にカラー受像機を発売する。傘下のＮＢＣもカラーテレビ放送を始めた。サーノフが市場に投じたカラー受像機は両立性方式というもので番組が白黒でも再生可能だった（これに対してライバルのＣＢＳは非両立性方式のカラー受像機を開発していたが、結局は実験の域を出なかった）。

しかし、サーノフが満を持して市場に投入したカラーテレビは当初ほとんど売れなかった。にわかに売れ出すのは１９６０年代初頭になってのことだった。１９６２年に44万台を出荷すると、75万台、１４６万台と年ごとにその数を増やしていった[21]。いよいよカラーテレビの時代が到来した。

一方、日本では1960（昭和35）年からカラーテレビの本放送が始まった。NHK、日本テレビ、ラジオ東京テレビ、朝日放送、読売テレビなどの各放送局が一斉にサービスを開始した。カラーテレビのブームに火を付ける役割を果たしたのが1964（昭和39）年の東京オリンピックだった。開会式や閉会式のほか人気競技がカラーで放映された。

思えば腕木通信の戦勝速報に始まり、電信でも電話でもラジオ放送でも、ビッグイベントが情報技術の普及に一役買っている。カラーテレビもその例外ではなかった。その後のテレビでは、商業用有線放送や衛星放送が登場し多チャンネル化を迎える。またタイムシフト視聴が可能なようにビデオの普及も進む。その結果、20世紀の後半において、大衆に最も身近な情報技術の東の横綱はテレビだったことに間違いはない。

では、西の横綱は何だったか。それは電話と言ってよいだろう。1985（昭和60）年に電気通信事業法が施行され、電電公社が民営化されてNTTが誕生するとともに、電話機と回線利用制度の自由化が実施された。従来、家庭や事務所に設置する電話機は、電電公社の電話機をレンタルして利用する必要があった。これが自由化されて誰もが好みの電話を自由に使えるようになった。街の電気屋が多様な電話を販売するのはこれ以降のことになる。

しかし、わずか30数年前まで、電話を自由に選べなかった不自由が常識だったと思うと、隔世の感がする。とはいえ現在の携帯電話で私たちは同様の不便を強いられているわけだ。歴史を教訓にするならば、誰もが自分の好みのスマートフォンを、好みの移動体通信事業者の回線で使用するのは、必然の流れになるだろう。

話が少々先走ってしまったが、固定式だった電話はやがて外に持ち出せるようになる。その過渡期の形態がポケットベルだった。当初は連絡をとりたい相手にベルなどの合図で伝えるものだった。企業が外回りの営業マンを呼び出したい時などに利用した。サービス開始は意外に古く１９６８（昭和43）年にスタートしている。

このポケットベルが大衆化するのが、数字の送れる機種が登場してからだ。友達や恋人同士で購入し、数字の語呂合わせや、腕木通信を彷彿（ほうふつ）とさせる符号表を用いてコミュニケーションする様式が、１９９０年代に入って流行した。当時すでに、いつでもどこでもコミュニケーションをとりたいという素地は出来上がっていたと言えよう。

携帯電話は、最初、自動車電話として生まれ（１９７９年）、これが屋外でも利用できるショルダーホンとなる（１９８５年）。さらにショルダーホンを小型化した携帯電話が日本で登場するのは１９８７（昭和62）年のことだった。しかし当時の携帯電話は非常に高価だったため、廉価なポケットベルはその代替だったと言える。しかし携帯電話の価格が下がるにつれ普及が爆発的に進んだ。その結果、２００１（平成13）年度までに、携帯電話の契約回線数が固定電話の契約回線数を上回るに至る。

20世紀の情報技術とは何だったのか

電話とテレビが20世紀を代表する「情報技術」あるいは「テクノロジー」「メディア」「文明の装置」だとすると、そこから何を読み取ることができるか。まず言えるのはいずれの情報技術も意外に古い技術が同じ軌道の上を連続的に発展してきたという事実だ。

ベルが電話の特許を取得したのは1876年のことだった。翌年にベル電話会社が成立すると、以後電話は社会に欠かせない装置として進展した。技術面の進展を見ると、呼び出し式の電話からダイヤル式の電話、さらにはプッシュホン式の電話へと進展した。また、壁掛け式だった電話は卓上型に進歩し、さらにハンディホン、携帯電話と進展して屋外でも自在に電話をかけられるようになった。交換業務も交換手による人力の交換から機械式の自動交換、さらには電子式、そしてデジタル式の自動交換へと発展した。こうした技術の変化は新しい制度を必要とし、また人々の生活スタイルも変わっていった。

この発展の軌道は、電話という「枠組み」でとらえると、19世紀に生まれた電話テクノロジーを源に連続的に発展してきたものだったと言える。シュンペーターの言う古い軌道から新しい軌道への移行は起こらなかった。あるいは経営学者クレイトン・クリステンセンの言葉を借りるならば、電話の発展はサスティナブルなイノベーション（生き残りのためのイノベーション、持続的イノベーション）の連続であり、ディスラプティブなイノベーション（秩序を乱すようなイノベーション、俗に言う破壊的イノベーション）が発生したものではなかった。

では、テレビはどうだったか。実はテレビ放送というテクノロジーは、ラジオ放送の延長としてとらえるべきものなのかもしれない。

ラジオ放送のもとになる無線電話が世に出たのは、レジナルド・フェッセンデンが1906年のクリスマス・イブに会話や音楽を無線にのせることで、船舶に勤務する通信士を驚かせた時のことだった。最初は無線電話（ワイヤレス・テレフォニー）としての使用が想定されていたわけだが、やがて人間は無線による放送（ラジオ・ブロードキャスティング）としての使用を発明する。技術は基本的に同じだが用途が変わった。そして1920年代になると商用のラジオ放送が生まれるわけだが、当初は広告放送という仕組みはまだ発明されていなかった。

これが1927年頃までに、ラジオ放送事業の収益源は広告放送が主体となっていた。この広告放送がチェーン放送と組み合わさり、ラジオは大衆消費財を大量に売りさばくのに欠かせない装置へと進展する。同時にラジオ受信機も機械丸出しから家具調に変化し、蓄音機とラジオの組み合わせが生まれ、ポータブルになり、さらに自動車にも搭載されるようになる。無線電話の発明以後、無線による放送という方向が決まるや、ラジオは同じ軌道の上を連続して発展してきた。

　このラジオ放送のあとを受けてテレビ放送が姿を現すわけだが、近視眼的に見ると両者は異なる軌道を進んだと言えるだろう。デービッド・サーノフは、ラジオ放送業界の人々に対して、やがてテレビ放送が主流となってラジオ放送は古臭いものとなるから、早期に軌道を変更することを促した。ためにサーノフは、「テレビ屋(テレビジョナリィ)サーノフがラジオ産業を粉砕している」と批判された。実際、音声のみを送信するラジオ放送と、音声および映像を同期させて送信するテレビ放送とは、技術的に異なるものであり、したがって受信機も異なるので、この意味において両者は別々の軌道を進む情報技術と見ることができよう。

　しかしながら、ラジオとテレビを放送という俎上(そじょう)にのせるとどうか。注目したいのはラジオとテレビの生(お)い立ちの違いだ。無線電話から出発したラジオは、当初、有線の電話や無線の電信を補完するものと考えられていた。それが無線による放送へと進むべき方向を修正する。しかしこのラジオ放送についても最初から確固たる形式があったわけではない。試行錯誤を経て、広告放送やネットワークが形成され、番組の定番が出来上がり放送というビジネスが成立した。

　では、テレビ放送はどうだったか。放送事業というビジネスモデルを作るうえでラジオ放送が経験した産みの苦しみをテレビ放送は味わっていない。テレビ放送はラジオ放送が作ったビジネスモデルを丸ごとちょうだいした。テレビ放送は、最初から全国に行き渡るネットワークを構築し、最初から広告放送を流した。これらはすべてラジオ放送から学習したものだった。

もちろん技術的に両者はまったく異なるものだから、それぞれ異なる工夫が必要だった。しかし放送という枠組みで考えると、ラジオ放送とテレビ放送は同じ軌道の上を連続して発展してきた。大局的に見るとラジオ放送からテレビ放送への進展は、サスティナブル・イノベーションの一例であり、ディスラプティブ・イノベーションが生み出したものではなかった。

アナログ情報技術の時代

ラジオ放送とテレビ放送を同じ組上にのせたように、20世紀を代表する情報技術としての電話とテレビについても、同じ組上にのせることができる。アナログ情報技術という組上だ。いずれもアナログの情報技術を使っているという点で電話とテレビは共通する。

すでに述べたように、デジタルが飛び飛びの値を取るのに対して、アナログは連続的な値をとる様子を指す言葉だった。音声は振動が空気を伝わって人間の耳に届く。この振動は波形になっている。アナログの電話では、電話機がこの音声波形を電気の波形に複製する。これは連続的な音声波形を連続的な電気の波形に置き換える作業と言い換えてもよい。この電気の波形（すなわち電気信号）は電話線を通じて相手の電話に届く。すると電気の波形が受け手の電話機の振動板を揺らして音を再生する。これがベル以来のアナログ電話の基本的な仕組みだった。

一方、アナログの無線電話は、電話線に流れる電気の波形を、電波として空間に送り出す。その際も、無線送信機が元になる音声波形を電波の波形に複製して空間に放出する。ただし、音声信号のような低周波数の信号を電波として空中に放出するのは困難なので、高周波の搬送波にのせて送り出す（これを変調と呼ぶ）。この時も電波は、音声波形を複製した連続的な波形の形式をとる。この電波を受信機が受け取って元の音声波形に戻す（これを復調と呼ぶ）。アナログのラジオ放送の原理も基本はこれと同じで、あらかじめ取り決めた特定の周波数に音声の電波をのせることで、その周波数に合わせたラジオ受信機でその音声を聴き取れる。

では、アナログのテレビ放送はどうか。かつてのアナログテレビの画面を近くで見ると、小さな点の集まりになっていることがわかる。これを画素（がそ）と呼んだ。送信側は、この画素それぞれについて、三原色の組み合わせと明暗を電気信号の連続的な強弱に変えて送り出す。受信側は次々と送られてくる電気信号をそれぞれの画素に表示して色と明暗を表現する。その際に画面を525本の走査線に分け、1枚の画面を走査線の奇数番目と偶数番目の2回に分けて送受信する。これをインターレース方式と呼ぶ。

こうしたアナログ情報技術が完成したのが20世紀だった。そういう意味で20世紀はアナログ情報技術の時代だったと言ってよい。面白いのは、すでにふれたように19世紀に一世風靡をした腕木通信（第1章）および電信（第2章）がデジタル情報技術の一つだったということだ。つまり19世紀はデジタル情報技術の時代であり、これが20世紀に入ってアナログ情報技術の時代になった。時代はデジタルからアナログへと推移した。しかし、道教が示すタオのシンボリズムにあるように、物事が陽のピークを迎えると陰の気が生まれ、やがて陰が頂点に達すると陽の気が生じるように、同じことが情報技術にも起こった。

20世紀末、より厳密に言うと１９８０年代半ばは、アナログ情報技術がピークを迎えた時期だった。象徴的なのは、その頃の日本の電機メーカーは世界のトップを行く勢いがあった点だ。いわばアナログ情報技術時代にその技術力を遺憾なく発揮したのが日本の企業だった。当時の日本はジャパン・アズ・ナンバーワンが現実になったと錯覚した。しかしアナログ情報技術がピークを迎えた時、デジタル情報技術という新たな芽が確実に生じていた。

この点でも象徴的な出来事があった。それはＮＴＴが１９８４（昭和59）年にＩＳＤＮの実験を始め、１９８８（昭和63）年からＩＮＳネットサービスの提供を始めていることだ。ＩＳＤＮは統合サービスデジタル網のことで、音声やファクシミリ、データなどの情報をすべてデジタル化して、同一のネットワークで統合的に提供する通信網を指す。ＩＮＳネットはＩＳＤＮの日本でのサービス名にあたる。まさにアナログ情報技術がピークを迎えた同時期にデジタル通信網がそろりと立ち上がっていたわけだ。

ＩＴの２５０年における三つの波

もっともデジタル情報技術の台頭が著しくなるのはやはり１９９０年代に入ってからのことだろう。実はこのタイミングでも象徴的な事件が起きている。それはハイビジョンにまつわる出来事だった。

ハイビジョンとは、従来のカラーテレビよりも高い画像品質を実現するテレビを指す。国際的にはＨＤＴＶ（ハイ・ディフィニション・テレビジョン／高精細度テレビ）とも呼んだ。ハイビジョンは日本（ＮＨＫ）版ＨＤＴＶの愛称にあたる。

ＮＨＫのハイビジョンの研究開発はすでに１９６０年代半ばから始まり、１９８４年には日本独自のハイビジョン方式であるＭＵＳＥ（ミューズ）方式が発表された。日本で採用していた従来のカラーテレビの方式では走査線が５２５本だったが、ＭＵＳＥ方式のハイビジョンでは走査線の数が一挙に１１２５本に増える。また、画面の縦横比は従来の3対4から9対16に変わる。このハイビジョン受像機でアナログ信号を高精細で表示する。つまり、日本独自のＭＵＳＥ方式はアナログ方式のＨＤＴＶにほかならなかった。

ところが１９９０年代に入ると、アメリカからデジタル方式のＨＤＴＶが提案されるようになる。それでもＮＨＫはアナログ方式にこだわり、ＢＳを用いたアナログ・ハイビジョン放送を提供していた。しかし世界の流れには抗しきれず、日本でも２０００（平成12）年にＢＳデジタル放送がスタートした。そしてＭＵＳＥ方式のアナログ・ハイビジョン放送は２００７年に幕を閉じる。21世紀はデジタル情報技術が時代を席巻するわけだが、アナログ・ハイビジョン放送の失敗は、まさに情報技術がアナログからデジタルへと軌道を大きく変更したことを象徴的に表していると言ってよい。

このように見てくると、情報技術の歴史には過去に三つの波が生じていることがわかる。おおざっぱに区分すると、近代的な情報技術が始まった19世紀はデジタル情報技術による第一の波の洗礼を受けた。これが20世紀になるとアナログ情報技術という第二の波が発生した。日本の企業はここで存在感を大いに発揮した。そして21世紀に入った現在、第三の波として再びデジタル情報技術が世界を襲っている。

ただし21世紀のデジタル情報技術には、19世紀のデジタル情報技術とは異なる大きな特徴をもつ。それはあらゆる情報をバイナリー・デジット（二進法の数値）、略して「ビット」で表す点だ。ビットとは0と1を指すから、あらゆる情報は0と1に還元できる。アトムが物質の最小単位であるように、ビットは情報の最小単位となる。このビットを用いてあらゆる情報を表現するのが、21世紀のデジタル情報技術の最大の特徴となる。同じデジタル情報技術でも、現在起こっている第三の波は、第一の波に相当するデジタル情報技術、すなわち腕木通信や電信とはまったく異なる特徴をもっている。

いよいよ本書ではITの250年に生じた第三の波であるデジタル情報技術、厳密に言うと「ビット情報技術」についてふれなければならない。ビットを扱う装置といえばコンピュータがその代表になる。コンピュータが世に出る経緯を知るには、再び歴史をさかのぼる必要がある。

第6章 コンピュータの誕生

計算機の発達

アナログ情報技術時代のコミュニケーション方式は、電話がもつ1対1、テレビ放送がもつ1対nが主流となっていた。人は放送すなわちマス・メディアから一方通行の情報を得るとともに、電話ではプライベートな1対1のコミュニケーションを行えた。腕木通信の時代から思うと、情報技術の大衆化は格段に進んだ。

とはいえ情報技術が一層大衆化するとしたら、電話と放送のみによるコミュニケーション手段では足りないものがある。それは個々の大衆が大衆に向けて情報を発信する手段、すなわち放送がもつ1対nのコミュニケーション手段を個人がもつことだ。大衆がこの手段を手に入れることで、腕木通信時代以来のトレンドだった情報技術の大衆化はさらに進展することになるだろう。

個人が1対nの情報を発信する可能性は無線技術によって現実となった。しかし無線がラジオ放送に進展する過程で、多くの人は送信者すなわちブロードキャスターになることを放棄して、受信者すなわちリスナーになる道を選んだ。しかし、第二次世界大戦後になると、未知の可能性をもつ別の装置の開発が急速に進む。その情報技術とは電子計算機、すなわちコンピュータだった。

19世紀までコンピュータという語は「計算する人（computer）」、つまり手作業で計算する人のことを指していた。しかし人力だけでは計算に限界があるから専用の道具が開発された。日本人にとってはポピュラーな算盤（そろばん）もその一つと言ってよい。西洋でも多様な人が計算機を開発してきたが、その中には数学者ブレーズ・パスカルや哲学者ゴットフリート・ライプニッツなどの著名人がいる。

一方、機械式の計算機として一時代を画したのは19世紀のイギリスに登場したチャールズ・バベッジによる階差機関（ディファレンス・エンジン）および解析機関（アナリティカル・エンジン）だった。計算機が熱望された背景には、航海や測量に欠かせない対数表への強いニーズがあった。バベッジは完璧な対数表を安価に作るため、まず階差機関の製造に着手する。これは2万５０００の部品からなる巨大な機械式計算機で、完成すれば小数点第7位まで計算できる[1]。１８２３年、イギリス政府もバベッジの構想に共鳴し助成金の拠出を決定した。しかし１８３２年までに階差機関の一部は出来上がったものの完成することはなかった。

その後バベッジは、汎用型計算機を目指した解析機関の設計に取りかかる。解析機関では、パンチカードで情報を入力し、情報は記憶部に保存する。またパンチカードの命令にしたがって作業部が情報を処理する。さらに結果は記憶部に戻り、最終結果が印刷などで出力される。バベッジは記憶部を「ストア」、作業部を「ミル」と表現した。

解析機関の構造は現在のコンピュータの原型と言えるかもしれない。というのも、コンピュータは演算処理を実行するＣＰＵ（中央演算装置）、キーボードやマウスなどの入力装置、ハードディスクなどの外部記憶装置、モニターやプリンターなどの表示装置からなるからだ。これを解析機関に対応させると、ミルはＣＰＵ、パンチカードは入力装置、ストアは外部記憶装置、印刷などの出力結果が表示装置になる。

ちなみに、パンチカードのアイデアはジャガード自動織機の手法を援用したもので、開発には詩人バイロンの娘であるエイダ・ラブレス公爵夫人が携わったという有名な話がある。しかし、この解析機関も永遠に完成することはなく、イギリス政府は１９４２年に助成金を打ち切っている。

その後、シューツ親子の階差機関やウィリアム・バローズの加算機などの機械式計算機が開発されるが、電気を用いた計算機としてはヘルマン・ホレリスが開発した統計システムが著名だ。これはパンチカードの穴の有無により電気回路が開閉し、データを電気的に処理できる。パンチカードの穿孔機（せんこうき）や集計機、分類機などを統合した総合システムとして成立していたところがホレリスの統計機の大きな特徴だった。

その実力に対する評価は高く、１８９０年にあったアメリカの国税調査で採用が決まる。ホレリスはワシントンに会社を設立して、政府のほかにも保険会社や鉄道会社にシステムを販売した。同社はやがてコンピューティング・タビュレーティング・レコーディング社（Ｃ

ＴＲ）となり、ナショナル・キャッシュ・レジスター（ＮＣＲ）の経営陣の一人だったトーマス・ワトソンを社長に迎える。同社は１９２４年に社名をインターナショナル・ビジネス・マシンズ社と社名を改めるが、これはとりもなおさずＩＢＭのことだ。

電子式デジタル・コンピュータの誕生

第二次世界大戦が近づくにつれ、より高性能な計算機に対する需要は高まるばかりだった。たとえば長距離砲を製造するには、砲弾がどのような曲線（弾道）を描くかあらかじめ計算しておく必要があるからだ。そのため当時は次々と新たな計算機が登場した。共通する特徴は電子式（一部電気式もあり）のコンピュータということだ。

ドイツ人コンラッド・ツーゼによるＺ１（１９３６年）、ジョン・アタナソフがクリフォード・ベリーとともに開発したＡＢＣ（１９４２年）、イギリスのアラン・チューリングも開発に参加したエニグマ暗号解読機コロッサス（１９４３年）、ハワード・エイケンらによるハーヴァード・マークⅠ（１９４４年）、ジョン・モークリーとプレスパー・エッカート、さらにジョン・フォン・ノイマンものちに開発に参加したエニアック（１９４６年）というように、次々と新世代の計算機が開発されている。

これらの中で、汎用電子式コンピュータとして初めて実用化に成功したのはエニアックとするのが一般的だ。もともとはアメリカ陸軍の弾道計算のための計算機として開発がスタートしたが、完成したのは第二次世界大戦終了後の１９４６年2月のことだった。

エニアックは重さ30トンで、１８００平方フィート（約１６７平方メートル）のスペースを必要とする化け物のような装置で、1万７４６８本の真空管を搭載していた（図10）。エニアックは電気を大量に消費したため、スイッチを入れるとフィラデルフィアの電灯が暗くなったというまことしやかな話も残っている。60秒間の弾道を計算するのに、熟練者が卓上計算機で計算すると20時間を要するという。ところがエニアックを使うとたった30秒で計算できた。つまり砲弾を発射して着弾するまでの半分の時間で弾道を計算できたわけだ。

図10　エニアック

ただし、エニアックは世界初の電子式デジタル・コンピュータというわけではなかった。１９６７年、エニアックの特許を所有していたスペリー・ランド社は、ハネウェル社に対してエニアックの特許使用料を要求する出来事があった。これをハネウェル社が拒否したため訴訟沙汰になった。１９７３年、裁判はハネウェル社の勝訴で決着するのだが、判決で注目されたのはエニアックがもつ電子式デジタル・コンピュータの特許が無効と裁定されたことだ。それは開発者のエッカートとモークリーが、ＡＢＣを開発したアタナソフから基本特許となる原理を得たことが裁定の理由となった。

このようなことから、世界初の電子式デジタル・コンピュータはエニアックではなくABCだとする見方がある。しかし電子コンピュータの定義、たとえばプログラム内蔵方式か否か、プログラム内蔵方式でも固定式か可変式かなどによって、必ずしもABCが世界初とはならないため現在でも論争は続いている。

それはともかく、ここで注目したいのは、いずれが世界初の電子計算機だったのかではなく、10年の間に新たな電子計算機が次々と開発されている点だ。同様の現象は電信機や電話機、無線電信機、あるいは無線電話でも生じていた。これらにはやはり時代の必然性が関係しているように思える。そこにその時点での技術水準が電子式コンピュータの水準を規定して、さらに人間の知恵が加わってさまざまなタイプの電子計算機が生まれたのだろう。

しかも、当初は巨大な部屋を埋め尽くす装置の塊だったコンピュータが、やがてオフィスや家庭の卓上に収まることになる。当時、そんな夢のような話を誰が想像したことだろう。いや、実際に想像していた人物がいた。その人物は名をヴァネヴァー・ブッシュと言う。

ヴァネヴァー・ブッシュのメメックス

ヴァネヴァー・ブッシュは1890年生まれの電気工学者で、タフト大学やマサチューセッツ工科大学（ＭＩＴ）の助教授や教授を経て、１９３２年にＭＩＴの副学長兼工学部長に就任している。１８４０年には国防研究委員会の委員長に就任し、ルーズヴェルト大統領の科学技術顧問的な立場を占める。翌年、委員会は科学研究開発庁に格上げとなりブッシュは長官に就任した。

科学研究開発庁では委員会の頃から、研究機関と契約を結んで研究を委託する方式をとっていた。こうして科学研究開発庁は、６０００人を超える科学者をとりまとめ、爆弾やミサイル、レーダーなどの兵器開発を推進していく。お察しのとおりマンハッタン計画も科学研究開発庁の管轄で、ルーズヴェルト大統領を除くとブッシュがその最高責任者だったことになる。

電気工学者だったブッシュは、１９３０年のＭＩＴ教授時代に微分解析機という計算機を開発している。この微分解析機はあらゆる方程式を計算する装置で、ために「機械仕掛けの脳」や「思考機械」とも呼ばれた。解答は曲線の形で出力するアナログ式が特徴だった。このようなブッシュだったから、コンピュータに対する理解も深かった。しかも単に理解が深いだけではなく確たるコンピュータの将来ビジョンを有していた。ブッシュのビジョンはすでに１９３０年代から温められていたと言われ、終戦間近の１９４５年夏に世に問われることになる。

戦争の終結も間近になると、科学研究開発庁長官であるブッシュは、戦後の科学者が取り組むべき課題に思いをめぐらした。今後は軍事用途以外の研究テーマが欠かせなくなるのは必至だ。その最有力候補としてブッシュは、人の知能を増幅する装置の開発を提唱する。ブッシュはこの装置を「メメックス（ＭＥＭＥＸ）」と命名した。

ブッシュは、このメメックスの研究の必要性を説く論文「われわれが思考するごとく（As We May Think）」を雑誌「アトランティック・マンスリー」１９４５年7月号に掲載した。この論文は雑誌「ライフ」の編集者の目にとまり、より多くの読者の目にふれるよう、アトランティック・マンスリーの許可を得て「ライフ」１９４５年9月10日号に再掲載されることになる（図11上）。

ブッシュは論文の中でメメックスを、「一種の機械化された私的なファイルと蔵書のシステム」と定義したうえで、「個人が自分の本・記憶・手紙類をたくわえ、また、それらを相当なスピードで柔軟に検索できるように機械化された装置[3]」と説明する。論文にはメメックスのイメージ図も掲載している（図11下）。

形状はオフィスにある机に似ていて、天板には2枚のスクリーンが斜めに取り付けてある。記録されている膨大な資料は容易に検索でき、結果は左側のスクリーンに映し出せる。また、右側のスクリーンはペンを走らせることでメモやノートをとれるようになっている。これらを写真撮影したものは改良型スーパー・マイクロフィルムに保存できる。もちろん保存したメモやノートをあとから表示することも可能だ。

机の左側は紙の資料などを保存するための装置になっている。透明のガラスの上に手書きの文書や手紙、写真などを置き、レバーを押し下げると写真として保存される仕組みだ。保存用の媒体にはやはりスーパー・マイクロフィルムを利用する。またマイクロフィルム形式の書籍や写真、最新の雑誌のデータは、即座にメメックスに取り込める。将来スーパー・マイクロフィルムに記録されたデータは広く販売され、容易に購入できるようになるだろう、とブッシュは言う。

さらに「連想索引」という斬新な機能も備えている。これはどんな項目でも望みの項目と結びつけられる機能だと考えればよい。たとえば、左右のスクリーンにそれぞれ資料を表示し、キーを一つたたくだけで両者を永久に結合することができる。あとは資料を映し出している時、対応するコード欄の下のボタンを押すと、関連づけたもう一つの資料を即座に呼び出せる。多数の事項が結合されている場合、レバー操作で連結した資料を次々とたどることもできる。

「これはあたかも、広く散らばった情報源から事項群を物理的に集めて、新しい本を作るようなものである[4]」とはブッシュの弁だ。また、メメックスはやがて遠隔地から操作できるだろうが、当面はオフィスの備品の一つになるだろう、ともブッシュは言う。ちなみに、メメックスは「人間の記憶（memory）」と「模倣（mimic）」からの命名だった。

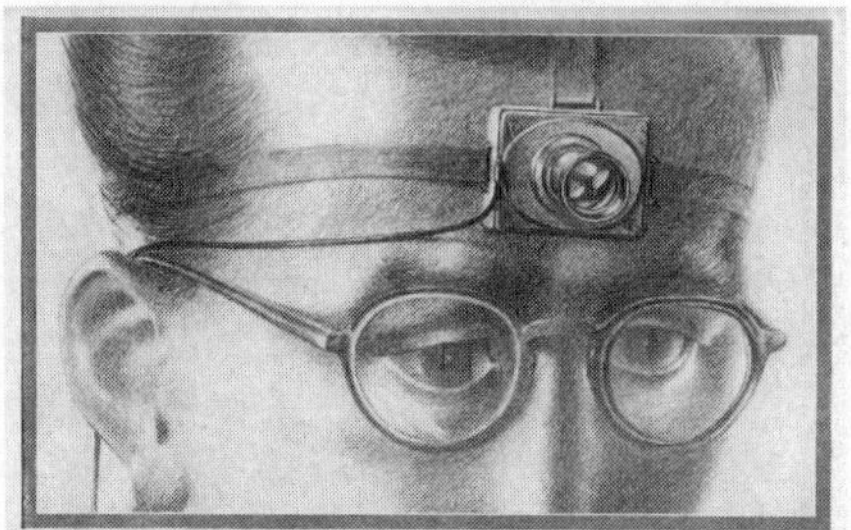

A SCIENTIST OF THE FUTURE RECORDS EXPERIMENTS WITH A TINY CAMERA FITTED WITH UNIVERSAL-FOCUS LENS. THE SMALL SQUARE IN THE EYEGLASS AT THE LEFT SIGHTS THE OBJECT

AS WE MAY THINK

A TOP U. S. SCIENTIST FORESEES A POSSIBLE FUTURE WORLD IN WHICH MAN-MADE MACHINES WILL START TO THINK

by VANNEVAR BUSH

MEMEX in the form of a desk would instantly bring files and material on any subject to the operator's fingertips. Slanting translucent viewing screens magnify supermicro-film filed by code numbers. At left is a mechanism which automatically photographs longhand notes, pictures and letters, then files them in the desk for future reference.

図11　人の知能を増幅する装置「メメックス」

ヴァネヴァー・ブッシュは論文「われわれが思考するごとく(As We May Think)」を雑誌「アトランティック・マンスリー」や雑誌「ライフ」に発表し、人の知能を増幅する装置「メメックス」の研究を提唱した。

パーソナル・コンピュータの予言

以上、ブッシュの構想したメメックスの概略についてふれた。繰り返しになるけれど、この論文「われわれが思考するごとく」が最初に掲載されたのは雑誌「アトランティック・マンスリー」1945年7月号でのことだったから、おそらく発売は同年6月のことだろう。ブッシュがこの時すでに戦後を見すえていたのは、彼が同年8月の原爆投下について知る立場にあったからだろうか。

象徴的なのは、論文が再掲された雑誌「ライフ」の1945年9月10日号のトップ記事の見出しが「合衆国、日本を占領す」である点だ。この記事には、厚木(あつぎ)航空基地にアメリカ国旗を立てる軍人やマッカーサーを迎えるアメリカ軍、廃墟と化した東京、天守閣のみ残る大阪城などの写真を掲載している。そこへ戦後をみすえたブッシュの論文が掲載されるとは、あまりにもタイミングが良すぎる。

なお、余談ながらこの「ライフ」の他のページを見ると、全面フルカラーの広告があちこちに掲載されている。ゼネラル・エレクトリックの電気毛布、ウェスチングハウスの大型冷蔵庫、テキサコの自動車オイル、ロブリーのメンズ・シューズ、キャンベルのベジタブル・スープ、ジョアン・デイビスのスワン・ソープ、ファイアストンのソファ、シボレーのトラック、ヴィタリティのハイヒール、ジョン・ステットソンの秋物紳士用品、ブラッツのビールなどなど、書けばきりがないほど派手な広告が続く。これらの広告を見る限り、アメリカがほんのしばらく前まで戦争をしていたとは到底思えない。この豊かな国の前に日本がなす術もなかったのは仕方のないことだったと改めて感じてしまう。

話を元に戻すと、先に示したメメックスの概要から、ブッシュが構想していたのは、現代で言うところのパーソナル・コンピュータだったことがわかると思う。マイクロフィルムという、いまや使用場面が極度に限定されているテクノロジーの名称は出てくるものの、資料の入出力はまさに現代の私たちがパソコンで行っていることだ。手書きの資料や写真の入力は現代のスキャナーによる作業を指しているのにほかならない。人の記憶力を増強するという意味で、この装置はＡＩ（人工知能＝Artificial Intelligence）ではなく、ＩＡ（知能増幅装置＝Intelligence Amplifier）だった。

ちなみに再び図11上を見ると、ブッシュは論文のトップで驚くべきイラストを掲載していることがわかる。眼鏡をかけた男性の額にレンズが取り付けてある。また眼鏡をよく見ると、左側のレンズに小さな四角いガラスが見える。実はここでとらえた画像を手元の紐を引っ張ることで額のレンズを通じて写真を撮れる仕組みになっている。イラストには「未来の科学者は自動フォーカス機能のレンズをもつ小さなカメラを装着して自らの経験を記録する[5]」とのキャプションがつく。現代では科学者でなくてもスマホで身近な経験を写真で保存する時代となった。また情報工学系の学者にはウェアラブル端末を常に装着して日々の経験を動画で記録している人もいる。まさにブッシュの指摘したことが現実に起こっている。

さらに、ブッシュの言う「連想索引（原文ではassociative indexing[6]）」にも注目したい。これは現在のワールド・ワイド・ウェブ（WWW）の基本機能になっているハイパー・リンクにほかならない。これにより、いままでにない新しい形の百科事典が登場するだろう、とブッシュは予言する。ウィキペディアはその予言が現実になったものと言えよう。しかも、メメックスがやがて遠隔から操作できるようになるとブッシュが予言したように、いまや私たちはこの新しい百科事典に思いのままの場所からアクセスしている。

とはいえ、ブッシュがメメックスを世に公表した時代は、いまだエニアックも稼動していない頃だ。しかもようやく稼動するエニアックは、あまりにも巨大すぎてとても小さな部屋では収まりきれないサイズだった。現実的な技術レベルがまだそんな時代だったわけで、ブッシュが語ったメメックスは夢物語ととらえられても仕方がなかっただろう。しかし、ブッシュが予言した装置がやがて徐々に現実のものになっていく。

クロード・シャノンの情報理論

ヴァネヴァー・ブッシュがメメックスの構想を語り、エニアックの開発が進展する中、これらと並行してコンピュータ理論の面でも注目すべき動きがあった。第1章でも若干ふれたクロード・シャノンが示した情報理論がそれだった。

クロード・シャノンは1916年にミシガン州ゲイロードの田舎町にある実業家の家に生まれた。少年期は電信に興味をもち、牧場を囲う有刺鉄線を電線代わりにして、半マイル先の友達とモールス信号でメッセージのやりとりをした。やがてウェスタン・ユニオン社でメッセンジャー・ボーイのアルバイトをしている。どことなくエジソンによく似た少年時代と言えるのではないか。

シャノンは大学で電気工学と数学を学び、1936年にMITの院生兼助手になる。実はその当時、同大学の副学長兼工学部長だったあのヴァネヴァー・ブッシュは、すでに微分解析機を開発しており、この装置を操作する助手を探していた。ブッシュが助手に採用したのはシャノンにほかならない。いわばブッシュとシャノンは師弟だったわけだ。第二次世界大戦中、シャノンは国家国防研究委員会顧問に就いているが、師ブッシュの当時のポジションを考えると何ら不思議はない。

シャノンはMIT時代に書き上げた修士論文で注目すべき持論を展開した。それは19世紀イギリスの数学者ジョージ・ブールの論理代数を電気回路の設計に利用するという発想だった。やがてシャノンは自らの理論をのちに言う「シャノンの情報理論」としてまとめ上げる。これが1948年のことだった。

物理学の世界は物質とエネルギーに支配されている。しかし物理学では測定不可能なものがある。たとえば紙に「5」と印刷されているとする。この紙の上に記された文字は物理学的に測定したとすると、インクの量や面積、紙全体に占める割合を算出できるかもしれない。しかし私たちは「5」を見てその意味を即座に理解する。それが「5」のもつ情報だ。つまり情報は物理学的に測定できるものではない。シャノンはこのように考えた。

さらにシャノンは、情報を最も効率的に表現する方法についても思いをめぐらす。そこでたどり着いたのが、ブールが1854年に出版した「思考の法則に関する研究」で提唱したブール代数の応用だった。ブール代数は論理や推論を数学に置き換えたもので、「1」または「0」の2値のみを用いて論理演算を実行する。基本となる論理演算は、AND演算、OR演算、NOT演算のわずか三つで、これですべての論理を表現するものだ。

シャノンはこのブール代数を電気の世界に結びつけることを思いつく。しかし、いまから思えば誰でも思いつくようなアイデアながら、これは「コロンブスの卵」的な発想だった(図12-1)。

「1」と「0」は、電気の世界で言うと回路が「入(オン)」か「切(オフ)」に相当しよう。次に二つのスイッチを直列でつないだとする。両方が「入」ならば電気は通じるだろう。これは論理演算の「AND(かつ)」を意味する。また、二つのスイッチを並列でつないだとしよう。いずれかが「入」ならば電気は通じる。これは論理演算の「OR(または)」

(12-1) AND回路とOR回路

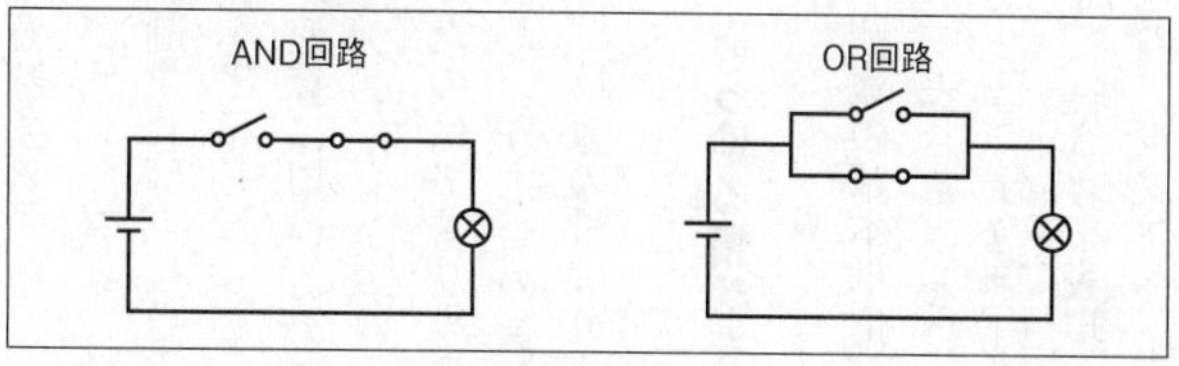

(12-2) AND・OR・NOT演算と真理値表

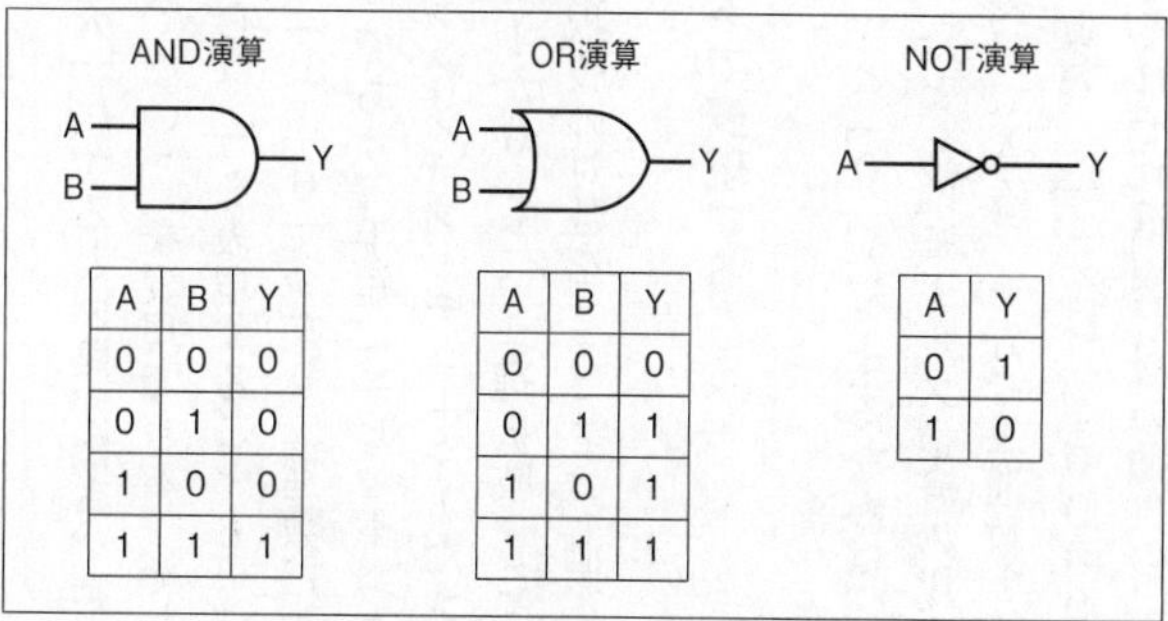

AND演算

A	B	Y
0	0	0
0	1	0
1	0	0
1	1	1

OR演算

A	B	Y
0	0	0
0	1	1
1	0	1
1	1	1

NOT演算

A	Y
0	1
1	0

図12 シャノンの情報理論

ＡＮＤは直列、ＯＲは並列の電気回路で表現することができる(12-1)。ＡＮＤ回路では両方のスイッチがオンの時のみ電球が点灯し、ＯＲ回路ではどちらかのスイッチがオンであれば電球が点灯する。

スイッチを(オン＝1、オフ＝0)、電球を(オン＝1、オフ＝0)とすれば、(12-2)の真理値表のような演算を表現できる。

を意味する。

さらに、スイッチを「入」にすると回路が開き、逆に「切」にしたら回路が閉じるように設計すれば「NOT（～でない）」を表現できる。そして以上の演算を組み合わせれば、「IF～THEN（もし～ならば）」を表現することも可能になる（図12-2）。

演算に用いるのは「1」と「0」つまり二進数だ。また結果も二進数となる。二進数は「バイナリー・デジット」であり、手短に「ビット（bit）」と呼ぶ。この呼称を初めて用いたのはアメリカの統計学者ジョン・テューキーだった。シャノンはこの語を借りて、ビットという二つの選択肢（1か0かという選択肢）こそが情報の基本単位だと考えた。そして、情報の量は可能な選択肢の対数をとることで測定できると指摘したのであった。

あらゆる情報をビットで表現する

情報の基本単位が「1」と「0」だとするならば、規則さえ決めればあらゆる情報はビットで表せることになる。たとえばモールス信号の場合、「A」は「・―」（短点、空白、長点、三つ分の空白）で表現できる。一方で二進数を使った場合、「1」と「0」の組み合わせで「A」を表現すればよい。たとえば「1000001」が「A」を表すと取り決めて、他のアルファベットにもそれぞれ重複しない独自の「1」と「0」の組み合わせを割り当てる。そうすればビットであらゆる文章を表現できるだろう。もちろんこの考え方は日本語や漢字にも応用できる。

ビットで表現できるのは文字だけではない。音声も画像も映像も、ビットでの表現が可能だ。すでに見たように音声は波形を描く。この波形を電気の波形で真似たものがアナログの電気信号だった。

の波形を描いたとする。たとえば、縦軸に振幅、横軸に時間をとった2次元グラフにアナログ信号特定する必要がある。この作業を標本化またはサンプリングと言う。波形を忠実に再現しようと思えば標本化の間隔をできるだけ小さくすればよい。ここでは波形1秒間につき800カ所で標本化を行おう。

次に、それぞれの個所における波形の位置を量として特定する。これは縦軸に準じる振幅の高さを測定する作業にほかならない。この作業を量子化と呼ぶ。縦軸の目盛も細かいほど、高さをより忠実に特定できるだろう。ここでは0から255までの目盛が振ってあり、波形はこの範囲に収まっていると考える。

そして、たとえばある標本の高さ（量）が「220」だとする。これは二進数に変換すると「11011100」となる。最大の「255」だとしたら「11111111」だ。この場合、ビットが8つあるからこれを8ビットと呼ぶ。これは言い換えると8ビットあれば、256種類（0～255）の値を表現できることになる。

それでは1秒間の波形について8000カ所でそれぞれの量を特定する。その値を2次元グラフ上に点としてプロットする。さらにこの作業を波形全体で実行する。出来上がったグラフは飛び飛びの点の集合ではあるけれど、元の波形の形状をかなり忠実に再現しているだろう。何せ1秒間に8000カ所もの値をプロットしているのだから。

また、プロットした点が「飛び飛び」であることにも注目したい。アナログ情報が連続的な値だったのに対して、デジタル情報とは飛び飛びの値、つまり離散的な値を特徴とした点でプロットしたこの波形はアナログ情報ではなく明らかにデジタル情報であることがわかる。さらに厳密に言うと、腕木通信や電信によるデジタル情報とは異なる、ビットで表現した情報、すなわちビット情報であることがわかる。

少々話が横道にそれるが、いま見た音声波形の1秒間の情報量は簡単に計算できる。1カ所8ビットで1秒間に8000カ所だから6万4000ビット、つまり64キロビット毎秒となる。「キロ」は「千」の意味だ。ISDNの日本でのサービス名はINS64だった。「64」という数字は、1秒間に伝送できる情報量が64キロビットであることに由来する。ISDNで利用されていたものだ。実はここで示した音声波形のデジタル化手法はISDN

なお、「ビット」と「バイト」の違いに留意したい。バイトとは8ビットの情報量に対する単位で、「1バイト=8ビット」になる。通常、ファイルの容量はバイトで表現するのが一般的だ。たとえば1MB（メガバイト）の容量をもつファイルは「M=百万」なので、1

00万バイトになる。これをビットに直すとその8倍だから800万ビットになる。これを64キロビットのINS64で送信すると、125秒（2分5秒）もかかる。よって、INS64にとって1MBのファイルは「重たいファイル」になるわけだ。

標本化が1秒間に8000回というのにも理由がある。これはクロード・シャノンが提唱した標本化の定理に準拠している。これは伝送する情報の最高周波数の2倍以上の間隔で標本化すれば元の情報を忠実に再現できるという定理だ。

アナログ電話の最高周波数は3・4キロヘルツで、これを概算で4キロヘルツと考える。その2倍だから8キロヘルツ、つまり8000回となる。一方、量子化の基準は特になく経験的に決められた。7ビットだと128種類の値を表現できるが忠実な表現には粗く、9ビットだと512種類の値を表現できるがその分情報量も大きくなる。この間をとって8ビットということだったのだろう。

ルネ・デカルトとデジタル情報技術

話を元に戻すと、いま見たように文字のみならず音声情報もビットで表現できることがわかった。これは画像や映像についても同様のことが言える。

たとえば画像の場合、縦横を一定の間隔で区切ることで升目（ますめ）ができる。そのうちの一つの升目について色の三原色と明暗を特定し、それぞれの値を二進数で表現する。これをすべての升目で実行する。それぞれの升目はいずれも他の升目とは独立した固有の値をもつ。つまり飛び飛びの値、すなわちデジタル情報だ。しかも二進数で表現しているからビット情報にほかならない。そしてこの升目の刻みが小さいほど、元の画像を忠実に表現できる。すべての升目を俯瞰（ふかん）して見れば、元の画像を忠実に複製していることがわかるはずだ。

　この画像を高速で連続表示したものが映像だ。ビット情報で表現した1枚の画像を、たとえば1秒間に30枚表示したとしよう。この時、時間の推移により1枚の画像の内容が微妙に変化すると、パラパラ漫画の要領で私たちの目に届き、動いている画像として認識される。もちろん1秒間に表示する枚数を多くすれば、動画の品質はさらに高まるだろう。

　このように、音声や画像、映像というアナログ情報をデジタル情報技術（ビット情報技術）で複製する場合、完全には元の情報を再現できない。デジタル情報では、飛び飛びの情報の間に本来あるべき情報が欠けている。しかし標本化と量子化の尺度を細かくすればするほど、デジタル情報は元の情報をより忠実に表現できる。つまり理論上極限まで細分化すれば元の情報と同一のデジタル情報を作り出せるわけだ。

　近代西洋哲学は、「我思う、故に我あり」と述べたルネ・デカルトに始まる。この著名な言葉を掲載するデカルトの著作『方法序説』（１６３７年）には、明晰（めいせき）な思考をするための四つの規則を掲げている。まず真と証明できない限り、いかなることも真とは考えない。次に研究対象をできる限り多くの細かな小部分に分割する。さらに思索の順序は単純なものから始めて複雑な認識へと登っていく。最後はどの部分についても完全に数え上げ、余すところなく再検査する。

デカルトが挙げたこの考え方は情報のデジタル化にも脈々と受け継がれている。特に注目したいのはデカルトが言う2番目と3番目の規則だ。問題とする対象を「できうるかぎり多くの、そうして、それらのものをよりよく解決するために求められるかぎり細かな、小部分に分割すること[7]」という態度は、いままで見てきたアナログ情報をデジタル情報に変換する過程とまったく同じと言える。そして、細分化すればするほどアナログ情報をより忠実に再現できるのであった。

また、3番目の「知るに最も単純で、最も容易であるものからはじめて、最も複雑なものの認識へまで少しずつ、だんだんと登りゆき[8]」という態度は、細分化した部分についていちいち測定し、これを全部分で行ったあと、統合して全体を再現するデジタル化の方法と共通する。

デカルト以来、西洋文化はものごとを大局でとらえるよりも、細かな要素に切り刻んで観察し、それを組み立てて全体像を示すことを得意にしてきたように思う。デジタル化の手法はまさに西洋文化が得意とする流儀そのものと言える。日本を含めた東洋思想は対象を切り刻むことなく、全体を全体のまま見ようとする。これはいわばアナログ的思考法と言えるだろう。アナログの情報技術の時代に日本企業が強かったのにはこうした要因もあったのかもしれない。しかしいまやデジタル情報技術の時代となった。その背景には17世紀のデカルトの思想が息づいているとは、何とも奇妙な話なのだ。

ビジネス・マシンとしてのコンピュータ

当初の電子式コンピュータは二進数を扱うものや十進数を扱うもの、その両者を扱うものと、仕様はまちまちだった。たとえばツーゼのZ1やアタナソフのABCは二進数を扱い、エイケンのハーヴァード・マークⅠは十進数だった。エニアックは二進数と十進数の双方に対応していたようだ。また、現代のコンピュータと同様、プログラム内蔵型でかつ実行時にプログラムの書き換えが可能だったマンチェスター・マークⅠ（1948年）やエドサック（1949年）は、当初から二進数のみを扱い、以後業界の標準になる。

1970年代までにアメリカのコンピュータ市場は、トーマス・ワトソン率いるIBMによって支配されることになる。当初ワトソンは、「世界には少なくとも5台分のコンピュータ市場が存在している。[9]」と語り、コンピュータの開発にはそれほど熱心ではなかった。このIBMがコンピュータに触手を伸ばしたのは第二次世界大戦中のことで、ハーヴァード・マークⅠはIBMの資金提供によるプロジェクトだった。しかしこのコンピュータは電気式計算機だったため、戦後のIBMは電子式コンピュータのトレンドから取り残されることになる。そのためIBMが本格的に電子式コンピュータを発売するのは1950年になってのことだった。

IBMは豊富な資金力と強力な販売網を活用して、商業コンピュータ市場のシェアを急激に高めることに成功した。これに合わせてコンピュータの性能も上がり、1964年に同社は、空前の大ヒットとなるIBMシステム360を世に送り出す。「360」には、研究開発や会社の経理、顧客データベースの構築など、360度の全方向で使用できるコンピュータという意味合いが込められている。このような何でもこなせるコンピュータをメイン・フレーム（汎用機）と呼ぶ。

IBMシステム360の大成功もあり、1970年代に入ると商業コンピュータ市場に占めるIBMのシェアは70％にも達する[10]。スタンリー・キューブリックが監督した映画「2001年宇宙の旅」で登場する巨大コンピュータは「HAL9000」という。この「HAL」は「IBM」のアナグラムで、アルファベットを1文字ずつずらしたものだ。宇宙船ディスカバリー号に搭載されたHALは当時のIBMの強さを象徴的に示している。

このようなIBMの牙城（がじょう）を切り崩すために、システム360とは異なる特徴をもつコンピュータが姿を現すようになった。その一つにディジタル・イクイップメント社（DEC）のPDPシリーズがあった。PDPはミニ・コンピュータと呼ぶジャンルを切り拓き、価格もシステム360より大幅に安かったため、大学や研究所などに多数導入される。

シャノンが言うようにあらゆる情報は「二進数＝ビット」で表現できる。となるとビットを扱うコンピュータで、ブッシュの指摘したメモや文書、写真、書籍などの各種情報を扱うことができるだろう。こうしてあらゆる情報を表現できる二進数（ソフトウェア）と二進数を扱うコンピュータ（ハードウェア）とが出会って、コンピュータは計算機以上のものとなり、やがて個人でも気軽に使える知能増幅装置であるＩＡ（ＡＩではない）として発展していく。ミニ・コンピュータの登場によりＩＡの大衆化はわずかばかり進んだ。しかし、ＩＡの真の大衆化にはまだまだ長い時間が必要だった。

ブッシュの理念を現実にする

振り返ると、ＩＡの実用化の経緯には大きく二つの流れがあり、やがてその流れは一つに合流する。一つは大学や研究所をルーツとする流れ、そしてもう一つは電子マニアのホビーをルーツとする流れだった。

第一の流れの一里塚になったのは、ダグラス・エンゲルバートが開発した装置ＮＬＳ(oN-Line System)だった。第二次世界大戦が終わった年の秋、レーダー技術者としてアメリカ海軍に所属していたエンゲルバートはフィリピンのレイテ島で帰還船が来るのを待っていた。ある日、手持ち無沙汰だったエンゲルバートは、赤十字の図書館（といっても竹造りの高床式）で雑誌を読んでいた。たまたまエンゲルバートが手にしたのは雑誌「ライフ」の1945年9月10日号だった[11]。エンゲルバートは、そこに掲載されていたブッシュの論文に強い感銘を受ける。

アメリカに戻ったエンゲルバートは、航空諮問委員会（NACA、NASAの前身）で働いたあと、ブッシュが示したメメックスを自分で開発したいと考え、カリフォルニア大学バークレー校の大学院に入る。ここでエンゲルバートは、対話するようにして作業を進められるコンピュータ・ソフトウェアの開発に尽力する。やがてスタンフォード研究所（SRI）に移ったエンゲルバートはここでNLSを開発する。

NLSはビットマップ・ディスプレイ上にグラフィカル・ユーザー・インターフェイスを映し出し、マウスの操作や5本指のキーセットで操作する。マウスはエンゲルバートが1967年に特許を取ったもので、現代の私たちが使用するマウスのルーツにあたる。

またエンゲルバートは、ブッシュが連想索引と表現した機能もNLSで実現した。エンゲルバートはこれをハイパー・テキストと呼び、結節点であるハイパー・リンクをマウスでクリックすることで連結してある資料にジャンプできる。エンゲルバートはこのハイパー・テキストの仕様をすでに1965年に開発していた。さらに、NLSの画面には小さな窓が次々と現れて違う情報を表示する。いわゆるマルチウィンドウ・システムを搭載していた。

このようにNLSは現代のパーソナル・コンピュータに近い姿をしていた。

1968年12月、エンゲルバートはサンフランシスコのブルックスホールであったコンピュータ会議で、いまや伝説となるNLSのデモンストレーションを実施した。それは当時にすると非常に大掛かりなものだった。240インチもある巨大スクリーンにプロジェクターからの映像を映し出す。大画面のリアルタイム映像はいまでこそ珍しくも何ともないが、当時は驚きの最新テクノロジーだった。スクリーンは二つに分割されていて、一方にはNLSの画面の様子を、さらにもう一方にはヘッドセットを装着したエンゲルバートの様子をビデオカメラが映し出していた。また、レンタルしたマイクロ回線でSRIにあるコンピュータとも結ばれていた。

3000人を超す来場者は、計算用途ではない従来にないコンピュータの在り方を示すNLSに大きな衝撃を受けた。ブッシュの理念が現実へと一歩近づいたのである。

ダイナブック、そしてアルトの登場

エンゲルバートのデモンストレーションを見つめる来場者の中にユタ大学の大学院生アラン・カーティス・ケイという人物がいた。10歳時に出演した「クイズ・キッズ」というラジオ番組で優勝したケイは、「神童」として知られていた。すでに小学校時代に年間400冊もの本を読んでいたというから、「神童」という呼称は決して誇張ではない。

このケイも、ブッシュが構想したメメックスについて知っていた。マルチメディアの研究に従事した故・浜野保樹(はまのやすき)が記したアラン・ケイの評伝によると、ある日読書家のケイがSF作家ロバート・ハインラインの小説『深淵(しんえん)』を読んでいた時、あるくだりの脚注でヴァネヴァー・ブッシュのメメックスにふれている個所があった。興味をもったケイはさっそく図書館で「アトランティック・マンスリー」を借りてブッシュの論文「我々が思考するごとく」を読んだというのだ[12]。

空軍を経てユタ大学のコンピュータ・サイエンス学部の大学院を卒業したケイは、やがてゼロックス社のパロアルト研究所（PARC）に職を得る。ケイはここでブッシュのメメックスやエンゲルバートのNLSよりも先進的な装置「ダイナブック」を構想する。

ダイナブックはノートサイズの個人用端末で、その名はダイナミックな本、ダイナミックなメディアから取られたものだった。ケイはダイナブックについてこう語る。「形も大きさもノートと同じポータブルな入れ物に収まる、独立式の情報操作機械があるとしよう。この機械は人間の視覚、聴覚にまさる機能をもち、何千ページもの参考資料、詩、手紙、レシピ、記録、絵、アニメーション、楽譜、音の波形、動的なシミュレーションなどをはじめ、記憶させ、変更したいものすべてを収め、あとで取り出せる能力があるものと仮定する[13]」。形状はともかく、ケイの構想するダイナブックの機能は、ブッシュが夢見たメメックスと非常によく似ているのがわかる。

またケイは、男女二人の子供たちがダイナブックを使う様子をイラストにしている。このイラストを見て誰もが驚くのは、ケイが構想したダイナブックが、現在のタブレット端末に酷似している点だろう。違う点といえば、画面の下部に物理的なキーボードがつくくらいだろうか。価格は1000ドル程度としたが、やがてケイは500ドル程度を目指すべきだと主張する。

さらにこのダイナブックのコンセプトをベースにして、ケイが所属するPARCのシステム研究室、それに計算機科学研究室が共同でアルトという小型コンピュータを開発する。これが1973年のことだった。

ダイナブックのプロトタイプと言えるアルトは、さすがに手に持てるサイズにはならなかった。本体は小型冷蔵庫程度の大きさで、ビットマップを採用した縦型の高解像度モニターにキーボードやマウスがつく。マウス操作で命令や選択ができ、画面上で見ているものがそのまま成果物となる、いわゆる「WYSIWYG（ウィジウィグ＝What You See Is What You Get）」を実現している。以後アルトは70年代の終わりまでに約1500台作られることになる。アルトの登場によりブッシュの夢はさらに現実へと近づいていく。

パーソナル・コンピュータへの別経路

ブッシュやエンゲルバート、ケイはいずれも大学や研究所に所属して、個人の能力拡張装置（IA）の開発に挑んだ。これとはまったく別の流れで個人向けの情報処理装置すなわちパーソナル・コンピュータを開発する動きがあった。それは電子工作マニアがホビーでパーソナル・コンピュータを作り出す流れだった。これにはコンピュータの頭脳にあたる電子回路テクノロジーの飛躍的発展が大きく関連している。

二進数を表現するコンピュータの電子回路は、電気の流れの有無を検知することがポイントになる。電気の流れがあれば「1」、なければ「0」のように電子回路で二進数を表現できるからだ。古くは電信の時代から利用されたリレーもこの電子（気）回路の一つだった。リレーは電磁石を利用したもので、電気が流れると電磁石から磁気が起こり、それに金属のスイッチが引っ張られて回路を「入」にするものだ。ハワード・エイケンが開発した計算機ハーヴァード・マークIはこのリレー方式を採用していた。そのためハーヴァード・マークIは電子式ではなく電気式コンピュータと呼ばれたわけだ。

このリレー方式に取って代わったのが、エニアックも使用していた真空管だった。真空管は電圧がプラスかマイナスかで電気の流れを「入」にしたり「切」にしたりする。これが1

９４８年になると、ウィリアム・ショックレーらが半導体を用いたトランジスタを開発した。トランジスタも電圧の向きにより電流の「入」「切」を制御する。この半導体はトランジスタのみならず、電子回路に必要な抵抗やコンデンサ、ダイオードといった電子部品も作れる。こうして１９５９年、ジャック・キルビーとロバート・ノイスがほぼ同時に、一つの半導体上に電子回路をのせた「ＩＣ（集積回路＝Integrated Circuit）」を開発する。

このＩＣはやがて大規模集積回路（ＬＳＩ）、超大規模集積回路（ＶＬＳＩ）へと発展していく。さらにコンピュータの頭脳である中央演算装置（ＣＰＵ）を一つの半導体で実現する技術が誕生する。これをマイクロ・プロセッサ（ＭＰＵ）と呼んだ。「インテル、入ってる」のあのインテルが、ＰＡＲＣが設立されたのと同じ１９７０年にＭＰＵ「４００４」を開発し翌年出荷している。インテルがこの世界最初のマイクロ・プロセッサの開発に着手したのは、日本の電卓メーカー・ビジコンの依頼が発端となっている。開発にはビジコンの社員だった嶋正利（しままさとし）が参加している。

「４００４」やその後継の「８００８」は電卓の頭脳とは別の用途にも利用された。これらのＭＰＵを使ってコンピュータの仕組みを学ぶ電子工作キット、いわゆるマイコン・キットが人気を集めるようになる。１９７４年になると、インテルは６０００個のトランジスタが載るＭＰＵ「８０８０」を世に送り出した。

振り返ると、この８０８０の発表は時代を画する出来事だった。端緒となるのはＭＩＴＳ

社のエド・ロバーツという人物だった。ロバーツはこのＭＰＵを大量に購入して「アルテア　８８００」という名のマイコン・キットを売り出した。組み立てにはそこそこ腕が必要だったので、ロバーツは完成品も売りに出した。

アルテアはパーソナル・コンピュータと呼ぶにはあまりにも非力な装置だった。キーボードやモニターはない。では、どうやって入力したかというと、筐体(きょうたい)の前面にある16個のスイッチを利用した。このスイッチを用いてプログラムやデータを入力する。もちろん二進数を用いてだ。走らせたプログラムの結果は、これも筐体の前面にあるＬＥＤで確認した。つまりキーボードはスイッチ、モニターはＬＥＤというわけだった。

図13　アルテア8800

キットの価格は３９７ドル、これが完成品になると４９８ドルに跳ね上がった。対ドルの為替レートは当時３００円前後だったから、日本円では11万９１００円および14万９４００円に相当する。当時の小学校教員の初任給が約5万４０００円だったことを考えると、アルテアがたいへん高価なおもちゃだったことがわかる。

ところがこのアルテアが雑誌「ポピュラー・エレクトロニクス」の１９７５年1月号で紹介されると、電子マニアの間で大きな話題となり、３カ月で４０００台も売れたという[14]。世の中、何が起こるかわからない。

ゲイツとジョブズが舞台に上がる

1974年12月、雑誌「ポピュラー・エレクトロニクス」の1975年1月号の表紙に目が釘付けになっている電子マニアがボストンに二人いた。表紙にはアルテアの写真が大きく掲載されていて「まさに画期的！　世界初のコンピュータキット　市販のコンピュータに匹敵する高性能コンピュータを自作できる……しかも『アルテア8800』なら1000ドル安く[15]」とのコピーが踊っている。さらに33ページを開くとアルテアの詳細を解説した記事がある。

目を皿のようにして記事を読む二人は、このコンピュータを使えば対話型のプログラムが実現できるに違いないと考えた。この二人の人物とは、やがてマイクロソフト社の共同創設者になるビル・ゲイツとポール・アレンにほかならない。

1955年生まれのゲイツと1953年生まれのアレンは、シアトルで最高レベルの私立学校レイクサイド・スクール時代からの友人同士だった。アルテアを「発見」した当時、ゲイツはハーヴァード大学、アレンはワシントン州立大学の学生だった。アレンがハーヴァードのあるボストンにいたのは、ゲイツに会社を興そうと誘われていたからだ。二人はこのアルテアを対象にしたプログラミング言語BASIC（ベーシック）を書き上げて、MITS社に供給するビジネスを始める。

コンピュータを特定の目的のために働かせるには、その操作手順を人間が書かなければならない。これをプログラムと呼ぶ。二進数で計算処理するコンピュータが理解できるのは「1」か「0」のいずれかだ。だからプログラムも「1」と「0」で書く必要がある。これを機械語やマシン語と呼ぶ。しかし、人間が機械語でミスなくプログラムを書くのは至難の業だ。そこで人間の自然言語に近い方式でプログラムを書く方式が開発された。これをプログラミング言語と呼び、この言語で作成したプログラムは機械語に翻訳されてコンピュータで実行される。

ＢＡＳＩＣは代表的なプログラミング言語の一つであり、これがアルテアで走ればプログラミングが非常に容易になる。ゲイツたちはそこにビジネスの機会を見出したわけだ。驚くのはゲイツもアレンも、実物のアルテアやＭＰＵ「８０８０」を一度も見ることなしにアルテア用ＢＡＳＩＣを完成させたことだろう。１９７５年４月、ゲイツとアレンはマイクロソフト社を設立し、以後、パソコン・ソフト市場のナンバー１企業として君臨し続けることになる。

一方でアルテアは、シリコンバレーにできた電子工学の専門家やマニアが集うホームブリュー・コンピュータ・クラブでも話題になった。同クラブは「ポピュラー・エレクトロニクス」が１９７５年１月号で掲載したアルテアに触発されて結成された。１９７５年３月５日にあった最初の会合ではアルテアのデモが行われた。

この会合には30名ほどの愛好家が集まったが、その中の一人にヒューレット・パッカード社に勤めるスティーブ・ウォズニアックがいた。ウォズニアックは遠隔のコンピュータに接続する、モニターとキーボードをもつ端末を設計したことがあった。デモを見ていたウォズニアックは考えた。アルテアがもつ基板を利用すれば、ちょっとしたスタンド・アローンのコンピュータを作れるのではないか――。

このことに気づいたウォズニアックは、自作パソコンの開発に取りかかる。インテルのMPU8080は価格が高かったので、モトローラの6800と同じ仕様の廉価なMPUを使用する。こうして同年6月29日に手作りのコンピュータが完成した。キーボードを打ち込むと画面に文字が映し出され、ウォズニアックは驚喜する。

さらにこのウォズニアックの手作りコンピュータを目の前にして、同じく驚喜した人物がいた。あのスティーブ・ジョブズである。ジョブズは自宅のガレージでこのコンピュータを製造して売り捌く(さば)ことを計画する。こうして1976年4月1日、ジョブズとウォズニアックはパートナー契約を結び、アップル・コンピュータが誕生する。マイクロソフトの設立から遅れること1年のことだった。

このように両社設立の契機にはインテルのMPU8080、それにいまや忘れさられたアルテア8800というパーソナル・コンピュータの存在があったことは極めて興味深い。

ウィンテルとマッキントッシュ

メイン・フレームで寡占的な力を誇っていたIBMは当初パーソナル・コンピュータを「おもちゃ」としてしかみなしていなかった。しかしアップルⅠやアップルⅡ、タンディラジオシャック社のTRS-80、コモドール社のPET、アタリ社のアタリ400、アタリ800、日本では日本電気のPC-8001などが次々と姿を現し、パソコンの勢力は増していく。しかもアップルⅡで動く世界最初の表計算ソフト「ビジカルク」といった人気ソフトウェアも現れるようになった。

IBMもこのようなパソコン市場の動きを無視できなくなり、1981年にIBM PCを投入する。その前年にマイクロソフトはIBMに対して、PCの基本的な動きを制御するオペレーティング・システム（OS）としてMS-DOS（マイクロソフト・ディスク・オペレーティング・システム）を供給する契約を結んでいた。また、IBM PCはインテル社製CPUを採用することも決める。さらにIBMはPCの仕様を公開したため、PCが普及するにつれて必須のパーツを供給するマイクロソフトとインテルは急成長する。こうしてやがて、いわゆる「ウィンテル」時代（マイクロソフトのOSウインドウズとインテルを合わせた造語）が到来し、パソコン市場に王国を樹立する。

一方、ウィンテルとは別の道を歩んだのがアップルだった。1979年12月、ジョブズはPARCを訪れ、アラン・ケイらが開発したアルトのデモを見ている。ジョブズはアルトが採用しているビットマップとGUIにいたく感動し、次期開発のマシンにこれらの機能を導入しようと考える。

ビットマップはダグラス・エンゲルバートが開発したNLSも採用していた方式で、モニターを構成する点（ピクセル）一つ一つについて、明暗や色をコンピュータが制御する。コンピュータへの負荷は高まるが高精細な画面表示を実現できる。また、GUIとはグラフィカル・ユーザー・インターフェイスの略で、人がコンピュータと対話する際の接点に関する方式の一つを指す。従来のパソコンでは、CUI（キャラクター・ユーザー・インターフェイス）といって、文字だけでコンピュータを操作した。一方GUIではアイコンをマウスでクリックするなどしてパソコンに命令する。煩雑なコマンド（命令文）を覚える必要はなく、直感的に操作できるのが大きな魅力だった。

ジョブズはアルトのアイデアを基礎としながら、まずリサ（Lisa）を開発し、さらに1984年には満を持してマッキントッシュを世に送り出す。これはモニター一体型のパソコンで白黒9インチのビットマップ・モニターにGUIのOSを搭載する。このOSが現在のMacOSのルーツであり、筆者もそのOSを前にいまこの原稿を執筆している。

しかし不思議なものだ。ヴァネヴァー・ブッシュのメメックスがダグラス・エンゲルバートに影響を与え、エンゲルバートのデモを見たアラン・ケイがアルトの開発に携わる。大学や研究所から生まれたこれらのテクノロジーが、ホビーから発生したマックに注ぎ込まれ、2本の流れが1台のパーソナル・コンピュータに完結する。その意味でマッキントッシュはパソコン史に残る象徴的なマシンだと言える。

このマッキントッシュが発売される際、リドリー・スコット（『ブレードランナー』などで有名な映画監督）の手によるテレビ・コマーシャルが大きな話題を呼んだ。このCMはジョージ・オーウェルのSF小説で、ビッグ・ブラザーが支配する全体主義的未来社会を描いた『１９８４年』をモチーフにしていた。そこではあらゆる人がビッグ・ブラザーに監視され、ビッグ・ブラザーが命じるままに行動する。規則に違反すれば粛清（しゅくせい）が待っている、そんな社会だ。

テレビ・コマーシャルでは、スクリーンに映し出されたビッグ・ブラザーの演説を灰色の男達が聞き入っている。その会場にランニング着姿の女性が乱入して、手に持つハンマーを振り回してスクリーン目がけて投げつける。すると爆発が起きてビッグ・ブラザーは消滅し、そして次のコメントが流れる。「1月24日、アップル・コンピュータはマッキントッシュを発売します。今年の１９８４年が『１９８４年』のようにならない理由がわかるでしょう[16]」。

世界を牛耳るビッグ・ブラザーは、コンピュータ市場を寡占するＩＢＭの象徴として考えられるだろう。しかしマッキントッシュの誕生で、世の中はSF小説『1984年』のようにはならない。マッキントッシュを通じて個人の能力は解放される。ジョブズはこのメッセージをテレビ・コマーシャルに込めた。しかしいまから思うと別の見方もできる。パソコンは21世紀のデジタル情報技術時代を生み出す中核的存在になる。そういう観点からすると、画面に映る不気味な男は、20世紀を支配するアナログ情報技術だったと考えることもできるだろう。

いずれにせよ、スーパー・ボールで放映されたこの広告は大きな話題をさらった。テレビ・コマーシャルには珍しい暗いイメージのみならず、小説『1984年』を知らない人にはまったく意味不明な内容にもかかわらず、逆にその斬新さが受けた。三大ネットワークや地方の放送局がこぞってこのコマーシャルをニュースとして取り上げたというから、世間をどれだけ騒がせたかをうかがわせる[17]。

ハードウェアとソフトウェアに足りないもの

インテル社の共同創設者で集積回路の主要な発明者の一人でもあるゴードン・ムーアは、1965年に発表した論文で、のちに「ムーアの法則」と呼ばれる経験則を公表している。ムーアによると、集積回路(IC)の上に詰め込めるトランジスタは12カ月ごとに2倍になると述べた。その後ムーアは主張を若干修正して24カ月ごとに2倍、さらに18カ月ごとに2倍になるとした。

このムーアの予測どおりのことが実際に集積回路に起こり、これが大規模集積回路（ＬＳＩ）、超大規模集積回路（ＶＬＳＩ）へと発展する原動力となった。集積度が高まると電子が移動する距離が短くなり、回路の速度は速くなる。結果、コンピュータの処理能力は劇的に高まる。これは当初はホビーの対象でしかなかったパソコンが、研究や業務の用途に利用できる装置へと進展していくことを意味する。その真っ只中にいたのがビル・ゲイツやスティーブ・ジョブズたちだった。

ちなみにスティーブ・ジョブズは１９５５年生まれ、スティーブ・ウォズニアックは１９５０年生まれだった。ビル・ゲイツとジョブズは同じ年の生まれで、ポール・アレンも含めてこの４人は同世代だった。ほかにもゲイツの片腕でのちにマイクロソフトの社長になるスティーブ・バルマー（１９５６年）、ノベル社の社長からのちにグーグルの社長になるエリック・シュミット（１９５５年）、表計算ソフトのロータス１－２－３を開発したミッチ・ケイパー（１９５０年）、サン・マイクロシステムズを立ち上げるビル・ジョイ（１９５４年）とスコット・マクネリ（１９５４年）というように、１９５０年代前半にはパソコンやその関連業界で活躍する著名人が、それこそきら星のごとく並ぶ。

いずれの人々も、パソコン市場が立ち上がる１９７０年代半ばから80年代半ば（アルテアの誕生が1974年末で、マッキントッシュの誕生が1984年初め）に20代の大半を過ごしている。つまりこの時期にこのタイミングで20代を過ごせた人々は初期パソコン市場で活躍できる可能性は高かった。少なくともタイミングがあまりに早かったり遅すぎたりすると、輝かしき著名人リストに名を連ねるのは難しかっただろう。

このように考えると、やはり動かしがたい世の中の趨勢、歴史的必然性というものが存在するように思う。そしてそのタイミングで使える技術的蓄積を利用して人は創意工夫をする。その結果世の中に現れたのが、MS-DOSやマッキントッシュだったと言えるのではないか。

時代が下り1990年代になると、マルチメディア・パソコンと呼ばれるハードウェアが登場する。これは1台のパソコンでテキスト情報や画像はもちろんのこと、音楽や動画も扱えるパソコンを指す。そもそもあらゆる情報はビットで表現でき、そのビット情報を専門に扱うのがコンピュータであり、パソコンもそのカテゴリーの一つだ。しかし従来のパソコンは中央演算装置の処理能力が低くメモリの容量も小さくて、ハードディスクのデータ読み書きスピードも遅かった。そのため音楽や動画といった大きなデータを扱うのは難しかった。ところが1990年代初頭になると右に掲げたハードウェアの性能が一気に向上した。

またCD-ROMとそのプレイヤーの登場も画期的な出来事だった。CD-ROMはコンパクト・ディスクにテキストや画像、音楽、映像などのコンテンツを収録してパソコンで再生できるようにしたものだ。このCD－ROMを再生するプレイヤーを内蔵したパソコンや外付けのCD－ROMプレイヤーが誕生し、いわゆるマルチメディアな情報をパソコンで比較的手軽に利用できるようになった。1990年代初頭のこのマルチメディア・パソコンの登場により、ブッシュが約半世紀前に構想した、メモや写真、資料など個人が必要とする情報を、個人が自在に扱える装置がほぼ完成したことになったと考えてよい。IAの大衆化が一気に進んだ。

ただし、マルチメディア・パソコンはブッシュの夢を完全に現実のものにしたわけではなかった。ブッシュは遠隔からでもメメックスを操作できるようになると考えていた。これはネットワークにマルチメディア・パソコンがつながるイメージだと言ってよい。しかしながら1990年代初頭のマルチメディア・パソコンは基本的にスタンド・アローンだった。パソコン通信は存在したものの、まだマニアのものであり、その実態は電話回線を通じて中央のコンピュータにアクセスするものだった。

こうしてハードウェアとその上にのるソフトウェアは、ブッシュの時代から格段の進歩を遂げた。それ故にマルチメディア・パソコンの未完成な部分がより目立つようになる。その未完成な部分とは、ハードウェア、ソフトウェアとともに、個人の能力を高めるのに欠かせないネットワークの機能だった。そしてこのニーズに応えるべくして、やがてインターネットが一世を風靡することになる。

第7章

地球を覆う神経網（インターネット）

東西冷戦の余波

インターネットは、第二次世界大戦後のアメリカとソ連の対立、いわゆる東西冷戦が生み出したと言われることがある。確かにインターネットは東西冷戦のもとで誕生した。しかし、ソ連による核攻撃の脅威からインターネットが構築されたわけではない。以下、インターネットの歴史を概観するにあたり、まずこの点から話を始めることにしよう。

1957年10月4日、ソ連は人工衛星スプートニクの打ち上げに成功した。人工衛星の打ち上げに成功したということは、ソ連が大陸間弾道ミサイルの技術を所有している証拠になろう。アメリカは海の向こうからの核攻撃が現実味を増してきたと身震いする。こうして翌58年早々、アメリカ政府は国防省内にARPA（高等研究計画局：アーパ＝Advanced Research Projects Agency）を創設した。この組織はアメリカの技術的優位を維持し、ソ連をはじめとした東側諸国による予期せぬ技術的進展から米国を防護することを目的にしていた。設立の直接の要因はもちろんソ連によるスプートニク打ち上げだった。

1961年4月、ソ連は宇宙飛行士ガガーリンを乗せた人工衛星ヴォストークによる地球周回に成功する。アメリカはさらに身震いした。核兵器を搭載したソ連製有人人工衛星がアメリカに向けて核攻撃を仕掛ける可能性が浮上したからだ。

しかも、この衝撃がまだ冷めやらぬ翌月の5月28日、ユタ州西部で謎の爆発が発生した。この爆発により砂漠に建てられていた三つの大陸横断電話中継基地が破壊され、軍事回線やテレビ回線、長距離電話回線が不通になった。アメリカ政府はユタ、ネバダ、ワイオミングなどの州兵を派遣して、破壊された基地の復旧にあたるとともに、他の電話中継基地の安全を確保する前代未聞の事態に発展した[1]。

幸いなことにダウンした回線はしばらくして復旧したものの、この事故はアメリカにとって衝撃的だった。わずか三つの電話中継基地が破壊されただけで軍事回線が不通になり、国防の通信命令系統が機能不全に陥ったからだ。仮に通信線がソ連の攻撃の標的になったとしたら、大統領による攻撃命令、たとえば「発射せよ」や「そのまま待て」といった命令を伝達できなくなる。事件が大々的に報道された5月29日は、同年に大統領になったばかりのジョン・F・ケネディが44歳の誕生日を迎える日でもあったから、ケネディにとってはあまりにも苦い誕生日プレゼントだったに違いない。

以上のような事情が背景となり、１９６１年、米国防省はソ連の攻撃を受けても耐えうる通信ネットワークの研究に着手する。研究を依託されたのはＲＡＮＤ（ランド）研究所だった。ＲＡＮＤ研究所はアメリカ陸軍航空軍の研究プロジェクトに端を発し、１９４８年に独立機関として成立した。第二次世界大戦中に民間科学者が行った研究の蓄積を平時も継続できるようにしたのがＲＡＮＤ研究所のそもそもの端緒だった。ちなみに「ＲＡＮＤ」は「リサーチ・アンド・デベロップメント」から取られている。

RAND研究所では研究募集の回覧が研究者に回し読みされていた。その中にあった「新通信システム研究募集」が、国防省からの核攻撃にも耐える通信ネットワークの研究だった。この募集に目を留めたのがポール・バランという人物だった。

電信ネットワークに帰るという発想

1926年生まれのポール・バランは皮肉にもロシア生まれで、2歳の時にアメリカに移住した。ドレクセル工科大学を1949年に卒業し、エッカート・モークリー・コンピュータ社（EMCC）に入社している。

同社はエニアックを開発したプレスパー・エッカートとジョン・モークリーが1946年に共同で設立した、世界初の商用コンピュータを製造する企業で、電子計算機ユニバック（ユニバーサル・オートマチック・コンピュータ）の商用化を目指していた。しかしバランは同社の将来に不安を抱き早々に退社している。実際、モークリーとエッカートに経営手腕はなかったようで、EMCC社は1950年にレミントン・ランド社に買収されてしまっている。

その後バランは働きながら夜間の大学院でコンピュータのコースを取り、1959年にR

ＡＮＤ研究所のコンピュータ・サイエンス部門に職を得る。以前からバランは、東西冷戦の中、通信システムが核攻撃を受けた場合の影響に興味をもち自主的な研究に取りくんでいた。そのようなタイミングでバランは「新通信システム研究募集」の回覧を目にし、にわかに本格的な研究に着手する。こうしてバランは、１９６２年から１９６４年にかけて報告書「分散型通信ネットワークについて」やシリーズ報告書「分散型通信について」を公表する。

バランが核攻撃に強いネットワークとして想定したのは、報告書のタイトルにあるように集中型ではなく分散型のネットワークだった。かつてＮＨＫスペシャルで「新・電子立国」という番組が、１９９５年から１９９６年にかけて９回放映された。その最終回「コンピュータ地球網」でバランはインタビューに答えて、構想したネットワークの特徴についてこう語っている。

一言で言って、電信の時代に戻ろうというアイディアでした。昔は全米に網の目のように電信局が置かれていました。電信局では、隣の局から転送されてきた電文を、紙の鑽孔テープに打ち出します。それを受け取った電信士はテープを宛先別に振り分け、目的地により近い隣の局へ転送します。この繰り返しでメッセージは目的地に到着しました。この方法だと、線が切れたり電信局が破壊されたりしても、そこを迂回すれば電報は届いたのです。「そうだ、電信に戻ろう」。問題はどうやってこれを自動化するかでした。そのためにコンピューターを使った通信システムを考え始めたのです[2]。

バランの言及には重要なポイントが少なくとも三つある。

まず、バランが新たなネットワークに電信のアナロジーを用いたという事実だ。当時の通信ネットワークの代表は何と言っても電話だった。電話ネットワークでは中央の交換機に個々の電話がつながっている。そのため交換機のある電話局が破壊されれば通信はストップせざるを得ない。一方、電信はネットワークの構造が分散型になっている。中央集権的なネットワークの欠点を解消するには、かつての電信網のように複数の経路をもつネットワークに戻るべきだ。バランはこのように考えた。

また、このネットワークにコンピュータを活用しようとした点も大きい。電信局では届いたメッセージの宛名を確認して、同じメッセージを宛先に最も近い電信局に送信する。この作業を人手ではなくコンピュータで代替させようとバランは考えた。現在ではバケツリレー（腕木通信でも実行されていた手法だ）にも似たこの作業をルーティングと呼んでいる。

一方、コンピュータはデジタル方式だが、端末だけデジタル化しても仕方がない。デジタル情報技術を用いるには、ネットワークもアナログ方式ではなくデジタル方式が必須だ。これが三つ目のポイントになる。実際、デジタル信号はアナログ信号よりもノイズに強いという利点も、核攻撃にも耐えうるネットワークにふさわしい。

すでに我々は、19世紀がデジタル情報技術の時代、20世紀がアナログ情報技術の時代であることを見てきた。電信は19世紀を代表するデジタル情報技術にほかならない。そしてバランは電信の時代に戻ろうと宣言する。これはデジタル情報技術への回帰を宣言しているようにも思える。意識していたかどうかはわからないが、バランは21世紀がデジタル情報技術の時代になることを予見していたことになる。

パケット交換方式の誕生

さらにバランは、前述したインタビューでは言及していないものの、コンピュータを用いた分散型ネットワークに画期的なアイデアを持ち込んだ。それはメッセージ・ブロックと呼ばれるものだった。

コンピュータで送るデータは、丸ごとそのまま送るのではなくある特定の単位で細分化する。バランはこの細分化されたデータをメッセージ・ブロックと呼んだ。それぞれのメッセージ・ブロックには、データ本体とは別に、目的地および細分化されたメッセージ（データ）を再構成するための情報が記述されている。さらにコンピュータから送り出されたメッセージ・ブロックは、ネットワークでつながっている隣のコンピュータ、そのまた隣のコンピュータへとルーティングされるわけだが、その際にどのルートを通るかは問題としない。ばらばらだったメッセージ・ブロックが目的地に到着して元に戻ればそれでよしとする。このようにどこか緩いルールは従来の常識的な通信網の考え方と大いに異なっていた。

バランがメッセージ・ブロックのアイデアを思いついた同時期に、イギリスのドナルド・デイヴィスという物理学者も同様の仕様によるデジタル通信を考えていた。デイヴィスは細分化したデータのことを「パケット」と呼んでいた。アイデアを公表したのはバランのほうが先だったが、以後、バランが提案したメッセージ・ブロック（正式名称は分散型付加メッセージ・ブロック）という呼称は消え、パケットと呼ばれるようになり、また通信仕様名についても「パケット交換方式」が用いられることになる（図14）。RAND研究所ではバランによるコンピュータを用いた分散型ネットワークの構築を軍に対して勧告した。これが1965年のことだった。

翌66年、軍は検討の結果、RAND研究所の勧告を受け入れてネットワークの構築を始めようとした。しかし実施作業にあたったのは国防総省の国防通信局（DCA）で、この組織はデジタル情報技術についての知識は皆無に等しく、旧弊な将校たちはバランの計画に懐疑的でもあった。実施主体がDCAでは計画が成功する見込みはないと判断したバランは、国防省の上層部（たまたまバランの友人だった）と相談し、DCAに降りた予算を取り消させることになる。こうしてバランの計画はお蔵入りとなってしまった。

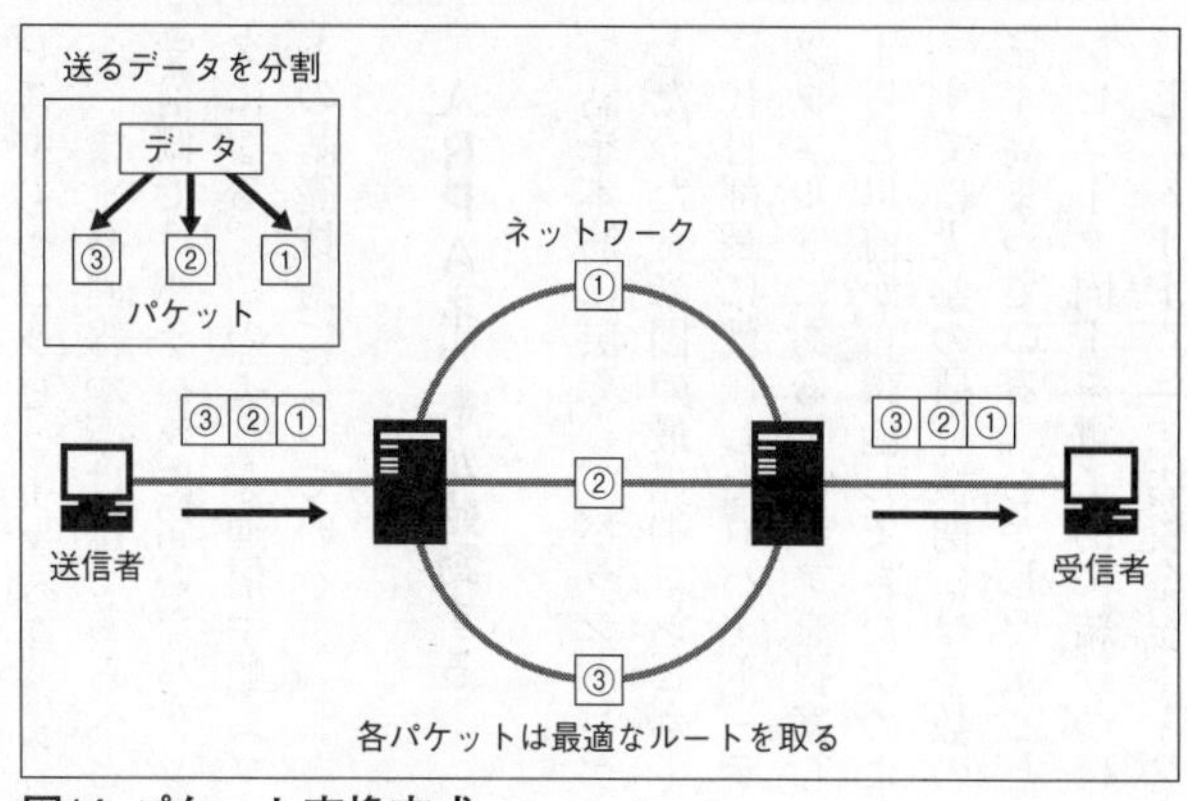

図14 パケット交換方式

結局バラン自身は、電信時代に戻るネットワークの構築を実現できなかったし、パケット交換方式についても、バランはもとよりデイヴィスも実用化するまでには至らなかった。しかし、①電信ネットワークを模し、②電信局をコンピュータに置き換え、③パケットに細分化したビット・データを、④ルーティング方式で送り届ける、というアイデアは、現代のインターネットの基礎になる考え方だったと言ってよい。

たとえば、インターネットで画像を添付したメールを送るとしよう。このメールのデータは細切れのパケットにされ、それぞれに送信先のＩＰアドレス（宛先）やパケットの通し番号などを含むＴＣＰが付される。このパケットがネットワークに送り出され、電信局にあたるルーターを経由して宛先のＩＰアドレスをもつコンピュータへ届けられる。その際にパケットはA回線が空いていればそちらへ、またB回線が空けばそちらへというように、いろんなルートに分散して送られている。受信側ではバラバラに届いたパケットがTCPに基づき再構成されて画像付きメールのデータになる。このような通信手順（プロトコル）をTCP／IPと呼び、現在のインターネットの基礎技術になっている。

ARPAネットが始動する

話を本筋に戻そう。バランがパケット交換方式を断念した1966年、この年の2月のことだった。米国の最先端コンピュータの研究開発を支援する情報処理技術局（IPTO）の三代目部長に就任したロバート・テイラーは、上司にあたるARPA局長チャールズ・ハーツフェルドにあるアイデアを提案しようとしていた。それは初代部長J・C・リックライダーらと以前から議論してきた次のような構想だった。

すでに大学の研究機関には多数のコンピュータが導入されているものの、その需要はますます高まっている。しかし要求ごとに資金を投じていては莫大な費用がかかる。そこで、コンピュータ同士を電子的に結びつけてやれば、資源や研究結果を共有できるようになるだろうし、ハードウェアの資金を1〜2カ所に集中投資することも可能になるだろう。また、このコンピュータのネットワークという考え方では、異なるメーカー間のコンピュータも結びつけることができる。異機種間のデータ共有という頭痛の種も解消する。

テイラーはハーツフェルドの部屋を訪問すると温めていたアイデアを披露した。鷹揚でとおっていたハーツフェルドは、優れた提案にはものの30分もしないうちに予算をつけることで有名だった。ハーツフェルドはテイラーの提案に即断即決で100万ドルの予算をつけた。テイラーが提案に要したのはわずか20分だったという[3]。いずれにしろ、このたった20分間のプレゼンテーションからARPAネット、のちにインターネットと呼ばれるコンピュータ・ネットワークのプロジェクトが正式に始動する。

予算を手にしたテイラーはプロジェクトを推進する技術者としてラリー・ロバーツをリクルートした。すでにロバーツは大陸間の2カ所のコンピュータをネットワークで結ぶことに成功していた。今回のプロジェクトにはうってつけの人物として白羽の矢が立った。

自由裁量でネットワークを構築する権限を得たロバーツは、機種の異なるコンピュータを結ぶために、既存のコンピュータを中間コンピュータに接続するアイデアに至る。この中間コンピュータはデータの送受信や経路制御を実行するもので、のちにIMP（インプ＝Interface Message Processor）と呼ばれるようになる。

ネットワーク上のデータのやりとりはIMPに任せることで、既存のコンピュータは送受信にタッチしない。既存のコンピュータにはIMPと接続する環境を設けることで種類の異なるコンピュータ間でデータのやりとりを実現しようと考えた。つまりＩＭＰは現在で言うルーターにほかならない。また、電信網で言うならば、電信局に詰めていた電信士の役割を担うのがこのＩＭＰになる。

ただし、ネットワークが具体的にどのような通信手順いわゆるプロトコルで動くかは、いまだまったく白紙だった。ロバーツはＡＲＰＡネットと名付けたこのネットワークについてコンピュータの学会で発表する。そしてこのシンポジウムでロバーツは、ポール・バランやドナルド・デイヴィスらと出会い、初めてパケット交換方式について知ることになる。ワシントンに戻ったロバーツはポール・バランが書いた報告書を探し出し精力的に内容を検討し、ＡＲＰＡネットのプロトコルにパケット交換方式を採用することに決めるのであった。

ＡＲＰＡネットは戦争目的ではなかった

このように、やがてインターネットとなるＡＲＰＡネットは、あくまでも米国の大学や研究所にあるコンピュータを結んで資源を共有するのが当初の目的であった。よく「インターネットは軍事目的で開発された」ということが言われるが、それとはほど遠いものだった。

実際、コンピュータ・ネットワークの構築を提案したロバート・テイラーは「全米の科学関連の研究所にあるコンピュータを相互に接続し、科学者たちがコンピュータの資源を共有できるようにすること」[4]」がARPAネットの目的だと考えていた。また、ラリー・ロバーツは「ソビエトの核攻撃に対する恐怖心がネットの誕生を正当化したのは事実ですが、これが誕生の本当の理由ではありません[5]」と述べている。ロバーツの言う本当の理由とは「我が国におけるコミュニケーション技術の発展」であり「完全に一般市民のほうを向いた」ものだった。

インターネットが「軍事目的で開発された」との誤解が生じた経緯には、まず、その起源が国防省傘下のARPAによるARPAネットに端を発することが挙げられるように思う。ARPAが開発したのだから軍事目的と解釈されても仕方がない。

これに加えて、ARPAネットが採用したパケット交換方式の存在がある。すでに見てきたように、生みの親であるポール・バランは、核戦争にも耐えうる通信システムの開発を念頭にパケット交換方式を設計した。これは明らかに軍事目的だ。このバランのコンセプトがインターネットに適用されたため、インターネットは軍事目的に開発されたという誤解がより強固になったのではないか。

しかしARPAネットの実際の構築では、核攻撃に耐える通信ネットワークの実現が考慮に入れられていたのも事実だ。その証拠はIMPの頑強な作りにある。IMPはハネウェル社のミニ・コンピュータ「DDP516」をベースに製造されたが、その筐体(きょうたい)は高さ180cm、幅60cm、奥行き70cm、重量は約400kg、灰色の鋼鉄製ケースを身にまとい、天井にはクレーンで吊すための鉄の輪が四つある装置だった[6]。

なぜそこまで頑強にしたかについては、ＩＭＰを開発したボブ・カーンが証言している。「筐体を補強して製作しました。補強したのは、とにかくこのネットワークにできるだけ生き残るチャンスを与えるためでした。われわれとしては、マシーンに正面から熱を当てたり激しくたたくような状況を想定しました。核爆発の熱線や衝撃波を受けても、絶対にＩＭＰが壊れないことを第一に考えました[7]」。

このようにＡＲＰＡネットの当初の目的は科学者のデータ共有を促すことにあったのだが、実施段階では核戦争にも耐えうるネットワークの構築という目標も紛れ込んでいた。この事実から考えると、「インターネットは軍事目的で始まった」とするのは間違っているものの、「のちに軍事目的も兼ねるようになった」となろうか。

それはともかく、バランのコンセプトがインターネットに適用されることで、ここに電信時代に戻ったネットワークの考え方が再び姿を現すことになった。しかし不思議なものだ。18世紀末に始まった腕木通信の固有名詞は「テレグラフ」といった。やがてシャップの腕木通信同様、視覚で信号を送受信する方法を示す語としてテレグラフは普通名詞化する。

一方、テレグラフに電気を利用するようになると、これは「エレクトリック・テレグラフ」となる。つまりこれは「電気通信」すなわち「電信」にほかならない。さらにやがて「エレクトリック・テレグラフ」から「エレクトリック」が欠落し、単に「テレグラフ」と表現すれば、これは電信を指すようになる。そしてこの「テレグラフ（電信）」の考え方がインターネットの基本構造に採用されたわけだ。以上の意味において、腕木通信（テレグラフ＝遠くに書く）の精神がインターネットにも息づいていると言えば言い過ぎだろうか。

ARPAネットからインターネットへ

１９６９年9月、ＩＭＰの1号機がカリフォルニア大学ロサンゼルス校（ＵＣＬＡ）に設置された[8]。さらにそれから1カ月後、2号機がスタンフォード研究所（ＳＲＩ）に搬入された。すでにＵＣＬＡ側はＳＤＳ社製のシグマ7とＩＭＰ1号機をケーブルで結び相互通信ができるようになっていた。一方のＳＲＩ側は同じくＳＤＳ社製のＳＤＳ９４０とＩＭＰ2号機とを接続する。さらにＩＭＰ1号機と2号機は50キロバイトの専用通信回線で結ばれた。これがＡＲＰＡネットの最初のネットワークだった。ＵＣＬＡとＳＲＩ間の通信が成功したのは１９６９年10月のことだった。

さらに同年11月にはカリフォルニア大学サンタバーバラ校（ＵＣＳＢ）、12月にはユタ大学にＩＭＰ3号機と4号機が導入され、当初の計画通り4カ所がネットワークで結びつけられた。コンピュータはＵＣＳＢがＩＢＭシステム３６０、ユタ大学がＤＥＣのＰＤＰ-10だった。このように接続されたのはすべて異なるコンピュータだった。ＵＣＬＡとＳＲＩ、Ｕ

ＣＳＢはいずれもカリフォルニア州にあった。そのため回線は相互接続した。しかしユタ大学はかなり遠距離にあり費用もかさむため、最も近いＳＲＩとだけ専用回線で結んだ。

ところで、ネットワークには次々と新たなコンピュータ（ＩＭＰ）がつながるが、それをどう認識するのだろう。実は、新たなＩＭＰがつながると、ＩＭＰ自身が経路表を自動的に書き換える仕組みになっていた。

そもそもＩＭＰは別のＩＭＰからパケットを受け取ると、パケットの目的地を確認し、ＩＭＰ自身が保有する経路表を参照して、そのパケットを送り出すべき次のＩＭＰを特定する。しかしこの経路表が古くては正常に機能しない。そこで、ＩＭＰは隣のＩＭＰと常に連絡をとり、新たなＩＭＰがネットワークに加わると、状況の変化に応じてＩＭＰは自分がもつ経路表を更新する。こうしてＩＭＰは、最新の経路表に基づいて、あたかも人間の電信士のように、アドレスに応じたＩＭＰへとパケットを送信する。

最も遠距離にあるユタ大学の接続が成功すると、以後、ＡＲＰＡネットにつながるコンピュータは次々と増えていく。翌１９７０年には、ＩＭＰを開発した民間企業ボルト・バーネック・アンド・ニューマン（ＢＢＮ）社、アメリカ大陸東部にあるボストンのマサチューセッツ工科大学（ＭＩＴ）、ハーヴァード大学、ＲＡＮＤ研究所などがネットワークに参加した。さらに１９７１年12月までにカーネギー・メロン大学やリンカーン研究所、イリノイ大学、スタンフォード大学などが加わり、25以上のノード（接続拠点）を結ぶ全米規模のネッ

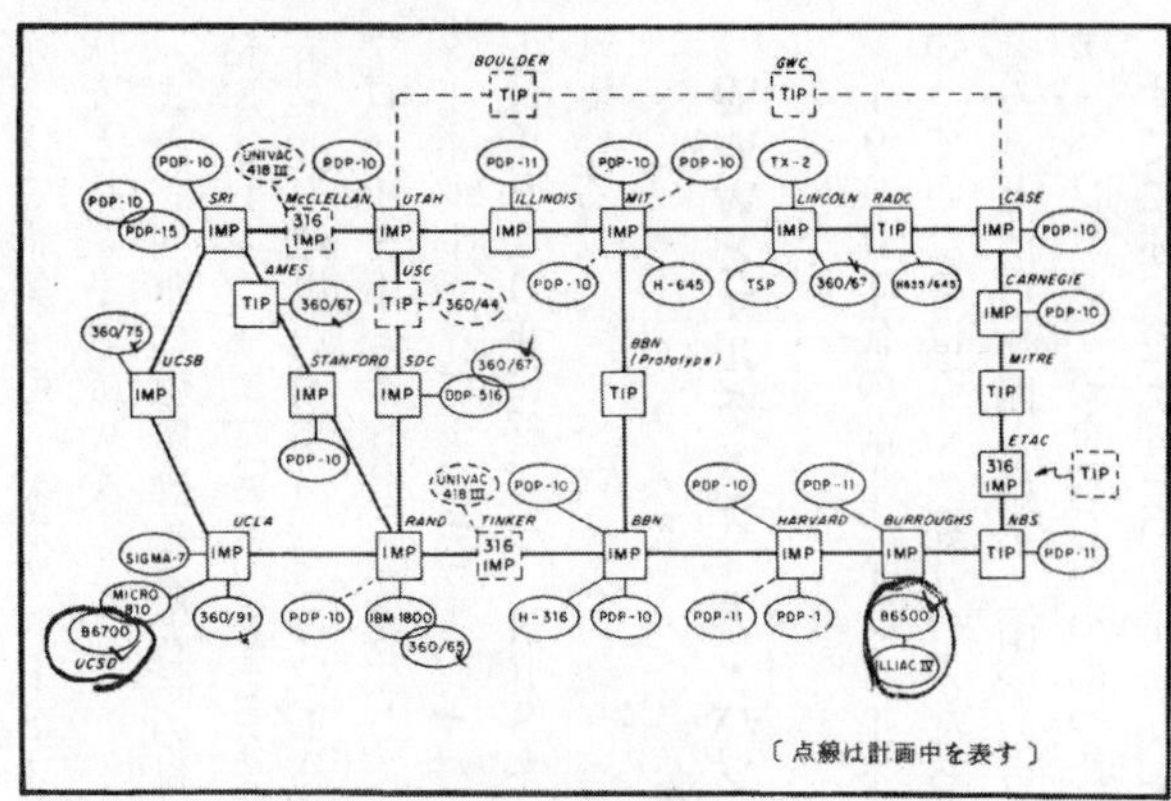

図15　1971年12月時点のARPAネットの模式図

ネットワークにつながるIMPには、MITやハーヴァード、UCLA、カーネギー・メロン、スタンフォードなど全米の大学の名称が見られる。（出典：EDP Industry Report 72-3-3）

トワークに成長する（図15）。さらに5年後の1976年にその数は50ノードに達した。

とはいうものの、アメリカの全大学や研究所がARPAネットに接続できたわけではなかった。それは限られた人しかアクセスできないネットワークだった。そのため、1970年代の終わり頃からARPAネットとは異なるネットワークが誕生する。USEネット、CSネット、BITネット、グレイト・ホワイト、ネットノースなどがそうしたネットワークだった。さらに1984年になると、アメリカ科学財団（NSF）がスーパーコンピュータ・センターを大容量の専用線で結ぶNFS

ネットを構築する。やがてNFSネットには、ARPAネットのほか独立系ネットワークも次々と接続されていく。

また、同年には慶應義塾大学の村井純らが、東京大学・東京工業大学・慶應義塾大学を結ぶJUネット（Japan / Japanese University Network）を構築し日本におけるインターネットの運用が始まる。さらに1989年には世界最初の商用インターネット・サービス・プロバイダー（ISP）が誕生している。日本で最初の商用ISPは鈴木幸一らによるインターネット・イニシアチブ・ジャパン（IIJ）で1992年のことだった。ARPAネットは1990年に終了し、NFSネットのバックボーンも1995年に民間管理へと移行されている。

WWWとマルチメディア・パソコン

1990年代の前半、インターネットはまだまだ研究者のためのものであり、その存在を知っていたのはごく一握りの人たちだった。一方、注目したいのはインターネットが民間にそろりと門戸を開き始めた頃、パソコンの性能は格段に向上して、いわゆるマルチメディア・パソコンが姿を現しつつあったというタイミングだったことだ。

すでに述べたように、マルチメディア・パソコンは性能が向上することでテキストや画像、映像、音楽をマルチに扱える点が大きな特徴だった。また、CD-ROMプレイヤーを搭載し、CD-ROMからマルチメディアな情報を楽しめた。マルチメディア・パソコンと言えば、CD-ROMプレイヤーをもつパソコンと完全に一致するとは言わないまでも、重複する部分は極めて大きいと言える。そしてCD-ROMがポピュラーになると、雑誌の付録にCD-ROMが付いてくるのはごく普通の光景になったものだ。また、紙媒体のない雑誌としてCD-ROM雑誌も誕生した。

これが1990年代初頭の状況だったのだが、1993年になるとちょっとした異変が起こる。この年にワールド・ワイド・ウェブ（WWW）の普及が急激に進むのだ。起爆剤になったのはWWW用の閲覧ソフトNCSAモザイクの誕生だった。

WWWは、スイスにある欧州素粒子物理研究所CERN（セルン）の研究者ティム・バーナーズ・リーが1989年に提案したものだ。すでにふれたとおりWWWはハイパー・テキスト構造をベースにしており、文書に別の文書のリンク情報を埋め込み、このハイパー・リンクをクリックすることで、ある文書から別の文書へと表示を切り替えられる。とうとうヴァネヴァー・ブッシュが第二次世界大戦中にメメックスの機能として提案し、ダグラス・エンゲルバートが実現したハイパー・テキストを、インターネット上で利用できる環境が整ったわけだ。

WWWで表示する文書のことをホームページやウェブ・ページと呼ぶ。バナーズ・リーは当初、WWWを用いてCERN内の学術論文や資料を管理しようと考えた。これがCERN内のみならず世界中のあちこちにある端末でサービスされるようになる。閲覧用の専用ソフト（いわゆるウェブ・ブラウザ）さえあれば、世界のあちこちにあるウェブ・ページを表示できる。その閲覧用ソフトとして爆発的な人気を得たのがNCSAモザイクだった。

モザイクはイリノイ大学の米国立スーパーコンピュータ応用研究所（NCSA）に所属するマーク・アンドリーセンが中心となって開発した。公開は1993年で、NCSAの判断で一般に無料で配布された。そのためもあってか、モザイクのユーザーは瞬く間に100万人に達し、WWWの認知と普及に拍車をかけたのだった[9]。

この人気に目をつけた人物にジム・クラークがいた。クラークはグラフィックス・ワークステーションで一時代を築いたシリコン・グラフィックス社の創業者だ。クラークはアンドリーセンと共同でネットスケープ・コミュニケーションズ（当初はモザイク・コミュニケーションズ）を設立し、モザイクよりも性能のよいネットスケープ・ナビゲーター（通称ネスケ）を開発する。これが1994年12月のことだった。ネットスケープ・ナビゲーターはモザイク以上の人気となり、まさにWWWはブレイクする。

WWWの特筆すべき点

いまから振り返るとWWWの誕生は、ITの250年の歴史の中でも特筆すべき出来事だったと言える。なぜ「特筆すべき」なのか、その理由は少なくとも三つある。

第一に、WWWではあらゆる情報をネットワーク経由で扱える点が挙げられる。WWWに衝撃を受けた初期の一般大衆といえば、マルチメディア・パソコンに熱を入れていた人々ではなかったか。インターネットが普及する以前にも、パソコンを対象としたネットワークにパソコン通信があった。日本では富士通のニフティ・サーブやNECのPC-VANなどがパソコン通信の看板サービスとして覇権を競っていた。ただいずれのサービスもテキストベースが基本だった。

そのような中、WWWが登場するのだが、その特徴は何と言ってもマルチメディア情報を扱える点にあった。すでにマルチメディア・パソコンを利用している人々は、CD-ROMからマルチメディア・コンテンツを楽しんでいた。ところがインターネットに接続してウェブ・ブラウザを走らせれば、テキスト情報はもちろんのこと画像や音楽、映像も楽しめる。つまりCD-ROMが手元になくても、CD-ROMに入っているのと同等のマルチメディア・コンテンツがインターネット経由で手に入る。このままインターネットが普及すると、やがてCD－ROMは世の中から消え去ることになるだろう。実際に歴史はそのように進んでいく。

次に挙げるべきなのは、自分がもつ情報を広く発信できる手段としてWWWを利用できる点だった。ウェブ・ページはHTMLという言語で記述する。このウェブ・ページにデータの所在を示すURL（ユニフォーム・リソース・ロケーター）をつけてウェブ・サーバーにのせると、HTTP（ハイパー・テキスト・トランスファー・プロトコル）という通信手順を用いて、ウェブ・ブラウザをもつ世界中のコンピュータに情報を提供できる。

もはや明白なように、情報技術の歴史は情報技術が大衆化するプロセスでもあった。そしてアナログ情報技術がピークを迎えた20世紀末は、電話という1対1の情報技術、テレビという1対nの情報技術が大きな勢力として君臨していた。しかしながら、テレビ・メディアがもつような1対nの情報伝達手段を個人がもつのは難しかった。

ところがWWWの誕生により、個人がその「1」となり、大衆「n」に対して広く情報を伝達することが可能になった。腕木通信以来の情報技術の歴史の中で、個人が大衆に向けてこれほど容易に情報を発信できるようになったのは、アマチュア無線に続いてこれが2度目のことだった。つまりWWWは、20世紀のアナログ情報技術の時代よりも、さらなる情報技術の大衆化を推し進める極めて強力なエンジンとして働く可能性を秘めていた。

さらにもう一つ、WWWの誕生は我々に極めて重要な事実を突きつけたという点が挙げられる。それは、20世紀に確立したアナログ情報技術をベースとする従来のメディアは本当に必要なのか、という気づきだった。この点はITの250年において、情報技術が大きく転換するポイントとなる。どういうことか詳しく説明しよう。

メディアの垣根が無意味になる

20世紀のアナログ情報技術の特徴は、情報形式の種類によって、それを伝達する媒体や装置、流通経路が違っていたという点だ。ここでは、この媒体・装置・経路のセットをメディアと呼ぼう。そしてそれぞれのメディアは他のメディアの領域を基本的に侵すことはなく共存していた。この点については、第1章でもふれた、シャノンが示した通信システムの基本モデルで考えるとわかりやすいだろう。

繰り返しになるけれど、シャノンが示した通信システムの基本モデルは、情報源、送信機、通信路、雑音源、受信機、受信者の要素からなっていた。情報源は受信者に伝えたいメッセージで、これは話された言葉でも、画像でも音楽でも何でもよかった。このメッセージが送信機によって符号化されて通信路に送り出される。通信路には雑音源があって信号に影響を及ぼすこともある。この信号が受信機に届いて、ここで信号は元のメッセージに復元される。そうして受信者はメッセージの内容を理解する、というものだった。

メディア	情報源	送信機	通信路	受信機
電話	会話	電話機	電話線	電話機
ラジオ	音声	ラジオ送信機	電波	ラジオ受信機
ファクシミリ	文書・画像	ファクシミリ	電話線	ファクシミリ
テレビ	映像	テレビ送信機	電波	テレビ受信機

図16　アナログ情報技術の特徴

それではここに、相手に伝えたいメッセージが「会話」「音声」「文書・画像」「映像」という情報形式で存在するとしよう。アナログ情報技術の時代は、情報形式に応じて、それぞれ専用の送信機・通信路・受信機を準備する必要があった。そしてこれらのワンセットが、それぞれの情報形式に対応して「電話」「ラジオ」「ファクシミリ」「テレビ」というメディアとして成立していた。アナログ情報技術の時代の各メディアを通信システムの基本モデルに適用すると図16のようになる。

また、この通信モデルは、「手に持てる媒体」にも適用できる。たとえば情報源の情報形式が「文字」の場合、「書籍」という形で「取次」などの「流通経路」を通じて「書店」から「受信者（読者）」に届く。また、「音楽」の場合だと、「レコード」や「CD」という形態で「流通経路」に乗って「ミュージック・ショップ」経由で「受信者（リスナー）」に届く。

ところがWWWの登場により、こうした情報の種類によるメディア区分が無意味かもしれない、と我々は気づくようになる。そもそもクロード・シャノンが言ったようにあらゆる情報はビットで表現できる。文字や画像、音楽、映像はいずれも情報だから、これらの「ソフトウェア」はすべてビットとして表現できる。またマルチメディア・パソコンは、こうしたビット情報の送信機および受信機として、ビット情報を総合的に扱う「ハードウェア」だった。しかもこのハードウェアがインターネットというビット情報を総合的に扱う「ネットワーク」につながることで、「ソフトウェア」を自在にやりとりできるようになる。

つまり、共通仕様のソフトウェア（ビット情報）、ビット情報を総合的に取り扱うハードウェア（パソコン）、ビット情報をやりとりするネットワーク（インターネット）という３要素が出揃う（でそろ）ことで、従来のように会話をするから電話、音声を聞くからラジオ、映像を見るからテレビというように、情報形式によってメディアを使い分ける必要はなくなる。

あらゆる情報がビットになり、そのソフトウェアをトータルに扱えるハードウェアがあり、そのソフトウェアを自在に流せるネットワークがあれば、従来のメディア区分は無意味にならざるを得ない。ＷＷＷの誕生により我々はこうした事実に気づくようになる。仮にこれが現実のものとなれば、20世紀のアナログ情報技術をベースとしたメディア区分は破壊されてしまうだろう。

ソフトウェア・ハードウェア・ネットワークの3要素

NCSAモザイクが誕生した当時、「従来のメディアの区分は無意味となる」と宣言しても、多くの人は夢物語としてしかとらえなかったに違いない。それも仕方がない。たとえばWWWのみ取り上げた場合でも、コンテンツ（ソフトウェア）は貧弱だし、パソコン（ハードウェア）の性能もまだまだで、さらにインターネット（ネットワーク）にアクセスするのにも非常に手間がかかった。

しかしそれ以降、ソフトウェア・ハードウェア・ネットワークの3要素の性能が向上することで、21世紀のデジタル情報技術は急激に高度化する。ここで言う「ソフトウェア」とは情報を基礎に成立しているものと言い換えてよい。この中にはコンテンツやプログラム、さらには社会制度や規範も入ることになる。

また、次の「ハードウェア」とは、ソフトウェアを入出力したり処理したりするための端末で、テレビやラジオの受信装置、パソコンや携帯電話、スマホ、タブレット端末、VRゴーグル、センサーなどそれこそ多種多様だ。

最後の「ネットワーク」は、ハードウェア間を結び、ソフトウェアをやりとりするための経路となる。周知のように現在は、ビット情報の総合的な流通経路として、インターネットがデファクト・スタンダード（事実上の標準）になっている。

そこで、21世紀の情報技術は、エネルギー（現在は電力）をその基礎にすえながら、「ソフトウェア」「ハードウェア」「ネットワーク」の3要素からなると判断したとしよう。便宜上これを「softWare」「hardWare」「netWork」から「3W（トリプル・ダブリュ）」と呼ぶことにしたい。そうすると、少なくとも次の三つの法則が成立することがわかる。本書では以上をとりまとめて「3Wの法則」と呼びたい。

【3Wの法則】

法則①　情報技術の発展は3Wの発展に依存する。

法則②　情報技術の水準は3Wのボトルネックに準拠する。

法則③　情報技術の水準向上はボトルネックの発展に依存する。

まず筆頭の法則①だが、情報技術をソフトウェア・ハードウェア・ネットワークという3Wからなると判断した以上、情報技術の発展が3Wに依存することは、もはや自明と言ってもよいだろう。ただし3Wの技術的な高度化は均一に進展するわけではない。ハードウェアの性能が高まる一方で、ソフトウェアの開発が遅れることもあるしその逆も当然ある。

その際に総合的にみた情報技術の水準は、発展度合いの高い要素ではなく、最も発展度合いの低い要素すなわちボトルネックに準拠する。「コンピュータ、ソフトなければただの箱」という言葉がある。いくらコンピュータの計算能力が高くても、適切なソフトウェアがなければその能力を十分には発揮できない。つまり「ソフトがない」というボトルネックが制約条件となりコンピュータの水準もそれに応じたものにならざるを得ない。これが法則②の示していることにほかならない。

では、総合的に見た情報技術の水準を高めるにはどうすべきか。法則②より情報技術の水準は３Ｗのボトルネックに準拠する。これが真だとすると、３Ｗの中ですでに高い水準にある要素の能力をいくら高めても、総合的に見た情報技術の水準は高まらない。なぜなら、水準の基準となるボトルネックの能力は向上せずそのままだからだ。したがって、情報技術全体の水準を高めるには３Ｗの中のボトルネックに注目して、その能力の向上に努めなければならない。こうして情報技術全体の水準向上はボトルネックの発展に依存するという法則③が成立する。

このボトルネックとその改善という考え方は、物理学者で経営学者でもあったエリヤフ・ゴールドラットが提唱した制約理論をベースにしている。ゴールドラットはボトルネックのパフォーマンスを改善して全体の能力を向上させることを全体最適化と呼んだ。一方、ボトルネック以外の要因に着目してその改善に努めることを部分最適化と呼ぶ。全体のパフォーマンスを向上するには部分最適化ではなく全体最適化がどうしても必要であり、これは３Ｗ

からなる情報技術についても言えることだ。

「3Wの法則」で見るインターネットの大衆化プロセス

1990年代前半に始まったインターネットの大衆化プロセスを、ソフトウェア・ハードウェア・ネットワークという3Wの枠組みにあてはめて振り返ると注目すべきことがわかる。それは3Wに存在するボトルネックのたゆみない改善により、デジタル情報技術全体の能力向上が推し進められてきた事実だ。

すでに見たように、モザイクが登場することでWWWに対する注目は急速に高まった。日本でも1994年頃には、インターネットやウェブの話題が一般の耳目を集めるようになり、インターネット専門の雑誌も人気を集めるようになった。さらにその年末にはブラウザーソフトのネットスケープ・ナビゲーターが誕生することで、インターネットに対する注目度は鰻上り(うなぎのぼ)で上昇する。

当時のソフトウェアやハードウェアは、現時点から見るとその能力は未熟で使い勝手も悪かった。しかしそれにも増して問題だったのがネットワークだろう。当時、一般的な人がインターネットに接続するには、モデムという装置をパソコンにつなぎアナログ電話回線を通じてダイヤルアップ接続する必要があった。

モデムとは、コンピュータのデジタル信号をアナログ電話回線で使用できるアナログ信号に変換する装置を指す。このモデムの性能を測る指標になるのが通信速度だった。1秒間でどれだけのデジタル信号を送信できるかでモデムのパフォーマンスが決まった。その速度は一般的なモデムだと9600〜14400ビット毎秒（bps）程度で、やがて28800ビット毎秒のモデムも現れたが、アナログ方式だとこの程度が通信速度の限界だった。

ちなみにコンパクト・ディスク（CD）に収録する音楽は、ステレオ（LR）の音源をそれぞれ44・1キロヘルツで標本化し16ビットで量子化する。そのため1秒間の情報量は141万1200ビットにもなる。これを14400ビット毎秒のモデムで送信したとすると、計算上1秒間の音楽情報を送信するのに98秒もかかってしまう。5分の楽曲だとその300倍になるから、送信に490分（8時間10分）も要することになる。その非力さがわかるというものだ。

さらに問題となったのがダイヤルアップ接続だった。これはオフィスや自宅などのパソコンから、インターネット・サービス・プロバイダー（ISP）にダイヤルして接続する方式を指す。もちろん従来のアナログ電話回線を用いているから市内ならば3分10円の通話料が必要になる。このため、通信速度が遅いほどデータのやりとりに時間がかかり、通話料金はより高額になる。

このように、仮に比較的高性能なマルチメディア・パソコンをインターネットにつないでいたとしても、ネットワークがあまりにも非力なため、ネット上のコンテンツ（ソフトウェア）を満足に活用できないのが当時の実態だった。つまり当時の3Wにおけるボトルネックは明らかにネットワークだった。そして3Wの第2法則により、低速かつ料金の高くつくネットワークが制約となって、当時の情報技術の水準が規定されていたと言える。

では、情報技術の全体的な向上には何が必要か。3Wの第3法則によりボトルネックの改善が欠かせなくなる。つまりネットワークの徹底した性能向上が当時の必須要件だった。具体的に言うとネットワークの高速化、そしてダイヤルアップ接続ではなく固定料金による常時接続が不可欠となる。

ビル・クリントン政権で副大統領を務めたアル・ゴアは、父であるアルバート・ゴア・シニアがかつて高速道路の整備を提案したことから、右に見たようなネットワークを「情報スーパーハイウェイ」と表現し、整備の重要性を説いた。そして実際に、その後のネットワークの性能向上には目をみはるものがあった。

日本の例で見ると、まず日本版ISDNであるINS64のサービスの普及が進み、64キロビット毎秒（64000ビット毎秒）の通信速度が一般家庭でも手に入るようになる。また価格はまだまだ高かったものの128キロビット毎秒でインターネットに常時接続できるINSサービスもやがて登場した。

さらに1990年代の末になると高速大容量で常時接続を意味するブロードバンド・イン

ターネット接続サービスが次々と姿を現した。その代表的存在はケーブルテレビ・インターネットやADSLだった。前者はケーブルテレビの回線をインターネットに利用するもので、後者は既存のメタル電話回線を使ってISDNより高速なインターネット接続を提供する。2000年初頭には、これらのブロードバンド・インターネットを利用することで、常時接続で500キロビット～1メガビットの接続が月額5000～6000円程度で可能になった。

ネットワークとハードウェアの発展

さらに、2001年には光回線によるFTTH（ファイバー・トゥ・ザ・ホーム）のサービスが都市部で始まり、2008年には契約数でADSLを上回るようになる。最初は10メガビット毎秒で始まったFTTHサービスも2010年には100メガビット毎秒となり、2015年には1ギガビット毎秒を超えるようになった。このようにわずか20年余りで驚くべき高速化を達成したのが、もともとはボトルネックだったネットワークの性能だったと言える。

ネットワークの性能向上と並行して進展したのがハードウェアの性能向上だった。この点を端的に示すのがCPUにのるトランジスタの数だろう。最初のパソコンとも言えるアルテア8800が搭載したインテルの8080のトランジスタ数は4500個だった[10]。これが80年代半ばには27万個を超え、ちょうどNCSAモザイクが誕生した1993年に出荷が始まったペンティアムは310万個ものトランジスタを搭載していた。さらに2000年に出荷したペンティアムⅣでは4200万個、さらにジーオン（Xeon）では30億個を超える数になっている。この間のトランジスタの増加は時間の経過と比例関係にあり、ムーアの法則に準じる結果となっている。

またこの間、無線端末と無線ネットワークすなわち携帯電話の進展も目覚ましかった。1979年に自動車電話としてサービスが始まった携帯電話は、第一世代のアナログ電話から、第二世代のデジタル携帯電話、IMT-2000に準拠した第三世代のサービスが始まった。現在は第四世代に相当するLTEが広く普及している。もちろん世代が交代するごとにデータの最大通信速度は向上し、第二世代が10キロビット毎秒程度だったのに対して、第三世代では2メガビット毎秒、第四世代では100メガビット毎秒を超えるようになっている。さらに2020年には、第五世代移動体通信（5G）の商用サービスもスタートした。5Gでは理論上最大20ギガビット毎秒の超高速通信を実現し、4Kや8Kといった高精細画像の表示も可能になる。

これに対応して携帯電話の端末も大きく進化してきた。中でも2007年に登場したアップル社のiPhone、さらにその翌年に登場した第三世代移動通信システムに対応したi

Phone3Gの登場により、従来のいわゆるガラケーから、パソコンを手のひらに収まるようにしたスマートフォンが急激に普及する。それに拍車をかけたのがグーグルによるアンドロイド端末だろう。

このようにネットワークおよびハードウェアが著しく進展する中で、やがてソフトウェアが3Wのボトルネックとしてクローズアップされるようになる。特にブロードバンドが進展する2000年以降、ボトルネックの地位はネットワークからソフトウェアへと移行したように見える。そうなると情報技術全体の向上を実現するにはソフトウェアの性能向上、あるいは新たなソフトウェアの開発が欠かせない。ハードウェアとネットワークの性能が向上しても、適切なソフトウェアがなければ、コンピュータは「線につながったただの箱」とならざるを得ない。

実はこのような流れの中で誕生したのが2005年から翌年にかけて流行したウェブ2・0だと位置づけることができる。ウェブ2・0という言葉を最初に用いたのは、米出版社オライリー・メディアのCEOティム・オライリーで、2005年9月に公表された論文においてのことだった。ティム・オライリーはこの論文の中で、ウェブ2・0の特徴の一つとして、プラットフォームとしてのウェブを前提に、ユーザーを共同開発者として扱い、ユーザー参加型で成立するデータソースを集合知として活用する点を挙げている[11]。

WWWの大衆への解放――ブログ、SNS、スマートフォン

注目したいのはティム・オライリーの言う「ユーザー参加型」というキーワードだ。ユーザー参加型とは、ウェブを活用する際に、制作者側から一方的にコンテンツを提供するのではなく、利用者と一緒にコンテンツを創造する点を特徴とする。そして、利用者の参加が多くなればなるほど、データがより多く蓄積され、結果、集合知としての価値が高まる。

最近はあまり使わない言葉だが、かつてこうした形態のウェブを、ユーザー・ジェネレイテッド・コンテンツ（UGC）やユーザー・ジェネレイテッド・メディア（UGM）と呼んだ。あえて訳せば、利用者創出型コンテンツ（メディア）とでもなろう。また、利用者が自発的に創り出したコンテンツは、メンバーで共有される。そのため、UGCやUGMは、ソーシャル・メディアの特徴をもつ。ちなみに、ソーシャルという語には、「社会的な」のほかに、「友人と共有された」という意味があり、ソーシャル・メディアに用いられているのは後者の意味にほかならない。

最初に人気を集めたUGCの代表は、2002年頃から普及し始めたブログだろう。人気のブログも出現し、もはや死語かもしれないがブログの書き手のことをブロガーとも呼んだ。さらにミニブログのツイッター、ソーシャル・ネットワーク・サービス（SNS）のミ

クシィやフェイスブックが登場し人気を集めることになる。

では、ソフトウェアの領域で、どうしてユーザー参加型のコンテンツやサービスが増殖するようになったのだろうか。この謎を解く鍵はウェブがもっていた情報発信力にあったように思う。

前出の「WWWの特筆すべき点」の節で、WWWが私たちのもつ情報を広く発信する手段になると述べた。そもそもウェブが誕生する以前、自分の情報を広く世界に発信する方法は、アマチュア無線を除くと皆無に等しかった。1対nの情報発信手段は個人の手に届かないものだった。ところがウェブの誕生により、個人がその「1」となり、大衆「n」に対して広く情報を伝達できるようになった。これは腕木通信以来の情報技術の歴史の中でも極めて画期的な出来事だった。

とはいえ、ウェブによる情報発信にはなかなか越えるのが難しいハードルがあった。まずウェブ・ページを記述するにはHTMLの知識が不可欠になる。しかも洗練されたデザインや動きのあるページを作るにはHTMLを越える知識が必要になる。また、作成したウェブ・ページ（コンテンツ）はウェブ・サーバーにのせなければならない。自前でウェブ・サーバーを構築するハードルは非常に高いので、やがてウェブ・サーバーのホスティング・サービスが始まることになる。それでもデータのアップロードやデータの配置方法などの知識は欠かせない。

はハードルが高すぎて対応ができない。したがって、インターネットの一般的なユーザーは、自らは情報を発信することはなく、ウェブの閲覧という１対ｎやメールによる１対１のコミュニケーションを中心に利用することになった。

このように、ＷＷＷによる情報発信に情熱を燃やす人ならばともかく、ごく一般的な人に

我々は過去にもこれとよく似た経緯をたどった情報技術をすでに見てきた。それはアマチュア無線だった。アマチュア無線では信号や音声を双方向でやりとりできた。そのため熟練のアマチュア無線家は情報の送信者であり受信者でもあった。ところが熟練度が低くなるほど、情報の発信よりも受信の占める割合が高くなる。これは情報発信にはより高度な技術や装置を必要としたからだ。

さらに無線がラジオ放送へと進展すると、多くの人はラジオを受信する人すなわちリスナーになる道を選んだ。こうして本来は個人でも１対ｎで情報を配信できる無線だったが、ラジオ放送に進展することで多くの人は「ｎ」すなわち「その他大勢」になる道を選んだわけだった。

初期のウェブに起きたことは、まさにアマチュア無線で起きた現象に酷似している。ところがウェブでは、無線には生じなかった現象が起こった。それは深い技術的知識をもたない一般大衆でも、実に容易に１対ｎの情報発信ができる手段が生まれたことだ。その手段こそがブログであり、その後に続くツイッターやミクシィ、フェイスブックあるいはラインなど

の参加型コンテンツやサービスであった。これらの手段が生まれることで、人は情報の受信者であると同時に発信者にも容易になれる。

プロシューマー（生産消費者）という言葉を造ったのはアルビン・トフラーが１９８０年に出版した『第三の波』でのことだった[12]。２０００年初頭以降の情報技術の世界では、ごく一般の人々が情報のプロシューマーとして振る舞っているのが実情と言える。つまりウェブ２・０は情報技術のさらなる大衆化を象徴する言葉でもあった。

この傾向は携帯電話がスマートフォンへと進展する中でさらに強まったように見える。高齢者はともかく10代以上の人にとって、一昔前のパソコンと同等の性能をもつスマートフォンは、もはや１人１台の時代に突入している。このスマートフォンを用いて、人は情報の受信者であると同時に発信者ともなる。しかもスマートフォンは肌身離さず持ち歩くものだから、これは大半の人がいつでもどこでも情報のプロシューマーとして存在していることを意味している。

20世紀は、ラジオ放送やその発展型のテレビ放送により情報技術が劇的に大衆化した。これが21世紀のデジタル情報技術の時代になると大衆は情報のプロシューマーへと変身した。その意味で情報技術の大衆化はさらに大きく進展したと言える。

メディアの垣根が本当に消滅する

ハードウェアとネットワークの発展は、参加型コンテンツ以外にも新たなソフトウェアを生み出した。大容量のコンテンツいわゆるリッチ・コンテンツの配信もその一つと言える。リッチ・コンテンツの代表は何と言っても音楽や映像だろう。

そもそも音楽はかつてレコードで聴くものだった。それがやがてＣＤに置き換わり、２０００年代の中頃になるとダウンロードによる楽曲の販売が台頭し始める（支払いのない違法ダウンロードも、その実態は楽曲のダウンロードにほかならなかった）。そしていまや定額のストリーミング（データを受信しながら同時再生すること）で音楽を聴く時代になった。いわばインターネットを自分好みの音楽を聴くための専用ラジオとして使用できるようになったわけだ。

ラジオといえば、いまや全国のラジオ放送局が「ラジコ」というサービスで、放送波と同時にインターネット経由で番組を流している。２０２０年現在、ラジコの月間利用者数は８００万人を超え、年内に１０００万人に迫る勢いだという[13]。利用地域の番組聴取は無料で、さらに月額３５０円を支払うとラジコに加盟している全国の放送を聴取できる。

ところで、日本の放送には県域免許制度（地域免許制度）という制度がある。これは関東・中京・関西の広域圏を除き県単位で放送局を認可する制度だ。各県の放送事業者はその県内への放送を目的とするものであって県外の放送は認められていない。関東や関西のキー局や準キー局が制作した番組が地方で流れるのは、キー局が組むネットワークに地方局が参加しているからだ。そのためキー局の番組でも、放送しているのは地方の放送局となる。

一方、インターネットには県境どころか国境すらない。そのためラジオ番組をインターネットに流してしまうと、日本全国どころか世界のあちこちで聴取できるようになる。これだと明らかに県域免許制度に抵触する。そのためラジコではリスナーのＩＰアドレスをもとにして聴取地域を特定し、その地域だけの放送しか聴けないように調整している。だから県域免許制度には抵触しない。

ところが、右に記したように現在のラジコでは、お金を支払えば全国各地のラジオ放送が聴ける仕組みになっている。ために県域免許制度はすでに有名無実化していると言ってよい。ならばそのような制度を撤廃すればよいとなるのだが、ことはそう簡単ではない。県域免許制度を廃止すると、キー局や準キー局が制作する番組をそのまま放送することで大きな利益を上げてきた地方の放送局の死活にかかわるからだ。こうして県域免許制度は現在も温存されている。しかし明らかに矛盾するのは、この県域免許制度を温存しつつも、ラジコでは制度に抵触するサービスを有料で提供していることだろう。

以上のような奇妙な仕組みは、腕木通信が電信に移行する時期のフランスを思い出させる。フランス政府は腕木通信業務に携わる通信手たちの職を確保するために、腕木式のフォア・ブレゲ電信機を開発した。新たなテクノロジーは、古い制度との軋轢を生み出し、矛盾に満ちた解決策を生み出す。ラジコに見る現象もこれと同じなのだろう。歴史は繰り返すということか。

話を元に戻そう。ハードウェアとネットワークの発展は、映像というリッチ・コンテンツの提供も現実のものとした。古くはユーチューブに始まり、いまやフールーやネットフリックス、アマゾンなどがストリーミングによる映像を有料で提供している。またサービスによっては専用の装置も必要はない。スマートフォンやタブレット端末にアプリをダウンロードすれば視聴できる。これらの端末をＨＤＭＩで大画面テレビと結べば、高精細の映像を大画面で楽しめる。

テレビ放送局もこうした環境の変化に危機感を覚えているのだろう。２０２０年にはＮＨＫが、放送と同時に番組をインターネットで常時配信するサービスを始めた。ＮＨＫのこの取り組みにより、民放各社も番組の常時同時配信を視野に入れざるを得ないだろう。ただし、ここでもすでに旧制度との軋轢が議論の対象となっている。まず、ＮＨＫの場合は、インターネット時代の受信料が問題になる。また、民放テレビ局にとっては、ラジオ放送と同様、県域免許制度の温存が当面の関心事になるだろう。ここでも腕木通信が電信に移行する際に生じたのと同じ混乱が発生するのは必至だ。

ＮＣＳＡモザイクが誕生した１９９３年当時、「従来のメディアの区分は無意味となる」は夢物語としか考えられなかった。しかしこれがいまやハードウェアとネットワークの高度化で現実のものとなろうとしている。繰り返しになるけれど、音声や映像などあらゆる情報はビットで表現できる。実際、それは技術的に可能になった。また、ハードウェアの性能が向上し、いまやあらゆるビット情報をスムーズに表現できるようになった。さらにそのビット情報を流通させるネットワークの性能も格段に向上した。

こうして従来は情報の種類ごとにあったメディア区分は無意味となる。区分があるとすれば、いまやそれはアプリによる区分になるのかもしれない。現在はその過渡期にあると言えるのだろう。

第8章

IoE、ビッグデータ、そしてAI

情報技術の新たな二大トレンド

18世紀末に誕生した腕木通信から、私たちが暮らす現代までの情報技術の変遷を俯瞰すると、それは情報技術の大衆化の歴史だったことがわかる。この情報技術の大衆化は「情報技術およびその情報技術によってもたらされる情報を大衆が活用できるようになるプロセス」と定義できるだろう。

腕木通信の誕生は遠くに離れた場所に、従来にないスピードで情報を送れるようにした。しかしこの情報技術は、一部で民間開放の動きはあったものの、基本的に利用できたのは限られた人だけで、広く大衆に門戸が開かれたわけではなかった。それが電信になると民間にも利用できる情報技術として普及していく。情報技術の本格的な大衆化はこの電信の誕生に始まったと言ってよさそうだ。さらに電話の発明は離れた場所にいる人との距離を消滅させて時間を共有することを可能にした。これにより情報技術の大衆化はさらに進展した。

また、無線が登場することで人は不特定多数の人と情報をやりとりできるようになった。しかし無線による情報の送信には熟練した技術や高価な装置が必要だったので、一般的な人は情報の受信を専らとするようになる。これがラジオ放送となり、その延長でテレビ放送が誕生する。放送の誕生により人は遠くで起きている出来事を離れた場所でも見聞きできるようになった。また、放送は人に娯楽を提供する装置としても機能した。特に電話とテレビは20世紀のアナログ情報技術の時代を象徴するテクノロジーだった。

そして現在、情報はビット化され、ビット化された情報を取り扱うパソコンやスマートフォンなどの端末が高度化し、しかもこれら端末がインターネットにつながることで、人は誰もが容易に情報の消費者であり生産者、いわゆるプロシューマーになれるようになった。２００年あまりで情報の大衆化は個人まで深く浸透したことがわかる。

では、情報技術の大衆化はピークを迎えたのか。もちろん答えは否だ。私たちの身の回りを眺めると未使用の情報があちこちに存在する。梅棹の言葉を借りるならば、いわば「受信されることも解読されることもない情報[1]」が多数存在する。情報とはメッセージだ（マーシャル・マクルーハンは「メディアはメッセージである」と宣言したが、それにあやかっているわけではない）。では、メッセージとは何か。メッセージとは意味ある表現を指す。したがって情報とは意味ある表現となる。しかし、本来意味があるにもかかわらず、受信も解読もされない情報が存在する。新たな情報技術はこうした情報を大衆が使用できる形式にして提供する。

これはちょうど経営学者・野中郁次郎（のなかいくじろう）が説いた組織的知識創造に重なる部分がある。組織的知識創造とは組織がもつ暗黙知（熟練者のコツや経験）を形式知（誰もが利用できる知識）に変えることで、組織のイノベーションに結びつける活動を指す。そこで、私たちの身の回りにある未使用の情報を社会的暗黙知としてとらえるとどうか。情報技術は、この社会的暗黙知を形式知に変換する、すなわち大衆が利用できる情報に変換して、私たちの暮らしをより便利により快適にすることを目指す。

ところで、私たちの身の回りにある未使用の情報が存在する場は大きく二つに分けることができる。一つは人間そのものがもつ未使用の情報、もう一つは人間の周囲にある未使用の情報だ。前者を人間内部の未使用情報、後者を人間外部の未使用情報と呼んでもよい。未使用の情報は今後の情報技術が進展する二大トレンドを暗示する。

未使用情報としての生体情報

人間内部の未使用情報の典型としては生体情報がある。血流や心臓の鼓動、脈波（みゃくは）、脳波などには豊富な情報が含まれている。一例として脈波を取り上げると、統計心理学者で元関西学院大学名誉教授の故・雄山真弓（おやままゆみ）は、指尖（しせん）脈波から人の心の状態を把握するハードウェアとソフトウェアを開発した[2]。雄山によると、人の精神状態は「カオス状にゆらいでいる」という。ちなみによく誤解されるが、カオスとは決して無秩序ではない。秩序はあるのだけれど、その秩序が人間の理解を越えるほど複雑な状態を指す。つまり、雄山の言うカオス状にゆらぐとは、「人間が理解できないほど複雑ではあるが秩序のあるゆらぎが存在する状態」

と言えるだろう。

このゆらぎには幅があり健常な人は適切な幅でゆらぎを繰り返す。ところが鬱（うつ）状態の人はこのゆらぎの幅が小さくなり、逆に躁（そう）状態だとその幅は極端に広くなる。怖いのはゆらぎの幅が狭い人が、突如として広がるケースだという。このような場合、周囲の人や自分自身を傷つける行為に出る可能性が高くなるという。

それはともかく、指尖脈波からこうした人の精神状態の情報を読み取れる。しかし現状では、指尖脈波情報はほとんど利用されていないのが現実だ。仮に面倒な作業なしに誰もが簡単に指尖脈波の記録を取れれば、現在の精神状態を容易に把握できるだろう。また、過去の記録と行動履歴を結びつけることができれば、どのような活動中に精神がどのように変化するのかも分析できるだろう。さらにネットワークを通じて大量のデータを収集すれば、性別や年齢別、地域別の平均的精神状態について知ることもできるだろう。

いま紹介した指尖脈波の採取システムでは、指先にカフという装置を装着して、ケーブルでつないだスマートフォンやパソコンにデータを送り込む。装置はあくまでも身体に装着するものだ。一方、装置自体を身体内部に取り付けて、人間内部の未使用情報を取り扱う研究も進められてきた。その一例に、機械を介して脳と情報をやりとりするブレイン・マシーン・インターフェイス（ＢＭＩ）がある。たとえばＢＭＩの一つに、脳の情報を機械で直接読み出し、ネットワークを通じて遠隔にあるロボットを操作する研究が進められている。

また、脳から送り出した信号で、人が着用するロボットスーツを操作するのもBMIの一例となる。2014年のサッカーW杯ブラジル大会の開会式では、ロボットスーツを着用した下半身不随の障がい者がサッカーボールを蹴って話題になった。これは機械装置にとっては未使用情報だった脳の情報を使用可能にした技術だと言い換えられる。

このように、情報技術は私たちの身体内部まで入り込みつつあるのが現在だ。しかし、ITの250年を振り返ると、それもどこか必然のような気がしてくる。腕木通信は建物の上や高台といった屋外にその勇姿を現した。それが電信の時代になると誰もが街角の電信局からメッセージの送受信をできるようになった。さらに電話の時代になると自宅にいながらにして遠隔コミュニケーションが可能になる。加えてラジオやテレビが居間に入り込み、私たちから数メートル離れた装置から数百km先の出来事を知らせてくれる。

人の知的能力を拡張するパソコンは約60cmの距離で操作する。最初、玄関先にあった電話は、居間から個人の部屋に入り込んだ。これが携帯電話になると人は肌身離さず持ち歩くようになった。そしてとうとうアップル・ウォッチのようなウェアラブル端末も登場した。その先にはいま見たようなBMIの進展がある。

このようにITの250年は情報通信技術の大衆化だったわけだが、それは同時にハードウェアが人間の身体により接近するプロセスでもあった。いまや情報技術のハードウェアが人間の体身に装着するようになった。このトレンドがさらに続くとしたら、ハードウェアが人間の体内に侵入するとしても何の不思議もないだろう。そして体内にある暗黙知としての未使用情報が、形式知としての使用可能情報に変換されて、私たちの生活をより快適にしてくれる。これが人間の内側に向かう情報技術の大衆化にほかならない。

周囲の未使用情報を使用可能にする

情報技術の大衆化にはもう一つ人間の外に向かうルートがある。人間の外側にも未使用の情報がふんだんにある。まずは一例としてドローンを挙げよう。周知のようにドローンとは、遠隔で操作する無人の小型航空機を指す。

いまドローンを使って離島などに宅配を行う実験が行われている。ドローンが離陸ポイントから到達ポイントへ至るには、操作者がそのポイント間における情報を逐次(ちくじ)把握する必要がある。仮にこの情報が入手できないとしたら、それは操作者にとって未使用の情報となる。一方、カメラで撮影した飛行中の映像をドローンから操作者へ逐次提供できたとしたら、これは暗黙知たる人間外部の未使用情報を、使用可能な形式知に変換することになる。未使用情報が使用可能な情報に変わることで、ドローンの安全な操作も可能になる。

人は見知らぬ土地で土地勘がない、つまり使用できる情報が極端に少ない状況に陥る。地図はこのギャップを埋めてくれる。さらにこれがグーグル・マップのようなデジタル地図になると、位置情報機能をオンにして行く先を検索することで、たちまちルートや交通機関の乗り換え情報を示してくれる。特に方向音痴の人にとって、いまやグーグル・マップは欠かせないサービスに違いない。これも人間外部の未使用情報が使用可能になったからだ。

右の例の場合、個人の位置情報はグーグルなどのサービス提供者に提供することになる。この情報を集約すると、混雑情報を作り出して提供することもできよう。たとえば、ある高速道路で個人から収集した位置情報がなかなか変化せず固定に近い場合、その道は混雑していると推測できるだろう。この混雑情報も従来は未使用の情報だ。これをフィードバックして地図上に表示できれば、利用者にとって大変便利な利用可能情報になるだろう。

位置情報とショッピングを結びつけることもできる。たとえば、あるスーパーが位置情報を発信するID情報付き買い物カゴを導入したとする。客は買い物カゴをもって店内を歩くが、位置情報によってその経路は逐次把握される。この情報を多数集めると店内の人の流れが俯瞰的に把握でき、人混みのあるスペースとそうでないスペース、よく混むレジとそうでないレジがわかるかもしれない。滞留時間も容易につかめるだろう。また、清算の際に買い物カゴのIDを読み取って、購入した商品と紐づける。そうすると歩くルートと商品の組み合わせに、意外な販促のヒントを見つけ出せるかもしれない。

現実の世界に、有用な情報を付け加えたり不要な情報を削除したりする技術を指す。オーグメンテッド・リアリティ（AR＝拡張現実）という言葉がある。これは目に見えるたとえば、ＡＲ用のアプリを走らせたスマートフォンのカメラで街を見たとする。そのアプリが不動産業を対象に開発されたものだとしたら、利用者は建物にカメラを合わせることで、空き部屋の有無やその家賃を表示することもできよう。気になる物件があれば、表示されたリンクからそのまま問い合わせをすればよい。こちらも暗黙知としての未使用情報が形式知たる使用可能情報に置き換わった一例と言えよう。

エジソンからの教訓

このように人の周囲には未使用の情報が多数ある。それは無限と言ってよいほどの量かもしれない。それを少しでも使用可能な情報にするよう努めているのが現代の、そしてこれからの情報技術だと言える。

このように考えると、私たちの身の回りにあるさまざまなモノにマイクロ・プロセッサやセンサーを取り付けて、ネットを介してデータを収集している理由もわかるだろう。これは人間外部の未使用情報を使用可能にする取り組みにほかならない。コンピュータ学者・坂村（さかむら）健（けん）は、かつてこのような環境を指してユビキタス・コンピューティングと呼んだが、現在ではインターネット・オブ・シングス（ＩｏＴ／モノのインターネット）と呼ぶのが一般的になってきている。

また、ＩｏＴを含め多様な手法で未使用情報を使用可能にしたものの、いまだ生のままの状態にある情報がビッグデータの正体にほかならない。一方で先に、情報とは意味ある表現だと述べた。ビッグデータは未分析の状態だから、いまだ意味ある表現の形にはなっていない。したがってビッグデータとは、「分析可能な（状態にある）未使用情報」と表現することもできよう。

ところで家屋を例にとった場合、ＩｏＴでは壁やガラス、デスクや机、引き出し、床などから未使用の情報を得られるだろう。これが屋外へと広がればその情報収集範囲は極めて広範なことは想像に難くない。しかし、ここで素朴な疑問が頭に浮かぶ。こうして収集したビッグデータをいったい何に使うのか――。

用途の全貌について正確に解答できる人は皆無ではないか。もちろん筆者もその一人だ。ただし、これだけは言えることがある。それは未使用な情報を分析できるようにすることで可能性が広がるという事実だ。白日のもとに現れた未使用情報が何に使えるかはわからない。しかしそれが姿を現すことで、何かに活用できるかもしれないという可能性が確実に生まれる。その可能性の正体が何なのかは、また別次元の問題だ。新たなテクノロジーの出現は、新たな可能性の展開だった。これと同じように、未使用情報が使用可能になることで新たな可能性が展開される。

ここで思い出したいのは、エジソンが自分の発明した蓄音機の用途について10種類もの可能性を列挙したことだ。それは、①手紙の筆記とあらゆる種類の速記の代替手段、②目の不自由な人のための本、③話し方の教授装置、④音楽の再生機、⑤家族の思い出や遺言の記録、⑥玩具、⑦時報、⑧さまざまな言語の保存装置、⑨先生の説明を再生させる教育機器、⑩電話での会話の録音機、だった。この10種類はエジソンが考えた蓄音機の可能性にほかならない。そして、装置が社会に投入され、人との相互作用によって、最終的な蓄音機の用途が固まっていった。

エジソンのとった行動から次のような教訓が得られるように思う。IoTにより次々と生まれる「ビッグデータ＝分析可能な未使用情報」は可能性の宝庫であることに間違いはない。その可能性のうち何が社会に大きな影響を及ぼすかはいまのところ未知だ。それならば、分析可能になった未使用情報をオープンにし、その用途については多様な人々の知恵でよりよい用途を模索すべきではないか。

ソフトウェア・ハードウェア・ネットワークの3Wで考えると、社会的暗黙知を収集するためにモノにセンサーを取り付ける。この活動はハードウェアの領域だ。そしてそのセンサーが吸い上げたデータを有線あるいは無線通信を用いて収集する。この活動はネットワークの領域になる。

次にこうして収集した、分析可能な未使用情報の使い道を考えなければならない。こちらの活動はソフトウェアの領域にあてはまる。このソフトウェアの領域をオープンにして用途を探るわけだ。

ハードウェアやネットワークの領域で貢献した人々はそれなりの富を築いた。しかし、歴史を振り返ると、最も富を築いたのはソフトウェアの領域で活躍した人々ではなかったか。これは現在のインターネットで、経済的に成功した人々の顔ぶれをイメージすれば自明となろう。

グリエルモ・マルコーニは無線を世の中に普及させた立役者であり、その功績でノーベル物理学賞を受賞した。しかし、マルコーニがこの世を去った時、マルコーニが残した全財産は、研究室として使用していた帆船エレットラ号をも含めて1万5000ドルにも達しなかったという。この額はマルコーニの功績があってこそ成功したと言えるラジオ放送局やテレビ放送局の経営者が1カ月の家計で使う額にも及ばない。この事実を歎(なげ)いたデービッド・サーノフは次の名言を残した。

「発明家とは、他人を富ませる人である[3]」

この言葉が真だとしたならば、おそらくビッグデータ時代には、分析可能な未使用情報の意外な使い道を考え出した者が大きな富を得ることになるだろう。

フロンティアとしての未使用情報

以上で見てきたように、未使用情報には人間そのものがもつ情報と人間の周囲にある情報、この2種類がある。そしてこれら人間内部と人間外部の未使用情報が、急速に分析可能になりつつあるのが現在だと言える。ちなみにIoTは外部の未使用情報を対象にしている側面が強い。というのも人間自身はモノではないからだ。したがって、人の内部と外部にある双方の情報を対象にする場合、IoTと呼ぶよりもIoE（インターネット・オブ・エブリシング）と呼ぶほうが適切なのだろう。

それはともかく、IoEにより分析可能な情報が急速に増殖するだけではない。増殖した情報と情報とを組み合わせることで、可能性はさらに広がる。たとえば、「農業・食品・医療・体調・健康・介護・交通・教育」のようなランダムに掲げたキーワードに、分析可能となった情報を組み合わせると何ができるのか。そこには想像できない可能性が秘められていることは間違いない。しかし可能性があまりにも広大すぎて人間の知力だけでは分析が困難だ。そこで必然的に注目されるようになったのが、いま話題のAI（人工知能）だろう。

現在のAIは、1950年代、1980年代に続く第3次ブームの真っ只中にある。第3次AIブームの特徴は、人間では取り扱い不可能な膨大な過去のデータを統計的に分析して、何らかの相関関係やパターンを見つけ出す点にある。

処理能力が低いコンピュータでは膨大な件数のデータを処理するのは困難だった。そのため母集団のデータからサンプリングしたデータを用いて代用していた。ところが現在のコンピュータは処理能力が格段に向上し、全データをリアルタイムで処理できるようになった。それが時間によって変化するデータであってもだ。このいわゆる全件処理とリアルタイム処理により、ＡＩではより緻密なモデルや仮説の構築が可能になる。

また、過去のデータから相関関係やパターンを見つけ出す際に、深層学習（ディープ・ラーニング）を用いるのも、現代のＡＩの大きな特徴になっている。深層学習とは、人間の脳にあるニューロンに模したニューラルネットを用いた機械学習を指す。

従来の機械学習では、コンピュータに何かのパターンを認識させるのに、人間が外部から基準となる尺度（パラメータ）を与えていた。これに対して深層学習では、コンピュータ自体がその尺度を自動的に調整する仕組みになっている。グーグルは２０１２年にユーチューブにある１０００万の動画から猫の顔を認識するのに成功したが、その際に用いられていたのが深層学習の手法だった。

このように大量なデータを対象に、相関関係やパターンを認識するＡＩは、ビッグデータとの相性がすこぶるよい。これはＡＩならではの能力であり、人間には太刀打ちできない。

ルネ・デカルトが『方法序説』で述べたことを思い出してもらいたい。明晰な思考をするためには「できうるかぎり多くの、そうして、それらのものをよりよく解決するために求められるかぎり細かな、小部分に分割すること」が欠かせないと述べた。人間の内部や外部の情報を収集し尽くそうとするＩｏＥは、対象となっている問題を、できるかぎり多く、細かな小部分に分割して、その小部分がもつデータを取り出す試みだ。そして取り出したビッグデータをＡＩの分析にかけて有用な知見、すなわち情報に変えて社会にフィードバックする。繰り返しになるが、情報とはメッセージであり、メッセージは意味ある表現だった。

未使用の情報からメッセージを作り出す過程は、デカルトが示した明晰な思考態度をそっくりそのままなぞっている。そういう意味でＩｏＥを通じて得たビッグデータとＡＩの組み合わせは、全体を細かな要素に切り刻んで観察し、それを組み立てて全体像を示す、いわば西洋文化が得意とした「分割と総合」を徹底する態度とも言える。今後21世紀のデジタル情報技術は、未使用情報を徹底的に使用可能にして、そこから有用な知恵を得ることに突き進むに違いない。未使用情報は21世紀のデジタル情報時代におけるフロンティアなのだ。

そして、グーグルやアップル、アマゾン、マイクロソフト、さらにはゼネラル・エレクトリックなど、著名企業が競ってＡＩを研究するのは、このフロンティアでの勝ち組になるためだ。また、２０１６年にソフトバンクの孫正義(そんまさよし)社長が、スマートフォンやタブレット端末のプロセッサ市場で圧倒的な存在感をもつ英アームを買収したのも、ＩｏＥにおけるハードウェアの要を押さえ、それを得意のネットワークと組み合わせ、新たなフロンティアにおける勝ち組の一角に割り込む狙いからだったのであろう。

腕木通信の誕生から250年後の2044年、このフロンティアを制した企業が、想像をはるかに絶する強大な力を手にするに違いない。

統計的手法は本当に「最強」なのか

ところで、人間の知的能力を超えた装置が生まれたのはAIが初めてではない。たとえば、電卓をイメージしてもらいたい。電卓は四則演算を容易にこなす。その能力は人間が暗算や筆算で計算した時よりも素早く正確に答えを出力する。あるいは電卓があまりにも卑近(ひきん)ならば、パソコンに入っている表計算ソフトでも構わない。関数を用いた計算はもちろんのこと、データの並び替えや該当するデータの抽出など、人間の知的能力をはるかに超えた作業を表計算ソフトはこなす。つまり、人間の知的能力は特定分野においてずいぶん以前から機械に抜かされてしまっている。

もっとも、高性能コンピュータが電卓やパソコンをはるかにしのぐ能力を有していることに異論はない。実際、AIが統計学的に分析した結果を出力する能力には一目置かざるを得ない。しかしそれでもAIは万能ではない。

まず、AIは過去のデータにある相関関係を特定するものの、必ずしも因果関係までを明らかにするものではない、という点がある。相関関係とは、異なる出来事の間にある関連性を指すものであり、ある出来事が生じると別の出来事が生じる場合、両者には相関関係または共変関係があると言う。これに対して因果関係とは、ある出来事と別の出来事が原因と結果の関係にあることを指す。出来事Ｐが生じると出来事Ｑが必ず発生する場合、ＰとＱには因果関係がある。このように因果関係には、ある出来事が変化すると別の出来事もつられて変化する共変関係と時間的順序がある。

ただし出来事Ｐと出来事Ｑに共変関係があることがわかったとしても、これを理由に因果関係があるとは断定できない。両者の間で時間的順序が逆の場合も考えられる。また、ＰとＱには関係のない第3の要因が関連していることも考えられる。ＡＩをしても必ずや因果関係を突き止められるわけではない。突き止められるのは、統計的に見て「理由はわからないが両者には相関関係がある」という点までだと言えよう。

また、以上のようなプロセスを経て得られた結果は帰納的結論と言える。これを基にしてＡＩは演繹（えんえき）的にものごとを考えることもできるかもしれない。しかしながら、１００万回リンゴが落ちても、この事象からコンピュータが万有引力の法則を思いつくのは難しかろう。１００万回リンゴが落ちたうえでの帰納的結論とは、「リンゴはやがて落ちる」となろう。さらにこの帰納的結論に基づいて、「リンゴはやがて落ちる。これはリンゴである。このリンゴもやがて落ちる」のように演繹的展開もできよう。しかしこれではあまり意味がない。

そもそも人には帰納的思考法（インダクション）と演繹的思考法（ディダクション）とは別に仮説設定（アブダクション）という思考能力がある。ニュートンが偉大だったのは、リンゴが落ちるのを見て「リンゴはやがて落ちる」といった平凡な結論に至らずに、「リンゴに働いている力が、月や惑星にも働いているのではないか」と仮説を設定したことだ。この仮説からやがて万有引力の法則が生まれる。

この仮説設定能力は明らかにＡＩの不得意とする分野であり、逆に人間の得意とする分野と言えるだろう。アメリカの哲学者チャールズ・パースは、この仮説設定を、帰納法や演繹法と並ぶ思考技術と位置づけた。もちろん、ＡＩが出力した情報が人間による仮説設定に役立てられることは言うまでもない。ただしその場合のＡＩとは、前にもふれたＩＡ（知能増幅装置）として機能することになるのだろう。

ブラック・スワンに気をつけろ

また、ＡＩが分析の前提とする情報源についても注意を払いたい。２０１６年12月に、ネット新興企業のＤｅＮＡが、自社の運営するキュレーション・サイトに、サーチエンジンの上位にのることを目的にした、不正確で法に抵触する可能性のある情報を乱造していたことが明らかになった。これにより同社はサイトの閉鎖などの措置をとったが、これは同業他社にも飛び火して各社でサイトの閉鎖や一部閲覧中止の事態と発展した。こうした不正確な情報をＡＩが情報源として採用することも考えられよう。これは３Ｗのソフトウェアの水準が極端に低いことを意味する。するとＡＩの水準もこのボトルネックに準じざるを得ない。場合によっては「嘘をつくＡＩ」が生まれる可能性もある。

さらにもう一点、ＡＩの手法が過去のデータを統計学的に分析して最適な解を得るという点にも注意が必要だろう。統計学的とは可能性の高低を尺度にすると言い換えてもよい。たとえば、統計学の検定では棄却域を設け、ある仮説の可能性が５％、さらに厳しい場合は１％の棄却域に入ると、その仮説は棄却される。いわば統計学では外れ値は存在しないものとして無視されてしまう。ましてや過去の存在しないデータを扱うことなどできない。

しかし、世界の歴史は起こることがないはずのことが繰り返し起こる歴史でもあった。ニューヨークのワールド・トレード・センターに突っ込んだ旅客機は、まさに誰もが可能性１％未満の現象、あり得るはずのない出来事だと考えていたに違いない。また、東日本大震災によって発生した未曾有（みぞう）の原発事故も、「そんな事故は万が一にもあり得ない」と考えられていたのだろう。

かつて黒い白鳥は存在しないと考えられていた。これは目にする白鳥いずれもが白いことから帰納的に得られた結論だったと言える。ところが１羽でも黒い白鳥が見つかるとこの前提はもろくも崩れ去る（実際オーストラリアで黒い白鳥が発見された）。つまり過去にデータがない状態で未曾有の事態が発生した場合、つまりブラック・スワンが予期せず出来した時、過去のデータに基づくAIは判断を誤ることも考えられるわけだ。

プロローグでもふれたように、著作『ポスト・ヒューマン誕生』の作者であるレイ・カーツワイルは、テクノロジーが指数関数的な速度で進展し、人類の生活が激変する、来るべき未来がやって来ると主張し、これを特異点（シンギュラリティ）と呼ぶ。カーツワイルはこの時期を2045年に設定しており、この時期にコンピュータの知能は、人間の全知能よりも約10億倍強力になると主張する。さらに、人間の脳をスキャンしてコンピュータにアップロードすることが可能になり、遺伝子工学やナノボット（細胞と同じくらい小さなロボット）開発の進展により人間は不死になるとまで予言する。

カーツワイルが言うように、テクノロジーの急激な進展により、シンギュラリティが到来する可能性はあるに違いない。すでに私たちが見てきたようにテクノロジーとは可能性の展開であった。だからテクノロジーの向上がシンギュラリティを引き起こす可能性は否定できない。

しかしシンギュラリティの到来やそれにより人間が不死になるか否かはまた別次元の話だ。もちろんシンギュラリティとは別の可能性も考えられるし、その可能性も実現するかどうかもわからない。再びエジソンの蓄音機を思い出したい。エジソンは蓄音機にでさえ10の可能性を見出した。そして社会との相互作用で用途はそのうちの一つに収まった。たったこの一例を考えるだけでも、テクノロジーの進展という一側面からのみ遠い未来を唯一の可能性だけに決め打ちするのはかなり無謀としか言いようがない。その意味でエジソンは極めて謙虚だったと言える。

問題は人間の意志にあり

ブラック・スワンには対処が困難とはいえ、IoEやビッグデータ、AIの価値が消滅するわけではない。人が適切な判断をするうえでコンピュータによる高度な処理はますます欠かせないものとなる。それは未使用情報が次々と使用可能になることからも明らかだ。とはいえ、使用可能な情報が増加するということは、選択の可能性が増えることを意味する。ここに新たな問題が生じる可能性がある。

人は激増する選択肢から自分にとってよりよい選択をしようと努めるだろう。そしてこれこそはというものを選ぶ。ところが、選択肢が多ければ多いほど、それぞれの選択肢に関する得失を計算するのは難しくなる。その結果、良かれと思って選択した直後から、より良い選択がほかにあったのではないかと後悔してしまう。利得の最大化を目指す人（これをマキシマイザーと呼ぶ）ほどこの傾向が強くなる。このような後悔を回避しようと思うと、別の選択肢が浮上する。それは何も選択しないという選択だ。これならば少なくとも何かを選択したあとの後悔は回避できるだろう。この点に関して面白い実験がある。

心理学者シーナ・アイエンガーは、スーパーの目のつく場所にジャムの試食コーナーを設け、試食した顧客にはジャムの購入に使える1週間有効のクーポンを提供した。その際に、数時間ごとに提供するジャムの種類を6種類と24種類に変更する実験を行った[4]。試食した人の数は24種類の方が多かった。しかし、試食コーナーで配布したクーポンを実際に使った人を集計してみると、6種類の試食に立ち寄った客はその30％（31人）がクーポンを利用してジャムを購入したのに対して、24種類の試食に立ち寄った客がクーポンを利用した割合はわずか3％（4人）にしか過ぎなかった。

この実験結果からアイエンガーは、確かに人の興味を引くにはジャムの種類が多い方（言い換えると選択肢が多い方）が好ましく見えるようだが、その後に続く購買のことを考えると、効果は選択肢がある程度限定されている方に分があるのではないか、と述べている。選択肢の多さが必ずしも、人の選択を促すことにはつながらないのだ。

一方で、あまりにも選択肢が多いため、「選択しない選択」を選択しようかと考えている男がいるとしよう。そこへＡＩが登場して、その人物にとって最もふさわしい選択を示してくれるという。この男は喜んでＡＩの指示に従って「最良の選択」をした。しかし世の中は選択の連続だ。一度の選択で人生が終わるわけではない。こうしてその男は、次々と現れる選択肢の場面でＡＩに頼るようになる。

これが嵩（こう）じるとどうなるか。だいたいは予想がつくだろう。人生で重要な選択の局面、たとえば進学先の選択、職業の選択、あるいは伴侶の選択、さらには老後の施設や墓場の選択までＡＩに頼り切りになるのではないか。「選択しない選択」がコインの表側とすれば、「ＡＩへの丸投げ」は同じコインの裏側と言えよう。そのコインの特徴とは、自ら積極的に選択しないことによる責任の回避にあるように見える。

怖いのは、選択をＡＩに丸投げすればするほど、そして多くの人がそうすればそうするほど、社会はジョージ・オーウェルが描いた『１９８４年』に近づいていくという事実ではないか。そもそも民主主義国家にビッグ・ブラザーという独裁者は存在しない（と願いたい）。しかし人が便利だからとＡＩに判断を仰げば仰ぐほど、ＡＩはやがてビッグ・ブラザーの衣をまとうことになる。これは人が自ら率先して１９８４年の世界を形成し、その世界へ喜んで身を投じることを意味している。

しかし、ＡＩに頼れば頼るほど、人間本来が持っている自由意志を喪失するとは何とも皮肉な話だ。なるほど、ＡＩに判断を任せるのも自由意志の一つの形態だろう。しかし、人の生き方すべての判断を第三者に委（ゆだ）ねることに、本当に自由意志が働いているのかどうか、熟考すべきではないか。

深刻化する正と負の相克(そうこく)

ＡＩの利用価値は高い。しかし過度の依存は１９８４年現象を招く。利得だったはずのものが実は損失を生み出すという逆説が生じる。しかしこれはＡＩに限った話ではない。情報技術全体に言えることでもあり、情報技術をも含むより大きな次元でのテクノロジー全体についても言えることだ。

テクノロジーは可能性の展開だった。可能性には正負両面があった。したがって可能性としてのテクノロジーは本来的に逆説的な結果群をもたらすものなのだろう。

そして人間は、あるテクノロジーが招いた正の結果と負の結果を両睨(にら)みしながら、より高次の総合的な解決策へと止揚してきた。可謬(かびゅう)主義はこのような弁証法的進展を積極的に支持してきた。言い換えると文明の歴史とは、古い装置群（もちろんこの装置にはソフトウェアとしての制度も含む）の上に新しい装置群を止揚、すなわち正負の対立を超えた第三の案を提示し、導入する歴史だったと言えるのかもしれない。

このように、「テクノロジーの誕生→正の結果→負の結果→新たなテクノロジーへの総合」という弁証法的あるいは可謬主義的な過程を経て、社会はますます複雑性の度合いを高めている。そのため良かれと思って社会に投入したテクノロジーが、思いもよらぬ領域で負の結果を招く可能性がますます高くなっている。この可能性は社会の複雑性が増すほどに高まらざるを得ない。こうして現代社会は、至るところで正負両面の対立が噴出する、いわばかつてないという意味で「超」相克の時代を迎えている。そしてこのトレンドはこれからも止むことはないだろう。

繰り返しになるがＡＩの利用価値は高い。これは正の面と評価できる。これに対してＡＩへの過度の依存は１９８４年現象を招く。これは負の面と言える。以上からも明らかのように、ＡＩの利用における正負両面の対立は、「超」相克時代の一つの局面を示している。そして「超」と表現するくらいだから、正負両面が対立する局面はそれこそ多種多様かつ多発的に生起しようとしているのがいまの時代の特徴だと言えるだろう。

では、多種多様かつ多発的に生起している正負両面の対立にはほかにどのようなものがあるのか。エピローグでは情報技術が生み出した深刻な正と負の相克で、本書が射程にする２０４４年に向けて今後も続くと予想され、何らかの解決策による止揚が必要となるものを三つ取り上げることにする。

エピローグ

「超」相克の時代を迎えて

「シナジーと寡占」あるいは「共有地と所有地」の相克

まずはシナジーという言葉から始めよう。シナジーは「相乗効果」と訳されるのが一般的だ。近年は経営論で用いることが多いことから、たとえば広辞苑を見ても「経営戦略で、事業や経営資源を適切に結合することによって生まれる相乗効果のこと」と説明している。しかしシナジーには、現在一般的に用いられているのとは別の意味がある。

アメリカの文化人類学者ルース・ベネディクトは、『菊と刀』の著者であり、この書籍の中で日米の文化を比較し、アメリカ文化を罪の文化、日本文化を恥の文化と規定したことで著名だ。また、あまり知られてはいないが、文化人類学的観点から「シナジー」という語を原始的文化の健康度を示す基準として用いたのもベネディクトだった[1]。

ベネディクトによると、個人や組織の利己主義が他人や社会を助けることにつながり、また他人を助けようとする利他主義が個人や組織に利益をもたらす状況、いわば「利己主義と利他主義の二分法の超越」がシナジーにほかならない。そしてベネディクトは、シナジーが高いほどその文化は健康的で、低いほど不健康な文化だと定義し、前者をハイ・シナジー文化、後者をロー・シナジー文化と呼んだ。

シナジーが高い状況を具体的に考えてみよう。実はハイ・シナジーの状況は身近にいくらでもある。たとえば、クリスマス・イブの夜、眠りについた子供の枕元に、プレゼントを置くパパとママの姿をイメージしてもらいたい。翌朝、目を覚ましたその子は枕元にあるプレゼントを見て大喜びするに違いない。また、喜ぶ子供の姿を見てパパもママも幸福な気分になるはずだ。パパやママにとってプレゼントは子供のためのものだから利他的と言える。しかし子供の喜ぶ姿から幸福感が得られるのだから自己の利益にもかなう。したがってこの状況はシナジーが比較的高い状態と言えるだろう。

あるいは、ある商店街の店主が、多くのお客を呼び寄せるため、毎朝店舗前の道をきれいに清掃するとしよう。これは利己的な動機から始まった活動だ。一方、同じ商店街の他の店主もやはり利己的な動機から毎朝店舗の前の道を清掃したとする。その結果どうなるか。商店街全体が常に清掃された美しい状態になり、これにより多くの客が商店街に来ることが期待できるだろう。つまり店主の利己主義が結果として商店街全体を利する利他的行為となる。こちらの状況もやはりシナジーが比較的高い状態と言える。

要するに、自分を満足させる活動が他人をも満足させること、これがベネディクトの言うシナジーにほかならない。現在一般的に用いられるシナジーとはニュアンスがかなり異なることがわかるだろう。

ハイ・シナジーはネット社会にもある。先にグーグル・マップの話をした。このサービスを利用するのは自分に利益があるからだ（繰り返しになるが方向音痴ほど高い利益を得られる)。ただし、このサービスを十分に利用しようと思うと、自分の位置情報を公開することになる。そして多くの位置情報が集まることで、渋滞情報などといったより価値の高い情報を、サービスに参加するメンバー全員が利用できる可能性が高まる。まさにこのサービスを利用すること自体が利己的であると同時に利他的な行為となる。

ハイ・シナジーが特に顕著なのはSNSの世界だろう。SNSに参加する人は生産者として自分の情報を投稿し、消費者として友達の情報を閲覧して「いいね」ボタンを押す。プロシューマーとしてのSNS参加者がこれらの行為で満足を得られるとするならば、それは自己の利益にかなうから利己的活動と言える。

その一方で、SNSに参加する大勢のプロシューマーが互いに情報を共有することでSNSは活性化してその価値は高まるだろう。つまりプロシューマーの利己的な活動がSNS全体に対する利他的活動になる。このようにSNSの構造は極めてハイ・シナジーな特徴を備えており、それはSNSへの参加者が多ければ多いほど高まる傾向にある。

ある情報工学者は、SNSがもつこの構造をシナジーという言葉を用いずに「二重のご利益(やく)ループ[2]」と表現している。個人にもSNS全体にも双方にメリットがあるからこのような言葉を使ったのだろう。確かにその特徴をうまく表現した言葉だと思う。しかしわざわざ造語を使わなくてもシナジーと言えばよい。おそらくシナジーがもつ別の意味を知らず、そのためSNSがハイ・シナジーであることがわからなかったのだろう。もっとも、ここで注目したいのはシナジーに対する理解度不足ではなく、シナジーがマーケティングの対象になっているという事実だ。そこに逆説的かつ皮肉な相克が生まれている。

マーケティングとは「ニーズに応えて利益を得ること[3]」と定義したのはフィリップ・コトラーだった。事業者はプロシューマーのニーズに応えて、いわばＳＮＳという共有地を提供する。しかしニーズに応えて利益を得ないのは慈善行為だ（ちなみにニーズに応えず利益を得ることを詐欺と言う）。もちろんビジネスとして提供しているＳＮＳは慈善事業ではないから、企業としては利益を上げなければならない。

こうして事業者が、ＳＮＳから得られる情報を利益に変えようと考えるのはごく自然な流れと言えよう。その結果、ＳＮＳでは、参加するプロシューマーが生産消費した情報を、その人物の嗜好（しこう）を把握して適切な広告を表示する行動ターゲティング広告に活用することになる。つまりＳＮＳが共有地というのは幻想であり、ＳＮＳの参加者は事業者の所有地で情報を生産し消費し広告のターゲットになる。これが正しいとすると、ＳＮＳはハイ・シナジーの構造に見えるけれど、シナジーをマーケティングに活用したビジネスであり、共有地の提供者が利益を独占する実はロー・シナジーなモデルだと言える。

ウェブ２・０が言うユーザー参加型のビジネスではネットワーク外部性が強く働く。参加者が多くなると共有地の価値は高まり、より多くの参加者を引きつける。これが共有地の価値をさらに高める。こうして事業者の所有地である「みんなの場」は、一極に集中する傾向が強まる。いまインターネット上では、特定のサービスについて、特定の企業が市場を寡占的に支配しているのは右の事実の左証となる。

このように共有地として発展するほど、一部の企業に利益が集中する。このトレンドが今後も続くとすると、ネット上の主要サービスは極めて少数の企業の所有となる可能性がある。これは地球最大のコモンズ（共有地）であるインターネットが、少数企業の所有地になることを意味すると言ってもいいかもしれない。私たちは幻想の共有地と引き換えに独占や寡占を容認するのか。それとも独占や寡占に反対してユーザー参加型サービスをボイコットするのか。いずれにも満足できないとしたら、私たちはこの相克を止揚する解決策を見つけ出さなければならない。

「利便性とプライバシー」の相克

先にAIへの依存が「1984年現象」をもたらすと述べた。いまのところビッグ・ブラザーは姿を現していないと思うが（再びそうであることを願う）、個人の利便性の追求という正の側面が、1984年的な管理社会という負の側面を生み出しつつあるのは現実ではないか。

現在、インターネット上のサービスを十分に利用しようと思うと、利用者自身の情報をどうしても公開する必要がある。しかも情報を公開すればするほど、より便利な使い方ができるようになっているのが現状だから悩ましい。公開する情報は氏名や年齢などのいわゆる狭義の個人情報だけとは限らない。たとえば検索サイトに入力するキーワードを考えてみてもらいたい。入力するキーワードは一般に自分が興味をもっている内容だろう。これがサービス提供者のサーバーに、私たちのブラウザのIDと紐付けされたログとして残っている。あるいは、ネット企業が提供する電子メールサービスを利用している人も多いと思う。ネット企業は膨大な人々がやりとりするメールをサーバーに保存する。私たちは必要な時に見たいメールにどこからでもアクセスできるからとても便利だ。しかしメールでやりとりする内容は極めてプライベートなものもあるわけで、私たちはそうした情報をネット企業に託していることになる。

ネット企業が提供するスケジュール管理サービスもとても便利だ。こちらも、いつからどこからでも、どのような端末からでもアクセスできる。しかし見方を変えると、これは私たちが将来とろうとしている行動をあらかじめネット企業に伝えていることにほかならない。また、長期間スケジュールをつければ、その人物の生活パターンが容易に把握できるだろう。これも明らかに個人情報の一種を公開していることになる。

ＳＮＳを使ってごく親しい仲間とだけ情報をやりとりしているつもりでも、サービスを提供している企業にはすべて筒抜けだ。ｅコマースのサイトで買い物すること自体も、購買履歴という個人情報をそのサイトを運営する企業に提供していることになる。一般的なeコマースサイトではあとから自分の購入履歴を確認できるようになっている。これは個人にとって便利なサービスではあるが、見方を変えるとeコマースサイトがその人の購入履歴をがっちり管理していることを意味している。

音楽や映像好きな人は、いまやストリーミングによる音楽や映像の配信サービスを利用しているだろう。また本好きならばすでに電子書籍を愛用しているに違いない。配信サービスで利用した曲や動画は事業者のサーバーにログとして残る。また電子書籍で読んだ本やマーカーを付けた個所も事業者のサーバーにログとして残る。私たちが好きだと思っている音楽も映像も本も、また重要だと判断している考え方も、みんなネットの向こう側にログとして残っている。

このように見てくると、私たちはネット上に、私たちがとってきた行動や趣味、嗜好といった情報の残滓（ざんし）を夥（おびただ）しく残していることがわかるだろう。これらを収集して整理すれば、まったくの赤の他人が、私たち個々人の人物像をかなりリアルに再現できるに違いない。実際グーグルの情報プッシュサービス「グーグル・ナウ」では、利用者のウェブ閲覧履歴や現在の居場所、スケジュールなどを分析して、必要な情報を適切なタイミングで提供してくれる。個人情報をベースにした人物像の素描なくして、グーグル・ナウのサービスはあり得ない。また、アメリカ国防省の諜報部門である国家安全保障局（ＮＳＡ）は、世界中で行われているメールや電話の通信、クレジットカードの利用履歴までも把握しているという話もある。企業のみならず国家にとってもインターネットはまさに個人に関する情報の宝庫ということになるだろう。

18世紀の功利主義哲学者ジェレミー・ベンサムは、犯罪人の更正を促して社会の幸福量の増大をはかろうと考え、パノプティコンという名の刑務所を構想した人として知られる。この施設では中央に監視塔がありその周囲を独房が取り囲む。監視塔からは独房の中が手に取るようにわかるが、独房から監視塔を見ると、特殊な仕組みにより監視人がいるのかどうかもわからない。しかし囚人は「監視人が見ているのではないか」という疑心暗鬼にとらわれ、脱走などの悪事を働かなくなる。ちなみにパノプティコンとは「すべてを一望に見渡す」という意味で、一望監視施設とも呼ばれる。

このパノプティコンの考え方を現代社会に適用したのが、フランスの哲学者ミシェル・フーコーだった。かつての権力者は罪人を公衆の面前で処刑することで権力を誇示した。いわば見世物の社会だった。これに対して現代社会の権力者は、規律や訓練を個人に押しつけ、社会というパノプティコンの中で監視する。これは見世物の社会に対する監視の社会だとフーコーは断じた[4]。

フーコーがこのように述べたのは著作『監獄の誕生』（1977年）でのことだった。それから40年以上が過ぎ、インターネットが普及した現代社会では、さらなるパノプティコン化が進展していると言えよう。もはやインターネットの利便性を放棄できない私たちは、こうした現実を受け入れざるを得ないのだろうか。それとも、個人情報を秘匿するためインターネットや電話といった情報技術の使用を一切止めるべきなのだろうか。いずれにも満足できないとしたら、私たちはこの相克を止揚する解決策を見つけ出さなければならない。

「世界と地域」の相克

情報技術が国際化を押し進める要因の一つとなったことは紛れもない事実だろう。古くは腕木通信の時代に、フランスの腕木通信とスペインの腕木通信との間でメッセージの交換が行われた。国内のみならず国家間で意思の疎通が行えるのだから、これは明らかに情報技術による国際化の一例だと言えよう。ちなみに通信ネットワークと別の通信ネットワークを結ぶのがインターネットワーキングだから、フランスとスペインの事例はインターネットの嚆矢とも言えなくはない。

この国際化は電信の時代になると、電信線が世界中に張り巡らされることで、まさに全地球的に進展した。すでに明治時代の後半には、価格は目の玉が飛び出るほど高価だったものの、アメリカから日本へ国際電信を打つことは、民間人でもさして難しいことではなかった。これはすでにこの時期に、情報技術による国際化の波が、個人レベルにまで押し寄せていたことを示している。これが電話の時代、さらにはインターネットの時代になると、世界と地域の距離は大きく縮まったと言わざるを得ない。

しかし国際化は国家主義(ナショナリズム)を生み出すという逆説を孕(はら)んでいる点に注意すべきだ。というのも国際化によって国家のアイデンティティが希薄になると、その揺り戻しとして国家に目覚める機運が高まるからだ。実は同様のことが電信の時代に起きている。

1830年代後半に実用化が始まった電信は、19世紀末までに世界中で急激な普及を遂げ、1902年には世界を一周する電信線が完成した。「海底ケーブルは大西洋の凍りつくような海底に冷たく死んだまま横たわっている鉄の鎖ではない。それは生きていて、切り離された人間家族の血肉の通った結びつきであり、そこを愛と優しさに溢(あふ)れた信号が永遠に行き来する。この強い絆は人類を1つに結びつけ、平和と協調をもたらす[5]」と言ったのは、大西洋に初めて海底ケーブルを敷設したサイラス・フィールドの弟ヘンリーだった。しかし、ヘンリーの言う通りにはならなかった。電信は帝国主義と結び付き、インヴィジブル・ウェポンとして、国家の勢力を拡大するための武器として使用されることになる。

インターネットが普及した現在、国際化はますます進展している。そもそもインターネットに国境は存在しないため、国際化への推進力を防ぐのはあまりに困難だ。たとえば、ネットワーク上で信頼性の高い取引を実現するブロックチェーン技術を用いた仮想通貨による国際送金サービスがいまや現実になりつつある。仮に今後、仮想通貨による売買や取引が普及すれば、国家が発行する通貨の意味さえ雲散霧消してしまう可能性がある。

　このような過激な国際化の可能性がある一方で、国家主義の機運が高まっているようにも見える。イギリスがEUからの離脱を決定し、ヨーロッパでは極右勢力の台頭が著しい。ISの力は衰えることなく、インターネットを活用して巧みな宣伝工作に余念がないという。アメリカでは国家最優先のドナルド・トランプが大統領の座を射止め、それよりも一足先にフィリピンではやはり国家第一を標榜したロドリゴ・ドゥテルテが大統領の座に就いた。中国の南シナ海や東シナ海への勢力拡大を目指し、孤立気味の北朝鮮は世界の注目を集めようとミサイルを次々と打ち上げる。

　このように内を向く世界がすべて情報技術による国際化に起因するとは言えない。しかし情報技術は国際化を促すと同時に、国家主義・民族主義をあおる一面もあるようだ。国際化の進展は止めようもないから、地域の紛争には目をつぶるべきなのだろうか。それとも、地域を最優先にすべきであって、もはや国際化を推し進めるべきではないのだろうか。いずれにも満足できないとしたら、私たちはこの相克を止揚する解決策を見つけ出さなければならない。

終わりなき可能性追求の運動

このほかにも情報技術の進展で、選択肢が増えれば増えるほど選択不全が生じる逆説、効率化が進めば進むほど失業が増える逆説、満足を追求すればするほど思考停止が進む逆説などなど、現代は逆説だらけで矛盾がはびこっている。情報技術による正負の相克があちこちで生じている。混迷はさらに深まるかのようだ。

しかしながらこのような推移は、遷移のアナロジーで考えてみると当然であることがわかる。遷移の最終段階では、その地域の気候に応じて最も安定した植生に落ち着くことになる。この最終的な植生を極相（クライマックス）と呼ぶ。この理論により世界はいくつかの自然地区に整理されたわけだ。

とはいえ、情報技術を対象にした場合、気候条件は情報技術を極相に至らせる要因にはなり得ない（人類を破壊する気候変動が生じたとしたら別だが）。というのも、情報技術と人と社会の3者は相互作用する関係にあり、それぞれが互いに影響を及ぼす。環境の変化に応じて新たな情報技術が誕生すると、再び相互作用が生じて新たな環境が発生し、新たな情報技術が生まれる素地が作り出されるからだ。

こうした運動が絶え間なく続くとしたら、情報技術が極相（きょくそう）に至る、言い換えると安定してそれ以上発展しない状況に至ると想像するのは極めて困難になる。遷移のアナロジーからすると、情報技術の進展は止むことはない、という結論になる。これは情報技術も含めたテクノロジーを生態史観の立場で見た際に得られる極めて重要なポイントだと言えよう。梅棹忠夫は次の言葉を残している。

相互作用の過程はとどまるところがない。変形され、改造された環境は、新しい仕方において主体に働きかえす。すでにして場の影響をうけた主体は、さらに新しい仕方においてまた環境に働きかえす。アクション・リアクションの作用様式は、相互的・同時的であるばかりでなく、相加的・漸進的である。あらわれた現象は、その物理学からの借用語がしばしば誤解せしめるような、力学的な均衡系ではない。それは、つねに矛盾をふくみ変化をはらみつつ動いてゆく運動系である[6]。

ITの250年はこの運動系の歴史であり、この運動は矛盾をはらみつつも今後も進んでいく。となるとその運動とは、矛盾を解消し、また生じる次の矛盾を解消する活動の繰り返しと言えるのかもしれない。しかし矛盾が頂点に達した時、この運動はどのような幕を引くのだろうか。実はこの点について梅棹は不気味な言葉を残している。

1960年代の終わりに梅棹忠夫が構想し、結局、完成に至らなかった著作に『人類の未来』がある。この作品は河出書房の「世界の歴史」シリーズ全25巻の最終刊を飾る予定だった。しかし梅棹は目次のみを残して結局本にすることはなかった。目次の終わりは「エピローグ」で、その中に「地球水洗便所説」という節がある。推測にしか過ぎないが、梅棹は屋上屋(じょうおく)を架すがごとく、矛盾の解消がさらに矛盾を生み出す人類はやがて行き詰まり、水洗便所に水を流すがごとく、人類はどこかでご破算を迎えると考えていたのではないか。

ただし救われるのは、「エピローグ」の最終項目(「地球水洗便所説」の次の節に相当)に「暗黒のかなたの光明」と記されている点だ。梅棹は、人類がご破算を回避する可能性を念頭に置いていたことが、この表現から伝わってくるように思う。では、その光明とは何か。

暗黒のかなたの光明

その光明のヒントとして、ここでは先にふれたシナジーを挙げたい。

シナジーとは、個人や組織の利己主義が他人や社会を助け、また他人や社会を助けようとする利他主義が個人や組織に利益をもたらす状況を指した。利己主義が社会を富ませ、利他主義が個人を富ませるほどハイ・シナジーであり、その社会の文化度は高くなる。

情報技術に特化して考えてみよう。ここに私とパートナーからなる家族がある。自分にとっての利益がパートナーのためになり、パートナーにとって利益になることが私のためになる。情報技術をそのように利用したら、これはハイ・シナジーな状態だと言えるだろう。しかし二人にとって利益になる行為も、家族が属するより高いレベル（たとえばお隣近所を含めたコミュニティ）にとって害ならば、その活動はハイ・シナジーではなく、ロー・シナジーと言わざるを得ない。

あるいは、私にとっての利益が組織のためになり、組織にとって利益になることが私のためになる。情報技術をそのように利用したら、これはハイ・シナジーな状態だと言えるだろう。しかし、組織を包含するもっと高いレベル（たとえば地域社会、その組織が属する業界など）にとって害ならば、その活動はハイ・シナジーとは言えない。組織に閉じた利己的な活動だからロー・シナジーとなる。

同様に組織の活動が地域社会の利益になると同時に組織の利益になったとしても、より高いレベル（たとえば国家）にとって害となるならば、その活動はハイ・シナジーとは言えない。地域社会に閉じた活動だからロー・シナジーとなる。さらに国家の活動が同盟国の利益になると同時に国家の利益になったとしても、より高いレベル（たとえば地球）にとって害となるならば、その活動はハイ・シナジーとは言えない。グループ国家に閉じた利己的な活動だからロー・シナジーとなる。

このように考えると、情報技術が家族や組織、地域社会、国家、地球とのシナジーを高めるのか否かを問う態度、いわば「ハイ・シナジーの可否」を基準にして活動を取捨選択すれば、情報技術の未来はきっと明るいものになろう。同様のことはテクノロジー全体、そして梅棹が問題にした文明や人類についても言えるように思う。その行く末は極めてハイ・シナジーな地球村の誕生である。

とはいえ、愉快犯や詐欺レベルのものから、世界の攪乱を目的とするものまで、情報技術を用いた犯罪が次々と繰り返されている。サイバー・テロリストを養成する国家もある。これが現実だ。そこにはシナジーのかけらさえない。彼ら犯罪者にシナジーを説くのは、馬に念仏を唱えるようにも思える。シナジーに光明を見出すことは、所詮、理想論であって実に甘すぎる夢なのだろうか。

それとも、「完璧は不可能だとしても、完璧を目指すことはできる」とする可謬主義の考え方に立つと、シナジーの追求は、可能性の展開として考慮する価値がある態度だろうか。梅棹さんならどう考えるだろうか――。

西暦	関連事項	世界・日本の動き
1794	フランスのパリ〜リール間で腕木通信が公式スタートする。	
1799	この年、腕木通信の総距離が1426kmになる。	ナポレオンが政権を奪取する。
1800	ヴォルタが電池を発明する。	
1805	クロード・シャップが自殺する。	1814　ナポレオンが退位。フランスで王制復古。
1820	ハンス・エルステッドが電流の磁気作用を発見する。	
1823	チャールズ・バベッジの階差機関に英政府が助成金を拠出。	1830　フランスで7月革命が起こる。
1832	サミュエル・モールスがモールス電信を着想する。 フランスのシャルル・アヴァスがアヴァス通信社を設立する。	
1833	アレクサンドル・フェリエがパリ〜ルーアン間に私設腕木通信線を開設。	天保の大飢饉。
1834	フランスで史上初のネットワーク犯罪が発生する。	
1837	イギリスのクックとホイートストンが5針式電信機の特許を取得。	ヴィクトリア女王が女王の座に就く(〜1901)。
1839	グレート・ウェスタン鉄道がクックとホイートストンの電信を採用する。	1840　アヘン戦争(〜42)。
1843	アレクサンドル・デュマが『モンテ・クリスト伯』の連載を始める。 ファクシミリの原型となる自動電解式記録電信機の特許が取得される。	
1844	アメリカのワシントン〜ボルチモア間でモールス式電信が始まる。	オランダ国王、徳川幕府に開国を勧告。
1845	フランスでフォア・ブレゲ式電信の本サービスがスタートする。	
1846	フランス国内の腕木通信の総距離がピークの4081kmになる。	
1851	カレー〜ドーバー間に世界初の国際海底電信線が完成する。 ユーリウス・ロイターがロンドンにロイター通信社を設立する。	第1回ロンドン万国博覧会が開催される。
1854	早くもアメリカの電信線の総距離が6万6227kmに達する。	ペリー来航。日米和親条約を締結。
1855	フランス国内の腕木通信が全廃となる。	
1858	大西洋横断海底電信線が完成する(2ヶ月後に不通となる)。	1861　南北戦争勃発(〜65)。
1863	ジュール・ヴェルヌが『二十世紀のパリ』を執筆する。	薩英戦争。

年	出来事	同時代の出来事
1865	万国電信連合（現在の国際通信連合の前身）が成立する。 フランスのパリ〜リヨン間でパンテレグラフのサービスが始まる。	1864　四国艦隊下関砲撃事件。
1871	上海〜長崎間が電信で結ばれる。	1868　元号が明治に変わる。 岩倉遣外使節団が欧米に出発。
1873	東京〜長崎間が電信で結ばれる。	
1876	酒井忠恕が「情報」という語を初めて用いる。 アレクサンダー・グラハム・ベルが電話の特許を取得する。	1877　エジソンが蓄音機を発明。西南戦争。
1878	電話交換機が開発される。	
1881	パリ国際電気博覧会でテアトロフォンが人気に。	アメリカで鉄道建設ブーム（〜91）。
1885	市外長距離の電話サービスを提供するAT&Tが設立される。	1889　大日本帝国憲法発布。
1890	東京と横浜で電話が開通する。	
1893	ハンガリーのテレフォン・ヒルモンドが電話線による番組配信を始める。	1894　日清戦争（〜95）。
1895	グリエルモ・マルコーニが2・4kmの無線伝送に成功する。	
1896	マルコーニがイギリスで無線電信の特許を取得する。	1898　ファショダ事件。
1901	マルコーニが大西洋横断の無線電信に成功する。	
1902	イギリスが世界を一周する電信線を完成させる。	1904　日露戦争（〜05）。
1906	レジナルド・フェデッセンが無線電話の実験に成功する。	
1907	リー・ド・フォレストがラジオ放送の実験を行う。	
1909	マルコーニがノーベル物理学賞を受賞する。 ヨーゼフ・シュンペーターが『経済発展の理論』を出版する。	1910　韓国併合。 明治天皇歿、大正と改元。
1912	タイタニック号が処女航海で沈没する。この時、デービッド・サーノフが無線通信士として緊急メッセージを受信する。	
1913	エッフェル塔から無線電信で世界標準時間を発信。	
1914	「海上における人命の安全のための国際条約」が成立する。	第一次世界大戦が勃発する（〜1918）。
1920	世界初の商業ラジオ放送局KDKA局がアメリカのピッツバーグで開局。	

西暦	関連事項	世界・日本の動き
1921	RCAがラジオ放送を開始。ラジオ受信機が爆発的に売れ出す。	
1922	ラジオの広告放送およびチェーン放送がスタートする。	
1924	CTR社が社名をインターナショナル・ビジネス・マシン(IBM)社に変更。	
1925	日本でラジオ放送がスタートする。	
1926	高柳健次郎がブラウン管に「イ」の字を表示する。	1933 ヒトラーが首相に就任。
1939	アメリカのNBCがテレビの定時放送を開始する。	第二次世界大戦が勃発する。
1945	ヴァネヴァー・ブッシュが「われわれが思考するごとく」を発表。	第二次世界大戦が終結する。
1946	汎用電子式コンピュータのエニアックが完成する。	日本国憲法公布。
1948	クロード・シャノンが「通信の数学的理論」を発表する。	1950 朝鮮戦争勃発(～51)。
1951	日本で民間の商業ラジオ放送局が開局する。	サンフランシスコ講和条約。日米安全保障条約。
1953	NHK、続いて日本テレビ放送網がテレビ放送を開始する。	
1957	梅棹忠夫が「文明の生態史観序説」を発表。	ソ連が人工衛星スプートニクの打ち上げに成功する。
1960	日本でカラーテレビの本放送が始まる。	
1961	梅棹忠夫が「情報産業」という語を初めて用いる。	
1962	ポール・バランが「分散型通信について」を発表する(～1964)。	
1964	マーシャル・マクルーハンが『メディア論』を出版。 IBMがシステム360を発売し大ヒットになる。	東京オリンピック
1965	日本では9割の世帯にテレビが普及する。	
1966	インターネットの前身にあたるARPAネットの構想がスタートする。	
1967	ダニエル・ベルが「脱工業社会のノート(I)(II)」を発表。 ポケットベルのサービスが始まる。	
1968	ダグラス・エンゲルバートがNLSのデモを行う。	

年	できごと	社会のできごと
1969	ARPAネットが稼動する。	宇宙船アポロ11号、月面着陸。
		1970　日本万国博覧会開催。
1973	アラン・ケイらがアルトを開発する。	円、変動相場制。狂乱物価、インフレ発生。
1974	インテルがMPU8080を世に送り出す。	日本、戦後初のマイナス成長。
1975	アルテア8800が「ポピュラー・エレクトロニクス」の表紙に載る。	
	ビル・ゲイツとポール・アレンがマイクロソフトを設立する。	
1976	スティーブ・ジョブズとスティーブ・ウォズニアックがアップル・コンピュータを設立する。	ロッキード事件発覚。田中角栄逮捕。
1979	自動車電話のサービスがスタートする。	
1980	アルビン・トフラーが『第三の波』を出版。	
	日本独自のアナログ・ハイビジョン方式MUSEが発表される。	日米貿易摩擦が激化。
1984	アップルがGUIのマッキントッシュを発売する。	
	慶應義塾大学の村井純らがJUネットを構築する。	1985　プラザ合意。バブル経済が始まる。
1987	携帯電話サービスがスタートする。	1989　昭和天皇歿、平成に改元。
1988	デジタル電話INS64のサービスが始まる。	1991　ソ連崩壊。
1992	商用ISPのインターネット・イニシアチブ・ジャパンが成立する。	ビル・クリントンが大統領に就任。
1993	NCSAモザイクが世に出て、WWWが急速に普及する。	
1995	ジェフ・ベゾスがインターネット書店アマゾンを始める。	地下鉄サリン事件。
	マイクロソフトが新OSのWindows95を発売。ウィンテル時代の始まり。	1997　香港、中国に返還。
1998	ラリー・ペイジとサーゲイ・ブリンがグーグルを創業する。	
2000	郵政省『通信白書』がITを特集する。	
	BSデジタル放送がスタートする。	
2001	光回線によるFTTHのサービスが都市部で始まる。	アメリカ同時多発テロ。

西暦	関連事項	世界・日本の動き
2002	ブログの普及が始まる。	2003　イラク戦争が始まる。
2004	マーク・ザッカーバーグがザ・フェイスブックを開始する。	
2005	レイ・カーツワイルが『ポスト・ヒューマン誕生』を出版。	ライブドア事件。
	Web2.0が流行語になる。	
2006	グーグルがユーチューブを買収する。	
2007	アナログ・ハイビジョン放送が終了する。	
2007	アップルのiPhoneが発売される。スマートフォン時代の始まり。	2008　リーマン・ショック。
2009	グーグルが自動運転プロジェクトをスタートさせる。	バラク・オバマが大統領就任。
2010	アップルがタブレット端末iPadを発売する。	2011　東日本大震災。
2011	スティーブ・ジョブズが死去。	
2013	AIやビッグデータ、IoTに対する注目が高まる。	
2015	ネットフリックスなどの定額動画配信サービスが日本に上陸。	2017　ドナルド・トランプが米国大統領に就任。
2018	アップルの株式時価総額が世界で初めて1兆ドルを超える。GAFA時代。	日産、カルロス・ゴーン会長を逮捕。
2019	フェイスブックがデジタル通過リブラ構想を発表。	
2020	第五世代(5G)の移動体通信サービスが始まる。	中国武漢発の新型コロナウィルスが猛威を振るう。
	NHKがインターネットへの番組常時同時配信を始める。	東京オリンピックが延期に。
2045	シンギュラリティ(技術的特異点)が到来する?	

注

1　ユージン・ライオンズ著、高橋達男訳『サーノフ』（１９６９年、河出書房新社）Ｐ１８５

プロローグ

1　この点については小野厚夫『情報ということば』（２０１６年、冨山房インターナショナル）に詳しい。
2　梅棹忠夫『梅棹忠夫著作集　第14巻　情報と文明』（１９９１年、中央公論新社）Ｐ９
3　同、P24
4　Daniel Bell「Notes on the post-industrial society (I) (II)」(http://www.nationalaffairs.com/public_interest/detail/notes-on-the-post-industrial-society-i)、(http://www.nationalaffairs.com/public_interest/detail/notes-on-the-post-industrial-society-ii)
5　ダニエル・ベル著、内田忠夫他訳『脱工業社会の到来（上）』（１９７５年、ダイヤモンド社）Ｐ１
6　マーシャル・マクルーハン著、栗原裕、河本仲聖訳『メディア論』（１９８７年、みすず書房）Ｐ７
7　梅棹忠夫、前掲書Ｐ１５７、１６９
8　梅棹忠夫編『文明の生態史観はいま』（２００１年、中央公論新社）Ｐ１８８
9　レイ・カーツワイル著、井上健監訳『ポスト・ヒューマン誕生』（２００７年、ＮＨＫ出版）P16。なお「シンギュラリティ」という言葉はカーツワイルが初めて用いたものではない。最初に用いたのは作家ヴァーナー・ヴィンジで１９８３年のことだった。
10　梅棹忠夫、１９９１年、前掲書、Ｐ１５９

第1章

1　アルビン・トフラー著、鈴木健次、桜井元雄訳『第三の波』（１９８０年、日本放送出版協会）Ｐ１５８
2　星名定雄『情報と通信の文化史』（２００６年、法政大学出版局）Ｐ２２７

3 腕木通信については中野明『腕木通信』（2003年、朝日新聞出版）を参照されたい。本章の腕木通信に関する記述は基本的に同書に基づく。記述の情報源については同書に詳しいので本書では大幅に割愛した。
4 同、P85
5 クロード・E.シャノン、ワレン・ウィーバー著、植松友彦訳『通信の数学的理論』（2009年、筑摩書房）P64～67
6 吉田夏彦『デジタル思考とアナログ思考』（1990年、日本放送出版協会）P9
7 FNARH『La Télégraphie Chappe』（1993, De l'Est）P351
8 マーティン・セリグマン著、小林裕子訳『世界でひとつだけの幸せ』（2004年、アスペクト）P62
9 ケヴィン・ケリー著、服部桂訳『テクニウム』（2014年、みすず書房）P209
10 W・ブライアン・アーサー著、日暮雅通訳『テクノロジーとイノベーション』（2011年、みすず書房）P29

第2章

1 シュムペーター著、塩野谷祐一、中山伊知郎、東畑精一訳『経済発展の理論（上）』（1977年、岩波書店）P171
2 同、P178
3 『Nelson's Encyclopedia Vol.22 T. U』（1911, Thomas Nelson and Sons）P76
4 福沢諭吉『日本の名著33 福沢諭吉』（1969年、中央公論新社）P382
5 以下、電信成立の経緯は、トム・スタンデージ著、服部桂訳『ヴィクトリア朝時代のインターネット』（2011年、NTT出版）やITU『From Semaphore to Satellite』（1965, ITU）などを参考にした。
6 江崎昭『輸送の安全からみた鉄道史』（1998年、グランプリ出版）P117
7 ジェイムズ・グリック著、楡井浩一訳『インフォメーション 情報技術の人類史』（2013年、新潮社）P38で、モールス電信の信号を4種類と書いている。本書のように考えると5種類となる。

8　以下、モールス電信の成立経緯については、主にトム・スタンデージ、前掲書、第2章、第3章およびEdward Lind Morse『Samuel F. B. Morse His Letters and Journals Vol. II』(1914, Houghton Nifflin Company) を参照した。
9　ITU、前掲書、P28
10　以上の電信線総距離に関する数値は、トム・スタンデージ、前掲書、P62およびDr. Lardner, Edward B. Bright『The Electric Telegraph』(1867, James Walton) P259に基づく。1859年には約8万8000km (5万5000マイル) に達する (Lardner & Bright)。
11　加山昭『アメリカ鉄道創世記』(1998年、山海堂) P92
12　Dr. Lardner, Edward B. Bright, 前掲書、P258。原典では5万1556マイル。
13　Gerard J. Holzmann, Björn Pehrson『The Early History of Data Networks』(1995, IEEE Computer Science Press) P92
14　倉田保雄『ニュースの商人ロイター』(1979年、新潮社) P41
15　中野明、前掲書、P257。夜間通信向けの腕木通信開発に情熱を燃やしたジュール・ギヨの言葉。
16　ダニエル・ヘッドリク著、横井勝彦、渡辺昭一訳『インヴィジブル・ウェポン』(2013年、日本経済評論社) P24
17　今井幸彦『通信社』(1973年、中央公論新社) P50
18　以上の数値はダニエル・ヘッドリク、前掲書、P33～34による。
19　ダニエル・ヘッドリク、前掲書、P36
20　同、P37
21　城水元次郎『電気通信物語』(2004年、オーム社) P23
22　ジェイムズ・グリック、前掲書、P161、162
23　ダニエル・ヘッドリク、前掲書、P96
24　同、P101

25 同、Ｐ１０８
26 ジェレミー・リフキン著、柴田裕之訳『限界費用ゼロ社会』（２０１５年、ＮＨＫ出版）Ｐ73
27 トム・スタンデージ、前掲書、Ｐ53
28 ジェイムズ・グリック、前掲書、Ｐ１８４
29 今井幸彦、前掲書、Ｐ29
30 広瀬隆『赤い楯（下）』（１９９１年、集英社）Ｐ８３１。なお情報源については何も記されていない。
31 長島要一『大北電信の若き通信士』（２０１３年、長崎新聞社）Ｐ62
32 ジェイムズ・グリック、前掲書、Ｐ１８７
33 スティーヴン・カーン著、浅野敏夫、久郷丈夫訳『時間の文化史　時間と空間の文化：１８８０―１９１８年（上）』（１９９３年、法政大学出版局）Ｐ15
34 同、Ｐ17
35 小林健『日本初の海外観光旅行』（２００９年、春風社）Ｐ１６０
36 倉田保雄、前掲書、Ｐ１３８
37 E. L. Bentley『Bentley's complete phrase code』(1909, Rose Publishing Company) Ｐ1、Ｐ2
38 ジェイムズ・グリック、前掲書、Ｐ１９９
39 同、Ｐ１９９
40 同、Ｐ２００
41 スティーヴン・カーン、前掲書、Ｐ１６７

第３章

1 Louis Figuier『Les Merveilles de la Science 2』(1870, Furne) Ｐ１５４。以下のパンテレグラフのスペックや料金も同書による。
2 ジュール・ヴェルヌ著、榊原晃三訳『二十世紀のパリ』（１９９５年、集英社）Ｐ70

3　ケヴィン・ケリー、前掲書、P153
4　ジョン・ブルックス著、北原安定監訳『テレフォン』（1980年、企画センター）P65
5　同、P68
6　レオナルド・デ・フェリス著、本田成親訳『図説 創造の魔術師たち』（2002年、工学図書）P132
7　料金および加入者数はジョン・ブルックス、前掲書、P81に基づく。
8　同、P88
9　ジェイムズ・グリック、前掲書、P242
10　ジョン・ブルックス、前掲書、P101
11　同、P94。以下の加入者数、総収入も同書による（P100、P110）。
12　クロード・S・フィッシャー著、吉見俊哉、松田美佐、片岡みい子訳『電話するアメリカ』（2000年、NTT出版）P58
13　ベル系電話会社の料金についてはジョン・ブルックス、前掲書、P149に基づく。また、ファーマー・ラインの料金はクロード・S・フィッシャー、前掲書、P58に基づく。
14　クロード・S・フィッシャー、前掲書、P61
15　ジョン・ブルックス、前掲書、P148
16　同、P177
17　同、P194
18　同、P134〜135
19　日本電信電話株式会社広報部『電話100年小史』（1990年、日本電信電話）P4。以下の加入者数も同書のP15、P21に基づく。
20　関東電気通信局『関東電信電話百年史（上）』（1968年、電気通信協会）統計「5. 電話加入数の増加」
21　城水元次郎、前掲書、P68
22　キャロリン・マーヴィン著、吉見俊哉、水越伸、伊藤晶亮訳『古いメディアが新しかった時』（2003年、

新曜社）Ｐ４１６
23　レオナルド・デ・フェリス、前掲書、Ｐ１３４では「10分間」、キャロリン・マーヴィン、前掲書、Ｐ４１６では「5分間」としている。
24　以下は「New Scientist」23/30 December 1982 Vol. 196「Cable Radio――Victorian Style」Ｐ７９４の記事による。ウィキペディアによると、ビクトリア女王もテアトロフォンのリスナーだったという。
25　テレフォン・ヒルモンドについては、キャロリン・マーヴィン、前掲書、Ｐ４４０～４４９に基づく。
26　テレフォン・ヘラルドについてはキャロリン・マーヴィン、前掲書、Ｐ４４９～４５３に基づく。
27　吉見俊哉『「声」の資本主義』（１９９５年、講談社）Ｐ１６１
28　関東電気通信局、前掲書、統計「5電話加入者の増加」
29　吉見俊哉、前掲書、Ｐ１６１～１６２
30　Ｐ・Ｆ・ドラッカー著、小林宏治監訳『イノベーションと企業家精神』（１９８５年、ダイヤモンド社）Ｐ59～62
31　水越伸編『20世紀のメディア ①エレクトリック・メディアの近代』（１９９６年、ジャストシステム）収録、水越伸「複製技術とイメージを消費する社会」Ｐ１８６

第４章

1　キース・ゲッデス著、岩間尚義訳『グリエルモ・マルコーニ』（２００２年、開発社）Ｐ81
2　無線百話出版委員会編『無線百話』（１９９７年、クリエイト・クルーズ）Ｐ１１８では他社製を「テレフンケン社」、ダニエル・ヘッドリク、前掲書、Ｐ１６０では「スラビー・アルコ社」としている。
3　ロビン・ガーディナー、ダン・ヴァンダー・ヴァット著、内野儀訳『タイタニックは沈められた』（１９９６年、集英社）Ｐ99
4　無線百話出版委員会、前掲書、Ｐ１４２
5　Alvin F. Harlow『Old Wires and New Waves』（1936, D. Appleton-Century Company）Ｐ４５５～４５

6

6　同、Ｐ４５６

7　同、Ｐ４６４

8　同、Ｐ４６４

9　『Amateur Work Vol. III』（1904, Draper Publishing Company）Ｐ２２３（１９０４年6月号）

10　吉見俊哉、前掲書、Ｐ１８２

11　ユージン・ライオンズ、前掲書、Ｐ79

12　以下、フランク・コンラッドおよびＫＤＫＡ局については、Susan J. Douglas『Inventing American Broadcasting 1899-1922』(1987, The Johns Hopkins University Press) Ｐ２９９～３００に基づく。

13　ラジオ受信機数については城水元次郎、前掲書、Ｐ85、放送局数については吉見俊哉、前掲書、Ｐ１８７に基づく。

14　松田裕之『モールス電信士のアメリカ史』（２０１１年、日本経済評論社）Ｐ54

15　デービッド・サーノフ著、坂元正義監訳『創造への衝動』（１９７０年、ダイヤモンド社）Ｐ4

16　ユージン・ライオンズ、前掲書、Ｐ65

17　デービッド・サーノフ、前掲書、Ｐ35～36

18　同、Ｐ38

19　同、Ｐ41

20　同、Ｐ39

21　水越伸『メディアの生成』（１９９３年、同文舘出版）Ｐ94

22　水越伸編、前掲書、１９９６年、Ｐ72

23　河村雅隆『放送が作ったアメリカ』（２０１１年、ブロンズ新社）Ｐ42

24　ユージン・ライオンズ、前掲書、Ｐ１４５

25　山崎清「アメリカにおけるラジオ産業の発展と大衆文化」Ｐ１２３（「経営論集」25号Ｐ１０９～１２６）

26 RCA『Radio Enters the Home』(1922, RCA) P33

第5章

1 デービッド・サーノフ、前掲書、P103
2 同、P101
3 同、P303
4 ユージン・ライオンズ、前掲書、P207
5 デービッド・サーノフ、前掲書、P117
6 ユージン・ライオンズ、前掲書、P214
7 無線百話出版委員会、前掲書、P159
8 舟越健之輔『われ広告の鬼とならん』(2004年、ポプラ社) P182
9 以下、ラジオ東京成立の経緯については、舟越健之輔、前掲書、P186~192、および日本放送出版協会編『日本の『創造力』14』(1993年、NHK出版) P238~239に基づく。
10 舟越健之輔、前掲書、P182、P233
11 杉浦栄三『図説広告変遷史』(1961年、中部日本新聞社) 収録「広告と生活」P14
12 デービッド・サーノフ、前掲書、P102、P387
13 佐々木義彦編『鮎川義介先生追想録』(1968年、鮎川義介先生追想録編纂刊行会) 収録、正力松太郎「故鮎川義介さんの追憶」P220
14 正力松太郎「日本テレビ放送網株式会社とNHKテレビとの比較得失に就て」(1951年11月) P2
15 無線百話出版委員会、前掲書、P269
16 舟越健之輔、前掲書、P277
17 同、P277
18 同、P277

19　佐野眞一『巨怪伝』（1994年、文藝春秋）P471

20　内閣府「主要耐久消費財等の普及率（全世帯）（平成16年3月末現在）」http://www.esri.cao.go.jp/jp/stat/shouhi/0403fukyuritsu.xls

21　デービッド・サーノフ、前掲書、P391

第6章

1　Doron Swade『Charles Babbage and his Calculating Engines』(1991, Science Musueum) P10

2　スコット・マッカートニー著、日暮雅通訳『エニアック』（2001年、パーソナルメディア）P114

3　西垣通編著訳『思想としてのパソコン』（1997年、NTT出版）P82

4　同、P84

5　「LIFE」(1945. 10. September) P112

6　同、P123

7　ルネ・デカルト著、落合太郎訳『方法序説』（1953年、岩波書店）P29

8　同、P30

9　浜野保樹『極端に短いインターネットの歴史』（1997年、晶文社）P147

10　坂村健『痛快！コンピュータ学』（1999年、集英社インターナショナル）P109

11　富田倫生『パソコン創世記』（1994年、TBSブリタニカ）P18

12　アラン・カーティス・ケイ著、鶴岡雄二訳『アラン・ケイ』（1992年、アスキー出版局）P174

13　同、P36

14　長谷川裕行『ソフトウェアの20世紀』（2000年、翔泳社）P213

15　ポール・アレン著、夏目大訳『ぼくとビル・ゲイツとマイクロソフト』（2013年、講談社）P17

16　「1984 Apple's First Macintosh Commercial」(https://www.youtube.com/watch?v=OYecfV3ubP8)

17　ウォルター・アイザックソン著、井口耕二訳『スティーブ・ジョブズ I』（2011年、講談社）P261

第7章

1 「Chicago Daily Tribune」May 29, 1961（http://archives.chicagotribune.com/1961/05/29/page/1/）
2 相田洋、矢吹寿秀『新・電子立国（６）コンピューター地球網』（１９９７年、ＮＨＫ出版）Ｐ２１２
3 ケイティ・ハフナー、マシュー・ライアン著、加地永都子、道田豪訳『インターネットの起源』（２０００年、アスキー）Ｐ35
4 同、Ｐ２
5 ニール・ランダール著、村井純監訳『インターネットヒストリー』（１９９９年、オライリー・ジャパン）Ｐ21
6 ケイティ・ハフナー、マシュー・ライアン、前掲書、Ｐ１４６
7 相田洋、矢吹寿秀、前掲書、Ｐ２３３
8 ＡＲＰＡネット成立の経緯については、ケイティ・ハフナー、マシュー・ライアン、前掲書、Ｐ１４７～１６２、浜野保樹、前掲書、Ｐ１３０、相田洋、矢吹寿秀、前掲書、Ｐ２３０～２４１、ニール・ランダール、前掲書、Ｐ１２５～１４６に基づく。
9 相田洋、矢吹寿秀、前掲書、Ｐ２９３
10 以下のトランジスタ数は佐野正博「Intel社が開発したマイクロプロセッサーの技術的スペックの歴史的変遷」（http://www.sanosemi.com/history_of_Intel_CPU_techspecs-mini.htm）による。
11 Tim O'Reilly「What Is Web 2.0」（http://www.oreilly.com/pub/a/web2/archive/what-is-web-20.html）
12 アルビン・トフラー、前掲書、Ｐ21
13 日本経済新聞２０２０年８月21日「音声配信ラジコ、迫る１０００万人」（https://www.nikkei.com/article/DGKKZO62802380Z10C20A8TJ1000/）

第８章

１　梅棹忠夫、１９９１年前掲書、Ｐ53
２　雄山の研究については雄山真弓『ココロの免疫力を高める「ゆらぎ」の心理学』（２０１２年、祥伝社新書）に詳しい。
３　ユージン・ライオンズ、前掲書、Ｐ１９６
４　シーナ・アイエンガー著、櫻井祐子訳『選択の科学』（２０１０年、文藝春秋）Ｐ２３０

エピローグ

１　アブラハム・マズロー著、大川修二訳『完全なる経営』（２００１年、日本経済新聞出版社）Ｐ１５１
２　『角川インターネット講座【全15巻合本版】（電子書籍版）』（２０１５年、ＫＡＤＯＫＡＷＡ）収録、武田英明「集合知とは何か」Ｌ２０９２８
３　フィリップ・コトラー、ケビン・レーン・ケラー著、月谷真紀訳『コトラー&ケラーのマーケティング・マネジメント（第12版）』（２０１４年、丸善出版）Ｐ6
４　ミシェル・フーコー著、田村俶訳『監獄の誕生』（１９７７年、新潮社）Ｐ２１７
５　トム・スタンデージ、前掲書、Ｐ１０８
６　梅棹忠夫、吉良竜夫編『生態学入門』（１９７６年、講談社）Ｐ36

祥伝社黄金文庫

ＩＴ全史(ぜんし)

情報技術(じょうほうぎじゅつ)の250年(ねん)を読(よ)む

令和２年11月20日　初版第１刷発行

著　者　中野(なかの)　明(あきら)

発行者　辻　浩明

発行所　祥伝社(しょうでんしゃ)

〒101－8701
東京都千代田区神田神保町３－３
電話　03（3265）2084（編集部）
電話　03（3265）2081（販売部）
電話　03（3265）3622（業務部）
www.shodensha.co.jp

印刷所　萩原印刷

製本所　ナショナル製本

Printed in Japan　© 2020, Akira Nakano　ISBN978-4-396-31795-9 C0130

購買動機（新聞、雑誌名を記入するか、あるいは○をつけてください）	
□（　　　　　　　　　　　）の広告を見て	
□（　　　　　　　　　　　）の書評を見て	
□ 知人のすすめで	□ タイトルに惹かれて
□ カバーがよかったから	□ 内容が面白そうだから
□ 好きな作家だから	□ 好きな分野の本だから

●最近、最も感銘を受けた作品名をお書きください

●あなたのお好きな作家名をお書きください

●その他、ご要望がありましたらお書きください

住所	〒				
氏名		職業		年齢	
新刊情報等のパソコンメール配信を 希望する・しない	Eメール	※携帯には配信できません			

あなたにお願い

この本の感想を、編集部までお寄せいただけたらありがたく存じます。今後の企画の参考にさせていただきます。Eメールでも結構です。

いただいた「一〇〇字書評」は、新聞・雑誌等に紹介させていただくことがあります。その場合はお礼として特製図書カードを差し上げます。

前ページの原稿用紙に書評をお書きの上、切り取り、左記までお送り下さい。宛先の住所は不要です。

なお、ご記入いただいたお名前、ご住所等は、書評紹介の事前了解、謝礼のお届けのためだけに利用し、そのほかの目的のために利用することはありません。

〒一〇一－八七〇一
祥伝社黄金文庫編集長　萩原貞臣
☎〇三（三二六五）二〇八四
ohgon@shodensha.co.jp

祥伝社ホームページの「ブックレビュー」からも、書けるようになりました。
www.shodensha.co.jp/bookreview

一〇〇字書評

切り取り線

本作品は二〇一七年七月に小社から単行本で刊行された『IT全史』を文庫にしたものです。

索　引

〈数字：アルファベット〉

〈サ行〉

〈タ行〉

〈ナ行〉

〈マ行〉

〈ヤ行〉